우리영화

Our Movie

한가은, 강경민 대본집

차례

작가의 말

그랬지. 그런 기억이, 그런 사람이 나에게도 있었지.
그래서 지금의 내가 있는 거지.
이 드라마를 보다가 내 안에 깊숙이 숨어 있던 슬픔이 잠시
떠오른다면 잠깐만 떠올려주시길 바랐습니다. 아프고 끔찍할
거라 상상했지만 막상 마주하면 반짝이고 있을 나만의
슬픔들. 그 슬픔이 꺼내고 싶지 않은 기억이 아니라 소중히
품고 있는 추억이 되었으면 좋겠습니다. 그래서 다시 한번
주먹을 꽉 쥐어보거나 오랫동안 꼭 쥐고 있던 손의 힘을
살며시 풀 수 있는 용기가 되었으면 좋겠습니다. 쓰고 보니
너무 거창한 욕심이네요.

죽음을 앞둔 다음이와 시간이 멈춘 채 고여버린 제하.
이 두 사람의 한계를 재료로 삼고 쓰다 보니 반대 지점의
생각들이 깨어납니다. 내가 살아있다는 감각이 깨어나는 기분,
삶에 대한 감사함, 나를 떠난 이들에 대한 그리움, 가끔 숨이
안 쉬어지던 고통들이 제하와 다음이를 통해 조금씩 그려지고
있었습니다. 아직 살아있다는 이다음, 제대로 살고 싶다는
이제하. 이 둘의 마음의 모양이 생겨납니다. 그렇게 주제가
선명해집니다. 쓰는 내내 '산다'는 것에 집중하게 됩니다.
이들의 마음을 어설프게 꾸미지 말고 매끄럽지 못하더라도
정직하게 전달하고 싶었습니다.

6

이제 첫 드라마 대본을 쓴 신인 작가들의 대본이 책으로
나온다는 부끄러움은 이루 말할 수 없이 민망합니다.
그래서 더더욱 고치지 않고 촬영고를 기준으로 보여드립니다.

날것의 서툰 흔적으로 가득한 대본이 배우님들과
제작진분들의 고민과 표현을 통해 어떻게 완성되었는지,
그 과정을 보는 재미를 통해 감상에 도움이 되길 바랍니다.
이 드라마를 즐겁게 시청해 주신 분들에게 작은 선물이
되었으면 하는 마음으로 용기를 내봅니다.

마지막으로 감사 인사를 남기고 싶습니다. 우리 드라마의 등대가
되어주신 이정흠 감독님. 이 드라마에서 보고 싶은 것, 그러나
대본에서는 흔적도 찾아볼 수 없는 것, 그러니 반드시 생각해
내야 하는 것들을 명확하게 짚어주셨습니다. 때마다 무인도로
도피하고 싶을 만큼 부끄러울 때도 있었지만 그럴 시간에 작가가
해야 할 일인 오래 생각하고 반드시 써내기에 충실하자는
마음을 먹게 해주신 분입니다. 부족한 작가들에게 첫 기회를
열어주시고 지지해 주신 정아름 대표님, 따뜻한 포용과
날카로운 피드백으로 시작과 끝을 응원해 주신 손지혜 팀장님,
함께 고민을 나누고 늘 치켜세워주고 다독여주었던 강경민
작가님께 감사드립니다. 이분들을 만나고부턴 복권도 사지
않습니다. 운을 전부 끌어다 쓴 것 같습니다.

아직도 함께 작업했다는 게 믿겨지지 않는 우리 배우님들,
스태프분들. 이 드라마를 만든 모든 분들께, 시청해 주신 모든
분들께 마음 깊이 감사합니다.
영광이었습니다. 덕분에 대본을 쓰는 시간 내내 정말 사는 것
같았습니다.

7

2025년 여름,
한가은 드림.

작가의 말

'작가의 말'을 써야 하는 날이 왔습니다.
막상 쓰려니, 차를 사고선 한 번도 펴보지 않았던, 지금도
조수석 글러브 박스 어딘가에 민트급 컨디션으로 반듯하게
뉘어 있는 자동차 사용 설명서가 먼저 떠올랐습니다.

이어서, 글러브 박스가 아닌 책장 속 수많은 대본집들.
자괴감에 부풀수록 마치 성경처럼 찾아 읽었던 대본집들.
그러나 매번 급한 마음에, 정작 무심코 지나쳤던 수많은
'작가의 말'들을 다시 찾아보고, 지난 삶을 한탄하며
돌이켜본 끝에 이렇게 다시 씁니다.

그런 한탄 가득한 삶을 돌이켜보면, 제게 〈우리영화〉는
그저 기적 같은 여정이었습니다. 그 여정을 처음부터 끝까지
묵묵히 앞장서 준 한가은 작가에게 특별히 고맙다는 말을
전합니다. 이렇게 대본집이 세상 밖으로 나올 수 있게 된 건,
오롯이 그녀 덕분이라고 생각합니다.

더불어, 〈우리영화〉와 함께해 준 모든 배우, 스태프
여러분께도 깊은 감사의 인사를 전합니다. 이 종이책을 빌려
여러분께 감사의 마음을 다시 한번 전할 수 있다는 점이,
대본집을 내는 데 있어 가장 짜릿한 부분 같습니다.
여러모로 참, 감사합니다.

8

2025년 여름,
강경민 드림.

캐릭터
트리트먼트

＊ 이제하 ＊

다음이 없는 영화 감독.
영화 〈하얀 사랑〉 감독.

칸이 사랑한 거장의 아들

'영화감독 이제하'보다는 '거장 이두영의 아들'이란
수식이 먼저 따라붙는다. 어린 시절, 젊은 여배우와의
염문으로 돌아가신 엄마에게 씻을 수 없는 상처를
주었던 아버지에 대한 증오가 아이러니하게도 그를
영화감독으로 만들었다. 아버지와는 다른 감독이, 다른
사람이 되겠다는 일념으로 심혈을 기울여 만든 첫
영화를 선보이던 날 아버지 두영이 죽었다. 갑작스러운
아버지의 죽음은 자신을 들여다보려고 노력했던 시도를
송두리째 멈춰 세웠다. 제하의 마음은 그렇게 닫혔다.
그렇게 5년이 지난다. 제하의 시간은 그렇게 멈춘다.

현재 그는 다음이 없는 감독이다.

제작자 승원의 끈질긴 설득과 회유에도 언제나 단칼에
거절하던 제하였다. 내가 지금 누구 때문에 이 모양 이
꼴인지 뻔히 알면서 아버지의 영화를 답습하라고?
그런데, 내 인생에서 간간이 바뀌는 막 사이마다
나타나던 아버지의 불륜녀가, 의미 모를 말을 전하고
사라진다. 만든 사람의 마음을 알아보라며 초고를
찾아보란 맥락 없는 말들에 기어코 아버지의 서재를
다시 찾은 그날. 원고지에 수기로 눌러쓴 〈하얀 사랑〉의
초고를 보게 된다. 어머니의 이름이 적힌 초고. 제하는

11

캐릭터 트리트먼트

생각 한다. 평생을 비판적으로 봐온 아버지의 영화. 내 손으로 직접 해체해 주겠다고. 그리고 이 영화를 진짜 주인에게 돌려주겠다고.

이상한 여자였다.

원작의 시한부 설정으로 고민하던 중 병원에서 자문으로 소개받은 시한부 환자 이다음을 만났다. 그런데, 그 시한부 환자가 오디션 현장에 나타난다. 주인공을 연기하고 싶다며. 이걸 리얼리티라고 봐야 하는 건지, 리얼 그 자체라고 봐야 하는 건지. 남은 삶을 걸고 영화를 찍겠다는. 아파도 사랑도 하고 영화도 찍고 다 할 수 있다는 이상한 여자. 언제까지 살아야 되냐 되묻는 다음을 보고 미안한 마음보다는 안심이 들었다. 그녀가 죽을 수도 있다는 사실보다는 끝까지 꿈을 놓지 않고 배우로 살아보고 싶다는 욕망이 제하에게는 진짜처럼 느껴졌다. 며칠간 시달렸던 '고루한 시한부 영화의 답습'이라는 타이틀이 깨지는 순간이자, 마지막 조각 같이 느껴졌다.

다음을 만나고 제하의 멈춰있던 시간이 다시 흐르기 시작한다.

성공을 위해 아픈 사람을 이용하고, 사람들을 속이고 동료들을 기만했던 그 모든 것이 영화만 완성되면 아무 일도 아닌 게 될 거라고 생각했던 그였다. 그런데 아니었다. 제하는 후회가 된다. 부끄러움을 느낀다. 이제는 다음이 아프단 생각만 하면 숨도 잘 쉬어지지가 않는다. 그렇게 제하는 깨닫는다. 온 생을 걸고 치열하고 간절하게 살고있는, 아니 아직 이렇게 생생하게 살아있는 그녀를 보면서 마음을 다르게 먹기로 한다. 제하는

12

그동안 주저했던 시간만큼 달려가 보려 한다.
다음의 곁에서 스스로를 가두었던 두려움을 잠시
잊어보려 한다. 남은 시간이 얼마 남지 않았더라도
이 영화를 완성하지 못하더라도 다음이를 잡고 있는
이 손만큼은 놓지 않겠다고. 이제 제하가 할 수 있는 일은
한 가지뿐이다.

오늘의 영화를 찍고, 오늘의 사랑을 하는 것이다.
그것만이 제하와 다음이 이 진부한 삶의 클리셰를 깰 수 있는,
유일한 방법이었다.

13

캐릭터 트리트먼트

오늘이 마지막인 배우 지망생.
영화 〈하얀 사랑〉 여자 주인공 '규원' 역.

'…우물쭈물 산 것은 아니지만, 이렇게 될 줄은 알았다. 진작에 말이다.'

흐린 포커스 속 군중들 중 한 명인 다음이가 쓰러지면서 든 생각이다. 다음은 희귀병 중 하나인 '미토콘드리아 동력부족 증후군'이라는 이름도 긴 희귀 난치병 진단을 받는다. 병원은 집보다 익숙한 세계였다. 병원 곳곳 특유의 친화력으로 그녀를 모르는 사람이 없을 정도로 유명 인사가 된 다음. 유전으로 다음에게 남겨진 건 병뿐만이 아니었다. 어느 순간에도 웃음을 잃지 않는 특유의 장난스러운 미소도 있었다. 많이 변한 듯했지만 엄마와의 추억이 곳곳에 남아있는 익숙한 장소에서 씩씩하게 치료를 받으며 살아간다. 5년 동안의 투병 생활에 지치고 내일이 없다는 생각에 슬퍼질 때, 이제하 감독을 만났다. 감독과 시한부 자문으로. 제하를 만난 뒤 다음은 이상한 마음을 먹는다. 어쩌면 나도, 내 인생의 주인공이 될 수 있겠구나, 이제하. 이 사람만 내 인생에 캐스팅한다면.

제하를 다시 만나러 갔다. 자문이 아닌 배우로. 병원이 아닌 15
오디션장에서.

가능성이 거의 없다는 것을 알지만 그럼에도 이번만은 포기할 수 없었다. 이렇게 가슴이 뛰는데 뭐든 해야 했다.

캐릭터 트리트먼트

그녀의 인생엔 좋아하는 연기도 낭만적인 사랑도 영화
같은 순간도 없을 것 같았다. 제하를 만나기 전까지는
그랬다.

이제하가 성큼성큼 그녀의 인생 속으로 들어온다.

다음에게는 시간이 없다. 어쩌면 우리가 만드는 영화가
재미있을지 재미없을지 다음은 알 수 없을 것이다. 내가
사랑하는 사람, 나를 사랑해 주는 사람들을 마주할
수 있는 날이 사라지고 있다는 것을 안다. 알고 있다.
그러니까 좀 까먹어도 되지 않을까? 내내 마지막만을
붙들고 두려워하며 살고 싶지 않다. 인생의 주인공씩이나
돼서 우물쭈물할 수만은 없지 않은가.

지금, 마음먹은 만큼만 행복하게 살아보기로 선택한다.
그 결말이 어떻든. 내가 바라는 결말은 이런 것이라고.

16

영화 〈하얀 사랑〉의 제작자.

감 좋고, 정확하고, 바쁘다. 모두가 평범하다는 아이템에서
매력과 뾰족함을 발견해 내는 재능이 있다. 해외 바이어들과
나눈 술자리에서 칸 영화제의 이두영 감독 회고전에 관한
제의를 받았고, 〈하얀 사랑〉을 리메이크해서 붙이려고
마음먹은 지는 꽤 됐다.

흥행작은 만들 만큼 만들었다. 이제는 평단의 평가와 해외
영화제에서 상을 타 입지를 굳힐 차례다. 자신의 바람을
이루어 줄 수 있는 건 단연 이제하라고 생각했다. 좀 미안한
말이지만, 승원이 필요한 건 이두영 감독의 아들이란 제하의
타이틀이었다. 그렇게 제하를 설득하는 건 성공했는데…
이 영화, 진행할수록 뭔가 이상하게 돌아간다. 하지만 그
이상함이, 기필코 이야기가 될 것 같다는 감이 온다.

17

캐릭터 트리트먼트

☐ ☐ ☐ | * | 채 | 서 | 영 | ☐ | * | ☐

한국 영화계의 독보적 톱스타.
영화 〈하얀 사랑〉 조연 '정화' 역.

5년 전, 제하의 영화 주인공. 그 영화를 통해 톱스타의
반열에 올랐다. 현장에서 만난 제하는 쓸데없는 말은 하지
않았고 필요한 말만 하는데 그게 그렇게 멋있었다. 그를
진심으로 사랑했다. 하지만 제하는 그런 서영과 냉정하게
거리를 뒀다. 난 너를 영화 때문에 이용한 거라고,

제하와 헤어지고 더 열심히 일했다. 영화도 드라마도 광고도
찍었다. 가장 바쁜 나이에 할 수 있는 모든 것을 했다. 심지어
재벌과 결혼하고 이혼까지 했다.

이혼 후 첫 복귀작 시사회장. 세상 밖으로 나온 제하를
마주하자 온몸이 굳는다. 이제 다시 제하가 궁금해지는데,
제하의 시선은 자꾸만 한 신인 배우에게로 향한다.

이해가 되질 않는다. 예전에 알던 이제하가 아니다. 자꾸만
예상을 빗나간다.

18

＿ ＿ ＿ * ＿ 김 정 우 ＿ * ＿ ＿

대세 배우.

영화 〈하얀 사랑〉 남자 주인공 '현상' 역.

5년 전, 제하의 데뷔작 〈청소〉에 조연으로 서영과 함께
데뷔했다. 그때 인연으로 제하의 복귀작 〈하얀 사랑〉의
리메이크 작업에도 주연 배우로 참여하게 된다. 워낙에 유명한
거장의 작품이기도 했고, 그 리메이크를 그의 아들이
감독이 되어 제작하는 훈훈한 스토리까지. 그 스토리의
주인공으로서 주목받는 것이 어떻겠냐는 승원의 제안이 꽤
마음에 들었다. 최근 교제를 시작한 선배 배우 서영이 비중
적은 조연을 자처하기 전까지는.

이제야 서영에게 내 차례가 왔다고 생각했는데 다시
이제하와 엮이겠다니.

19

다음의 아버지.

한국대병원 유전학센터 교수.

다음이 8살이던 때, 희귀 유전병으로 아내를 떠나보냈다. 멍하니 넋을 놓고 있던 정효에게 어린 다음이 물었다.

"아빠, 유전이 뭐야?"

가족에게 찾아온 이 불행의 고리를 끊어내야만 했다. 딸이 조금이라도 더 살 수 있도록 만드는 것 말고는 다른 것은 돌아볼 새가 없었다. 딸이 무엇을 좋아하는지, 무엇을 하고 싶어 하는지. 아빠라면 응당 알고 있어야 할 그런 것들 말이다. 아빠의 자격은 미달이어도 의사로서 최선을 다하고 싶었다. 다음이가 사는 것. 조금만 더 사는 것. 오직 그것만 생각하며 버텨왔는데…

병원에서 꽉 채워 사느니 반만 살더라도 영화를 찍겠다는 딸을 어찌해야 할지. 정효는 애가 탄다. 어디서부터 말려야 할까. 근데, 내가 말릴 자격이 있나.

20

비욘드 엔터 대표.

처음 매니저의 길로 들어섰을 때, 그녀의 목표는 심플했다. 내 배우는 주인공이다. 그 일념 하나 머리에 박아 놓고 20년을 넘게 뛰었다.

그런데 가족처럼 품었던 서영이 이제하와 엮이면서부터 균열이 생겼다. 5년이 흘렀다. 이제 겨우겨우 다시 제자리를 찾아간 줄 알았는데… 또 이제하가 나타났다. 서영이 그 자식 영화를 또 찍겠단다. 게다가 톱스타가 조연을?

그때, 리딩 연습을 하겠답시고 찾아온 이다음이라는 신인 배우가 눈에 띈다. 뭔가 다른 눈빛. 그래, 딱 그 시절의 서영 같았다. 오디션 하나로 주연 배역을 따낸 신인배우. 군침이 돈다. 이다음은 고혜영 아직 안 죽었다고 증명할 마지막 카드다.

21

다음의 소울메이트.
콘텐츠 PD.

다음이와는 동네 친구이자, 초중고 동창을 넘어서 대학
동기이기도 하다. 흔히 말하는 소울 메이트. 자칭 '이다음
전문가'. 다음이와 함께 워크숍도 해보고 단역 생활도
겪어봤지만, 일찍이 프로 무대에서 통할 만큼 자신의 끼가
특출난지는 항상 의문이었다. 깔끔하게 인정. 그리고 후회
없이 방향을 틀어 한 영상 회사에서 콘텐츠 PD로 일하고 있다.

다음이 입꼬리 씰룩이는 것만 봐도 애 또 사고 치겠구나
직감이 딱 온다. 그날도 그랬다. 다음이가 대뜸 영화 오디션을
봤다고, 1차 붙었다고 방방 뛴다. 같이 방방 뛰어야 맞는
일인데… 억지로 짓는 미소에는 경련이 일고 눈동자는
흔들린다. 어떤 마음으로 간절하게 준비했을지 알기에
기특하고 감동적인데, 걱정이 앞선다. 따뜻한 응원의 말이
먼저 나오지 않는 자신이, 이 상황이 밉다.

22

'임씨네 식당' 셰프.
다음의 매니저.

어릴 적 제하가 살던 동네 중국집 사장님의 외동아들이었다.
배달 심부름으로 제하의 본가를 드나들다 영화와 관련된
물건들로 가득 채워진 집을 보고 호기심이 생겨 형형 거리며
제하를 따라다녔다.

겉으로는 마냥 수다스럽고 장난기 가득하지만, 오랫동안
제하를 알아왔던 준병은 제하를 응원하는 나름의 방법을
알 만큼 굉장히 섬세하고 배려가 깊은 사람이다.

제하의 부탁으로 만년 적자에 허덕이던 식당을 잠깐 닫고
다음의 매니저로 새로운 도전을 시작한다. 수락 이유는?
낭만적이니까. 그리고 그곳에서 현장을 호령하는 카리스마를
가진 조감독 유홍에게 빠진다.

23

영화 〈하얀 사랑〉 조감독.

업계 관계자들이 데뷔를 시키기 위해 호시탐탐 탐내는
조감독. 어린 나이지만 흥행 영화 여러 편에 조감독으로
참여했고 재능도 있다.

어떤 어려운 상황에서도 강단 있게 자신의 역할을 해내는
야무진 성격이다. 감독이 말하지 않아도 알아서 척척
준비하고 스태프들 통솔까지 잘하는, 누가 봐도 천생 감독
자질인데…

하지만 유홍은 감독에 관심이 없다. 더울 땐 더운 데서
일하고, 추울 땐 추운 데서 일하고, 다 감독만 찾고,
영화감독이란 거 귀찮기만 하다고. 그냥 평소 관심 있던
이제하 감독의 영화라기에 덜컥 〈하얀 사랑〉 조감독을
수락하는데, 자기도 모르게 점점 영화에 스며든다.

24

		*		남	재	인		*		

다음의 대학 동기.
〈하얀 사랑〉 간호사 역.

아역 배우 출신으로 다음, 교영과는 대학 시절 연극영화과
동기였다.

다음이가 한 학기 만에 사라졌다. 아무런 말도 없이…
교영이는 행방을 알고 있는 것 같은데, 도통 말을 해주지
않는다. 알 수 없는 배신감, 친구가 될 수 있을 거라 믿었던
자기가 바보 같았다. 그래, 역시 친구는 없다. 다 경쟁자일
뿐이야.

그런데, 5년 만에 리딩 현장에서 주인공 자리에 앉아 있는
다음이를 마주했다. 그날부터 재인의 머릿속은 이다음으로
가득 찬다.

"연기 잘하는 사람은 많아. 근데 왜 하필 너일까?"

캐릭터 트리트먼트

지철민

영화 〈하얀 사랑〉의 촬영감독.

업계 모두가 일하고 싶어 하는 실력파 촬영감독. 제하가
1순위로 공들여 섭외한 〈하얀 사랑〉 스태프. 상대를 위해
모든 걸 희생하는 사랑에 대한 믿음이 있는 대책 없는
로맨티스트. 첫 회식 날, 뜬금없이 촬영팀 애들 단속을
부탁한다는 분장실장 진미와 촬영 내내 옥신각신한다.

조진미

영화 〈하얀 사랑〉의 분장실장.

업계 최고의 분장팀을 이끄는 수장. 일할 때 모토는 연애
금지. 현장에서 썸 비스무리한 분위기만 일어나도 기가
막히게 알아챈다. 일밖에 모르던 그녀에게 뜻밖의 인연이
찾아온다. 촬영감독 지철민. 진미는 초식동물처럼 부드러운
철민의 플러팅에 사내연애 금지라는 주관이 흔들리기
시작한다.

26

원작 영화 〈하얀 사랑〉의 남자 주인공.

제하의 아버지인 이두영 감독과도 절친했던 사이. 원작
〈하얀 사랑〉에서 주인공이었던 현상 역을 맡아 열연하여
작품의 유명세와 더불어 큰 인기를 얻었다. 이후로도 20년이
넘는 세월 동안 수없이 많은 영화, 드라마에 출연하며
배우로서의 스펙트럼을 넓혀 왔으나, 60세가 되던 해에
위암으로 인한 절제술을 받고 모든 활동을 중단하고서
치료에만 전념했다. 제하가 아버지의 영화를 리메이크한다는
소식을 듣고 그 역시 기쁘기 그지없었다. 제하가 자신에게
원작에 이은 각색 작품의 배역을 부탁했을 때에는 일종의
사명감마저 느꼈기에 과감히 배우 인생 2막의 복귀작으로
선택한다.

| | | * | | 김 | 민 | 석 | | * | | |

다음의 주치의.
한국대학병원 교수.

〈하얀 사랑〉의 영화 의료 지식 자문으로 있으며, 다음의
주치의이자 정효의 제자다. 다음이의 유년 시절부터
현재까지 가깝게 지켜봤다. 그래서 정효의 심정도 다음이의
절박함도 전부 이해한다. 어느 한쪽 편을 들 수가 없다.

| | | * | | 황 | 미 | 선 | | * | | |

교영의 엄마.

교영의 초등학교 운동회 날, 운동장 한가운데 홀로 서 있는
다음이를 봤다. 교영이를 시켜 조용히 데려와 돗자리에
앉혔다. 조심스럽게 유부초밥을 집어 먹는 다음이가
안쓰럽고 예뻤다. 소풍 때도, 졸업식 때도, 진로 상담까지
부모가 필요한 순간에는 항상 다음이 옆에 그녀가 함께했다.
완전히 채워줄 순 없더라도 빈자리를 조금이나마 덜
28 느꼈으면 그걸로 됐다.

| | | * | | 노 | 희 | 태 | | * | |

노이즈 마케팅, 바이럴 전문 연예부 기자.

제작자 승원과는 비즈니스 파트너. 업계에서는 기레기계의
한 획을 그었다는 평가를 받는 연예부 기자. 기레기 역할을
자문해 줄 정도로 자신의 직업관에 대해 당당함이 있다.
엔터나 제작사 홍보 기사, 정정 기사 써주고 종종 뒤로
사례금도 받아먹고 소스도 받아먹는다.

원작 영화 〈하얀 사랑〉의 여자 주인공.

제하의 아버지인 이두영의 작품에 연달아 출연하며
페르소나로 알려진 90년대 여배우. 과거 이두영과의 염문과
스캔들로 인해 세상을 떠들썩하게 만들었던 장본인이기도
하다. 무슨 이유에서인지 〈하얀 사랑〉을 끝으로 업계에서
완전히 자취를 감춘다.

29

영진그룹 산하 영진창업투자 상무.

젊은 나이에 해외에서 전문 경영인 과정을 조기 수료하고,
이미 다국적 기업들의 중책을 맡아 왔다. 최근에는 대기업
산하의 투자사 상무로 부임했다. 영화 〈하얀 사랑〉을 들고
나타난 제작자 승원을 만나게 된다. 제안은 흥미로웠다.
영화 같은 거 찾아보고 사는 스타일이 아니다. 고로 영화의
영자도 모른다. 그저 이 영화에 얽혀있는 구구절절한
스토리가 더 재밌어 보였다. 그렇게 처음 영화판에 발을
들였는데, 영화가 뭐라고 다들 그렇게 비장하고 진심인지.
그에게 영화는 좀 놀랍고 꽤 재밌는 비즈니스일 뿐이다.

30

Episode 1

다음이 없는 영화감독 제하. 새 영화의 자문으로 이상한 여자
아니, 이상한 시한부 다음을 만난다.

#1. 프롤로그. 영화관.

영화가 막 끝난 듯, 스크린에는 엔딩 크레딧이 올라가고 있고,
영사되는 빛이 얼굴에 묻어나는 다음이 텅 빈 영화관에 홀로
앉아 스크린을 보고 있다.

> 다음(V.O) 영화의 끝에는 함께 했던 모든 이들의 이름을
> 따뜻하게 읊어주는 시간이 있다.

극장 안의 불이 켜지자, 엔딩 크레딧 중에 사람들이 먼저
나가고, 아쉬워하는 표정의 다음.
그때, 거리가 꽤 떨어진 좌석의 남자를 발견한다. 그 역시
다음처럼 일어나지 않고 엔딩 크레딧을 계속해서 보고 있다.
그런 그를 흥미롭게 바라보는 다음.

> 다음(V.O) 그 따스한 마지막 순간이 오기까지, 영화는
> 인생처럼, 엔딩을 향해서 쉴 새 없이 달려간다.

음악으로 전환되며,

#2. 프롤로그. 캠코더 몽타주. 촬영장.

촬영장에서 다음이 찍었을 법한 캠코더 영상 몽타주.
(투박하면서도 빈티지한 느낌의)
- 파란 하늘 위 구름, 놓여진 슬레이트, 삼척 바닷가 등.
- 분주한 영화 촬영현장, 그 속에서 일하는 사람들. 제하도
  드문드문 걸리고.
- 콘티를 보고 있는 제하에게 다가가는 카메라, 제하가 보고
  웃으며 치우라고 다가와 카메라 앵글을 손으로 가리며,
  낚아챈다.

33

Episode 1

- 제하의 앵글, 다음이 없다.

#3. 프롤로그. 거리 일각.

#2의 몽타주 끝과 다른 날. 인파가 많은 도심 속 거리. 그 속에 놓인 제하.

제하가 뷰파인더에서 눈을 떼고, 사라진 다음을 찾는다.

세상이 느려지고, 뛰어다니며 다음을 찾지만 끝내 찾을 수 없다.

호흡이 정리되지 않은 채로 계속해서 둘러보는 제하…

그때, 다음이 나타나 제하의 손을 잡는다.

> 제하(V.O) 그리고 또 어떤 인생은, 엔딩이라고 생각한
> 그 순간으로부터 시작일 때가 있다.

세상이 멈춘 것 같은 순간 속에서 서로를 바라보고 있는 둘의 모습.

– 타이틀, 〈우리영화〉 –

#4. 과거. 제작보고회장. 낮.

자막. 2019년. 〈청소〉의 제작보고회 현장. 영화 로고와 포스터가 곳곳에 걸려 있고, 단상 위에서 포토타임이 진행되는. 주연배우인 서영부터 차례로 단독샷을 찍기 시작하고.

플래시가 빠르게 터지며,

장내 사회자가 여러 포즈 요구를 하며 점점 열이 오르는 분위기.

34

CUT TO.
무대 뒤, 출입구 앞에 선 한 남자의 뒷모습. 긴장한 듯
심호흡을 하고,
계속해서 옷매무새를 확인하다, 잘 묶여있는 신발끈을
확인하고도 다시 풀어 다시 묶는.
다시 묶고 나서야 조금 진정이 된 듯 자세를 바로잡는다.
긴장한 기색이 역력한 남자. 이제하다.

           진행요원   감독님 여기서 스탠바이 하시다가 제가
                    수신호 드리면, 그때 올라가시면 됩니다.
                    아시겠죠?
           제하   (웃으며) 네, 알겠습니다.

조금 진정이 되려던 때에 핸드폰이 울리고,
진동을 찾아 몸을 뒤지다 꺼낸 핸드폰에는 저장되지 않은
번호가 뜬 채로 울려대는.
그때 누군가 제하의 이름을 급하게 부르며 뛰어온다.
고개를 돌려 의아하게 쳐다보는 제하. 그때, 공간 밖
무대에서 전해져오는 사회자의 장내 멘트가 출입구 스피커를
통해 울린다.

           사회자(E) 방금 전, 안타까운 일이죠…
           승원   이감독, 아니 저… 제하야…
           사회자(E) 한국영화계의 거장 이두영 감독님께서 향년
                    70세를 일기로 별세하셨습니다… 제작사의
                    사정으로 잠시 후 예정되었던…

35

말꼬리가 흐려지는 승원을 보며 제하의 상기됐던 얼굴에

Episode 1

점점 불안이 스치는…
FADE OUT.

#5. 현재. 제하의 오피스텔 안. 밤.

자막. 5년 후. 현재의 무미건조한 표정의 제하.
집 안에서는 프린터의 반복적인 소음이 울리며 연신 A4
종이들을 뱉어내듯 출력하고 있다. 1인용 소파 하나. 그리고
족히 몇백 권은 되어 보이는 대형 책장 하나. 작업 테이블,
의자. 가구는 단출. 벽을 가득 메운 자료 이미지들. 바닥에는
스크랩된 텍스트 자료들이 덕지덕지. 시나리오 더미와 책,
메모지와 자료들이 텅 빈 집 군데군데 쌓여 있다. 스피커폰
속 승원의 목소리가 쩌렁쩌렁 울린다.

> 승원(E)   내일 시사회는 꼭 와야 된다. 두시야 두시,
>   잊음 안 돼.도의적으로 좀 생각해봐! 채서영
>   주연 복귀작에 촬영만 빼놓고 미술 음악
>   편집에 색보정 기사님까지. 다 〈청소〉 제작진
>   아니야. 심지어 제작자는 나고 임마. 여기
>   싹 다 너랑 네 영화로 시작한 사람들인데 안
>   오는 건 진짜… 금수만도 못한 거지!

제하, 방 한가운데에 대자로 누워 야구공을 공중에 던졌다가
받았다가, 던졌다가 받았다가를 반복하며 승원의 말에
대답은 않고 듣기만 하고 있는.

36

> 승원(E)   그러니까 제발, 이젠 세상 밖으로 좀
>   나오라고. 아 채서영은.

'서영' 이름을 듣자, 날아오른 공을 탁 잡아채는 제하. 이어서 말하는 승원.

> 승원(E)　서영이랑은 내가 적당히 안 마주치게 할게.
>
> 제하　　갑자기 무슨 채서영 얘길 해. 이제 와서 무슨 사이라고.
>
> 승원(E)　… 살아는 있네. 아무튼 간에, 저번에 내가 얘기했던 것도 있고, 어? 너 진짜 〈하얀 사랑〉…

전화를 툭 끊고, 다시 던지고 받기를 반복하다 순간 짜증이 나 그대로 힘껏 던져버린다.
그때, 인쇄 완료를 알리는 알람. 책상으로 가 프린터기가 뱉어낸 종이를 읽는.
이내, 마음에 안 드는 듯 시나리오 뭉치를 책상에 툭 던져놓고는 의자에 푹 기대며…
시선을 돌리다 책상 한편에 올려놓은 〈하얀 사랑〉 시나리오로 눈길이 멎는다.
선명하게 쓰인 각본/감독의 이두영 세 글자.

> 제하　　픽이나 하얗다…

#6. 한남대교 위. 낮

꽉 막힌 정체된 도로 위. 제하 차 안에 갇혀있고, 라디오 오프닝 멘트 흘러나오는.

37

> 진행자(E)　소포모어 징크스. 들어보셨습니까. 우리말로 2년 차 징크스라고 불리는데요. 운동선수나

Episode 1

아티스트가 성공적인 첫 시즌과 작품을
내놓고서 다음을 내놓기까지 상당한 시간이
걸리는 현상을 말합니다.

흘러나오는 라디오 멘트에서 표정이 굳어지는 제하.

진행자(E) 우리네 삶과도 크게 다르지 않죠. 자고로
연인과도 첫 키스를 해내고서 두 번째
키스의 맥락을 잡는 것이 더 어려운
법이니까요. 하하, 한 주의 두 번째 시작.
화요일의 한낮의 라디오 시작하겠습니다.

라디오를 꺼버리고. 답답해서 창문을 열고, 매연 들어오는
것 같아 다시 창문 올릴 때 그 사이로 보이는, 대교를 자전거
타고 지나가는 여자의 모습. 제하는 정체된 도로 위 차 안에
갇혀 자전거를 타고 유유히 사라지는 여자를 본다. 그
모습을 주욱 시선 쫓아간다. 부럽기도, 궁금하기도 한 시선.

정체된 도로와 상반되게 딴 세상에 있는 듯 자유롭고
청량한 모습의 다음. 그녀의 뒷모습. 시야에서 다음이 이내
사라진다.

그때 승원에게 전화 오고, 핸들 버튼 톡 눌러 1초 만에
꺼버린다.
38 정체가 풀리고 대교 끝단 즈음 왔을 때, 사람들 서너 명
정도가 둘러싸고 있다.
사고가 난 것 같은 상황. 제하도 그 모습을 본다. 힐끔 보고
창문을 마저 올린다.

#7. 한남대교 보행자 도로 위. 낮

서너 명이 둘러싸고 있는 상황. 그 속에서 다음이 사람들을
비집고 자전거를 끌고 나온다. 씩씩하게 몸을 툭툭 털고 선.

행인1   괜찮으세요?
다음   저 너무 괜찮은데요? 보세요.
         (빙글 돌고 꾸벅) 다들 감사합니다!

사람들, 걱정스레 쳐다보곤, 간다.
다시 자전거를 타려다가 멈추고, 내려서 끌고 걸어간다.

#8. 청담 CGV 엘리베이터 안. 낮.

엘리베이터 안에 제하와 30대 중후반의 남자 두 명. (한 명은
연예부 기자 노희태)
제하, 내부에 비치는 거울로 상태 슥 점검.

노희태   (폰 보고) 2분 40초, 20분 18초래.
기자1   뭐가?
노희태   아 그거. 박감독 유일하게 잘하는 거.
         (저질스러운 몸짓)
기자1   (낄낄거린다)
노희태   왠지는 모르겠는데, 채서영한테 이혼이라는
         수식어가 붙으니 훨씬 더 자극적인 것 같지
         않냐?
기자1   돌싱이 트렌드잖어. 쿨해 보이는데 말 못 할   39
         사연도 좀 있어 보이고.
노희태   뭐 짚이는 거 없나? 보란 듯이 수위 센
         걸로 재기한 거 보면 분명히 뭐가 있을 것

Episode 1

기자1	근데 그거 두 번 밖에 안 나온대?
노희태	(조용히) 양보단 질이지. 박감독이잖아.
	베드신은 죽이게 뽑혔겠네.
제하	드러워 죽겠네.

신나서 말하던 희태가 후방의 제하 의식하고, 메스꺼운
표정의 제하.
제하가 희태를 빤히 쳐다보고, 희태 당황해서 같이 쳐다보다
동공 왔다 갔다 하는데, 기자1 헛기침하며 핸드폰 보고,

노희태   저기요, 지금 저한테 얘기하신 거예요?

제하가 희태에게 한발 한발 다가간다.
밀려 뒷걸음질 치는 희태. 얼굴 가까이 붙을 때까지
다가가고…

제하   네. 비켜요. 내리게.

엘리베이터 문 열린다. 희태와 기자1이 엉거주춤 비켜주면
제하가 눈빛 쏘아대고서 휙하고 나가버린다. 벙찐 채로 있다
닫힘 알림 듣고 황급히 따라 내리는 둘. 걸어가는 이제하
뒤통수 보며,

40

노희태	(!) 어! 저 새끼… 이제하잖아?
기자1	이제하? 이제하… 아! 그, 이두영 감독! 아들?
노희태	삼년상이라도 지냈나? (손가락 다섯 개
	접어보며) 3년도 아니지, 한참 더 지났는데.

여긴 왜 나타났대?

영화관 로비 붐비는 사람들 사이로 섞여 들어가는 제하의
뒷모습을 흥미롭게 바라보는 노희태.

#9. 극장 안. 낮.
영화가 끝나고 암전된 극장 안이 밝혀지고, 박수치는 사람들.
앉아 있는 박감독, 채서영, 부승원 만족스러운 표정. 서로
악수하고 팔 쓰다듬고,

　　　승원　　　(뒤를 보곤) 된다 그랬잖아 감독님 이거
　　　　　　　　된다니까?

서영, 뒤를 보고 한참 누군가를 찾는데, 맨 끝줄 구석에 모자
쓰고 앉아있는 제하가 시야에 보이고, 다시 돌아서 아무렇지
않게 일적인 미소.

CUT TO.
박감독과 서영을 비롯한 배우들이 스크린 앞에 서서 감사
인사.

　　　서영　　　(웃으며) 그냥 악에 받쳐서 찍었어요.
　　　　　　　　이혼하고서 워낙에 말들이 많아서 그냥,
　　　　　　　　보여주자는 심정으로. 찍었던 것 같아요.

41

큰 박수로 격려해주는 관객들.

Episode 1

#10. 극장 안. 낮.

제하 모자 푹 눌러쓰고 벽에 기대 서있고, 서영은 박감독과
계속해서 인터뷰 중인…
그 모습을 멀찍이서 바라보고 있는데, 옆에서 슥 나타난
승원. 제하에게 말을 붙이는.

승원	그래. 이렇게 밖엘 나오니까 얼마나 좋냐.
제하	자리 채워 달래서 왔더니 앉을 자리 없이 빼곡하구만 무슨.
	얼굴 도장 찍었으니까 간다.
승원	에이 어딜 가, (스읍…) 우리 할 얘기 있잖아.
제하	안 사요.
승원	나는 네가 살 때까지 팔 거야.
제하	내 것도 못 쓰고 있는데 뭔 리메이크에 각색이야.
승원	〈하얀 사랑〉을 꼭 남이 찍은 것처럼 얘길 한다? 아버지가 남이야?
제하	일찌감치 인연 끊었던 그냥 생물학적인 아버지일 뿐이야. 그리고, 요즘 누가 그런 신파를 좋아한다고. 그냥 하던 거 해. 돈 되는 거. 저런 거.
	(고갯짓으로 단상 위 박감독 일행을 가리키며)
승원	신파든 뭐든 간에. 내가 손대면 돈이 돼.

42

제하, 승원을 무시하고서 포즈 취하는 서영을 바라보는.

승원	채서영, 여전히 멋있지? 이혼하고 돌아와서도.

제하	…
승원	어어, 너 그 눈까리. 그거. 전형적인 멜로 눈깔인데. 아직 서사가 좀 덜 풀린 모양이다?

제하, 고개를 돌려 승원을 째려보며.

제하	덜 풀릴 서사 같은 게 있나. 이제 와서.
승원	(다시) 야, 너 5년 동안 쓰던 거. 그거 들고 우리 말고 다른 데 가봐야 똑같애. 업계가 워낙에 힘들잖아. 너도 좀 내려놔야 돼.
제하	나 5년 내내 내려놓을 동안 형은 잘나가는 제작자 됐고, 같이 데뷔했던 감독들이며 배우들이며 차기작 잘들 나왔고. 나만 그대로고.
승원	갑자기 자기 비하야. 내가 말한 내려놓음이란 하기 싫은 것도 참고 해야 된다는 거야. 나도 하고 싶은 영화 아직 못 만들었어. 네가 도와주면 만들 수 있을 것 같아서 그래 임마.
제하	그건 나 말고도 해줄 수 있는 사람 많을 거야. 한 트럭으로다가.
승원	아니? 너만 할 수 있어. 일단 재기부터 하고 다음에 니 껄 만들면 돼. 아니 뭐 내가 이상한 거 찍으래? 이건 니네 아버지…
제하	(말 끊고) 형, 나 그거 안 해. 그 영화가 너무 싫어.

43

Episode 1

#11. 번화가 길거리 일각. 낮.

다음, 전동 자전거를 거리에 주차하고, 백팩에서 캠코더를
꺼낸다.

#12. 꽃집 안. 낮.

알리움을 캠코더로 촬영하는 다음.

> 플로리스트   취향도 독특해. 잘 안 쓰는 꽃이긴 한데.
> 다음   선생님. 알리움 주변을 안개초로 가득
>   채우면 어떨까요?
> 플로리스트   (골똘)
> 다음   이상할까요?
> 플로리스트   내가 만들면 그럴싸할 것 같은데, 다음
>   씨가 만들면 아뿔싸… 할 것 같아요.

직원과 다음이 뒤를 돌아 테이블에 난장 쳐놓은 꽃 무더기와
예쁘다고 볼 수 없이 완성된 꽃꽂이를 본다.

> 다음   솔직히 말씀해 주세요. 저 소질이 없나요?
> 플로리스트   꽃을 사랑하는 마음. 그거 하나면 돼요.
>   괜찮아… 저거 얼른 치워요.
> 다음   네…
> 플로리스트   근데 왜 매번 잘 만들어놓고 안 가져가요?
>   이거 다 돈인데~
> 다음   그러니까요. 아까워 죽겠어요.
> 플로리스트   들고 가면 되잖아요.
> 다음   못 들고 가요. 들고 가면 큰일 나거든요.

44

#13. 극장 대기실 안. 낮.

영화 팀 대기실 안으로 제하 끌고 들어오는 승원.
영화 관계자들, 친분 있는 감독들, 제작자들 모인 자리.

> 승원　　인사 좀 해~ 이감독 아시죠? 이감독 왔어요
> 　　　　내가 끌고 왔지.

마지못해 끌려 꾸벅 인사하고 소파 한쪽 구석에 앉는데,
사람들도 딱히 반응 없고 다시 자기들 하던 얘기. 눈치 보던
승원.

> 승원　　임감독님이었나.
> 주감독　저는 주감독…
> 승원　　어어 이감독 주인영 감독님! 인사해요 되게
> 　　　　팬이래 이감독도 알지 미장센 상 받은,
> 　　　　영화학교 나오셨고, 근데 감독님 제목이…
> 　　　　이몬가 이모분가 뭐 그런 거였는데.
> 제하　　아…
> 주감독　제목 고모요. 고모.
> 승원　　맞다, 그래. 너무 재밌게 봤어요. 우리 이감독
> 　　　　〈청소〉 광팬이라면서.
> 주감독　팬입니다. 청소는 진짜 센세이션이었어요.
> 　　　　120분 내내 키스 한 번 아니, 눈빛 한 번
> 　　　　섞지 않고도 멜로가 붙었잖아요.
> 제하　　아, 예… 좋게 봐주셔서 감사합니다.
> 승원　　채서영이랑 이감독, 그리고 나. 이렇게 셋이
> 　　　　함께 데뷔한 거잖아. 서영 씨가 그 작품
> 　　　　아니었으면 이렇게 클 수 있었겠어요? 나도

45

Episode 1

그렇고.

문 열고 서영, 박감독 들어오고.

승원 　마침 오셨네! 힘들지, 사진 찍히느라.
박감독 　어? 이제하 씨 진짜 오셨네. 와주셔서
　　　고마워요 얘기 많이 들었어요.

박감독 뒷주머니에서 지갑 꺼내 오만 원 한 장 앉아 있던
주감독에게 준다.
두어 명 더 그 감독에게 오만 원 꺼내 준다. 뻔뻔한 주감독
얼굴. 웃고 있고.

제하 　(이 새끼들이 내기했네?) 예.
박감독 　나는 이감독 안 올 줄 알았거든요. 영화
　　　어떻게 보셨어요?

서영 시선 제하에게 고정. 제하는 눈길 한 번 안 주고.

제하 　시간 잘 가던데요.

분위기 싸해지고. 급하게 수습하는 승원.

46

승원 　몰입감이 장난이 아니지? 그치? 이렇게 잘
　　　나올 줄 누가 알았겠어? 아무도 몰랐을 거야.
　　　근데? 나는 처음부터 알았지.
박감독 　상 되게 많이 타보셨으니까 아실 것 같은데
　　　어떻게, 저희도 상 탈 수 있을까요?

은근하게 먹이는 톤의 박감독. 변화 없는 제하의 표정.

>   승원   첫 작품으로, 각본상에 감독상, 까지 받은
>   감독은 이감독 이후로 안 나오드라고.
>   거기에 멜론데 관객 500만! 대단했잖아 그때.
>   (서영 보곤) 배우든 감독이든 첫 작품이 정말
>   중요하잖아요 첫 시작이니까!

다시 분위기 풀리는 듯 사람들 끄덕 끄덕하고,

>   서영   다음이 중요하죠. 배우든 감독이든.

서영과 눈이 마주치는 제하,

#14. 과거. 제하의 회상. 카페. 낮.
과거. 아무렇지 않은 얼굴의 서영이 제하에게 무언갈 건네고
있는데, 청첩장이다.

>   서영   제하 씨나 나나, 다음이 중요했잖아.
>   이해해줄 거지?

제하, 시선은 청첩장에 향한 채 멋쩍은 듯 손가락으로
눈썹을 한 번 긁고는,
서영을 바라보며.

47

>   제하   (쓴웃음) …시간 되면 갈게.
>   서영   …뭐라고?
>   제하   축하해. 이날 바빠서 못 갈 수도 있어.

서영	못 오는 게 아니고, 안 와야 되는 거야. 갈게.

돌아서 나가는 서영. 그리고 남겨진 제하, 복잡한 표정으로…

#15. 극장 대기실 안. 낮. 현재로 돌아와서.

제하	… 죄송한데 먼저 일…
서영	(말 자르고 제하 팔 잡고) 감독님, 스케줄 없죠? 있어도 깨고 와요. 오랜만에 얘기 좀 하자.

서영, 박감독과 일어나 가고. 제하, 복잡한 표정으로 서있는…

#16. 한국대병원 로비. 안. 낮.

병원 로비 안으로 들어오는 다음. 지나가는 환자,
보호자들과 인사한다.

#17. 한국대병원 병동 간호 데스크. 낮.

다음, 데스크에 사복 차림으로 서서, 외출대장을 작성하는.
(폼이 얼핏 간호사처럼 보인다)
때마침 돌아오는 간호사들에게 인사하고.

다음	안녕들 하십니까~ 저 이것만 쓰고 옷 갈아입고 올게요.
간호사	세상에서 제일 바쁜 이다음 씨, 혹시 연애해?
다음	(데스크에 기대 이마 짚고 성대모사) 왜 또 아픈 상처에 소금을 뿌리십니까… 나에게도 꿈은 있었어요. 이렇게 예쁜데, 왜 나한테는 영화 같은 일이 안 일어나지? 드라마를 봐도

48

병원에서도 다 짝이 있던데…

간호사   (피식) 짝은 모르겠는데, 김교수님이 찾으셨어
         아까. 전화 드려봐.

#18. 한국대병원 지하 편의점. 낮.

컵라면 세트를 결제하고 있는 다음. 전화가 온다.

다음   에? 믹스커피? 거 되게 부려먹네. 끊어요.
         (알바생에게) 잠시만요. 하나만 더 계산할게요!

#19. 한국대병원 민석의 연구실 안. 낮.

컵라면 세트를 민석 책상에 턱 올려놓는 다음. 벌떡 일어나
주전자에 물 받는 민석.

민석   아이고~ 무거웠을 텐데. 맨날 이렇게 받기만
         해서 어쩌나.
다음   무슨 의사가 매 끼니 컵라면에 믹스커피야.
         당뇨 와요, 그러다가.

민석, 가볍게 무시하며 믹스커피 꺼내는데, 평소와 다른
포장의 믹스커피.

민석   아~ 난 먹는 것만 먹는 사람인데.
다음   이왕 드실 거면 몸에 좋은 걸로 드시라고요…
         예?
민석   오, 단백질이 들었어? 땡큐지.

민석, 컵에 뜨거운 물을 받아 커피스틱으로 젓는다.

49

Episode 1

민석	(한 번 마셔보고) 맛은 더 좋네… (다음 힐끗 보고) 근데, 너 요새 병원 밖으로 자주 나간다?
다음	(컵라면 세트를 자신의 앞으로 스윽 당겨오며) 비밀인데요? 이 정도면 싸게 퉁치는 건데…
민석	(다시 당겨오며)… 밖에 뭐 재밌는 거라도 있어?

씨익 웃는 다음. 그런 다음을 의아하게 바라보는 민석.

#20. 청담 고깃집 안. 밤.

대형 고깃집. 연기 꽉 차 뿌연 실내. 제하 백팩 멘 채 앉아
벽에 기대 있고,
제하 건너편에 앉은 박감독이 제하 얼굴이 가려지는
연기통을 올리고 묻는다,

| 박감독 | 뭐해요 요즘? |

제하, 연기가 얼굴 쪽으로 훅 들어오자 연기통을 내리고,

| 제하 | 저요? |
| 승원 | 아우 쫌 벗어라. 팔 빼 팔. |

승원이 억지로 제하 가방 벗겨 자기 쪽으로 치워놓자 도로
빼고,

| 승원 | 뭐하겠어요 영화감독이 영화 준비하지. |

50

승원의 말에 건너편 서영이 제하를 유심히 쳐다본다. 애써
눈을 피하는 제하.

  박감독   되게 궁금해지네. 이감독 어떤 영활 준비
              하는지.

테이블 위로 전자담배를 꺼내 만지작거리며 부품을 분리하는
박감독.

  박감독   나만 궁금한가? 사람들이 궁금해해. 이감독
              차기작, 얼마나 대단한 걸 내놓으려고, 어?
              서영 씨는 안 궁금해?
              (턱으로 제하 보며 까딱) 아, 거기 티슈 좀.

제하 고개 돌려 옆에 티슈를 빤히 보고, 서영이 팔 뻗어 티슈
뽑아 박감독 주면,
담배 밑에 깔고, 소주를 들어 승원의 빈 소주잔에 따라주고
그걸 제하 쪽으로 밀고,
제하가 가만있으니 승원이 대신 원샷 한다. 일종의 흑기사.

  승원   멜로예요. 우리 이감독이 제일 잘하는 거,
              저랑 준비 중이에요.

박감독과 서영, 놀라서 제하에게로 시선 향하고,
시선 끝의 제하는 질린다는 듯이 승원을 쳐다보는. 승원, 코   51
찡긋하는.

  박감독   쉬는 감독들한테 물어보면 백이면 백 다들

준비 중이래. 한 번 터트리곤 쥐도 새도
모르게 다 사라져 있더라고. (서영 보고)
자기가 그랬잖아. 이감독은 다르다고. 진짜
다르네요? 여길 다 나온걸 보면?

제하   (서영 응시) 다를 게 뭐 있어요. (신경
              안 쓰고) 감독님은 저한테 관심이 꽤
              많으셨네요. 부담스럽게.

박감독   (긁어도 넘어오지 않는 제하를 노려보다
              애써 능글맞게) 부담이 됐다면 미안요.
              내가 이번에 서영 씨 덕을 좀 많이 봤거든.
              현장에서 몇 번 부딪힐 때마다, 말을 너무
              잘해. 배우가. 나도 모르게 그냥 따라간 적이
              한두 번이 아냐. (사이) 둘이 만났을 땐
              어땠어요? 연인이면 꽤 힘들었을 것 같은데.

제하   무례한 포인트가 본인 영화 스타일
              그대로시네.

대뜸 둘의 관계를 언급하는 박감독의 말에 제하가
시니컬하게 받아치는.
고기 타들어가는 소리만. 사람들 쳐다는 못 보는데 귀는 다
열린 채로 있는.
승원은 눈치 보고 서영, 박감독에게 모멸감 느끼는 얼굴을
하고서 자리를 뜨는.

52   서영   저 잠깐, 바람 좀.

제하, 서영이 나가는 걸 잠시 보고서 다시 박감독에게로 시선.

박감독	본인도 겸손한 스타일은 아닌 거 알지? 어디서 나온 자존감인지 도통 모르겠어. 아, 아무래도 아버지가 거장이면 본인도 자연스레 거장 같은 마인드가 잡히나?
제하	(저급함에 어이가 없고) 서영 씨 덕 좀 보는 김에 확실히 믿고 따라가지 그랬어요. 유일하게 괜찮은 몇 씬 그거, 감독보다는 배우가 할 법한 고민만 보이던데. 자기 배우도 못 믿고, 아낄 줄 모르는 게 너무 티가 나더라고요.
박감독	(이 새끼 혼자 고상한 척이네?) 그래도 나는 줄줄이 찍잖아. 영화감독이면 영화를 좀 찍어야지. 누군가의 아들로만 살기엔 이감독 재능이 아깝잖아. 아 유산 덕분에 이 걱정은 없어서 간절함이 없나? (손으로 돈 모양)
승원	아이, 왜 이래요. 장난들 좀 살살해.
제하	(무서우리만치 차분하게) 맥락 없는 베드신에 노출에. 사람들이 몇 분 몇 초만 언급하는 영화. 애쓰는 배우들한테 미안하지도 않아요? 그 좋은 배우를 그렇게 쓰고도 좋다고 웃네.

잠깐의 정적… 옆에 있는 소주병 들고 일어나는 제하, 일동 움찔.
제하 소주 까서 박감독 맥주잔에 콸콸콸 따라주며.   53

제하	소맥 적당히 말아 드세요 영화도 적당히 말아 드시고. 이번 것도 말아 드시면 3연속?

Episode 1

아니, 4연속이던가요?

박감독   (긁혀서 발끈하며) 아니 야, 너 지금 뭐라
         그랬어 임마 어? 말아먹어? 오늘 첫날인데
         말아먹고 자시고 할 게 어딨어, 어딨냐고!

승원, 박감독 붙잡아 말리며.

승원   왜 그래~ 아이고 감독들 아니랄까봐, 사람들
         놀라게. 장난들을 적당히 쳐야지 그렇지,
         임감 아니 주감독! 말려봐 사람들 다 얼었다.

주감독   아예예… 그쵸… 박감독님, 담배 한 대만
         피우고 오시죠. 답답하잖아요… 네?

흥분한 박감독을 억지로 일으켜 데리고 나가는 주감독. 혼자
남아서 읊조리는 제하.

제하   (한숨) 쪽팔리게.

#21. 청담 고깃집 룸 밖 복도. 밤.

복도에 기대어 씩씩거리는 박감독을 진정시키고 있는
주감독.

주감독   지나치셨어요. 그래도 작품이 좋았던 건
         사실…

박감독   〈청소〉? 수작이지, 수작 맞지. 근데 과연
         500만이 볼 영화였나? 거장의 아들. 그의
         입봉작. 우린 그걸 못 보고 돌아가신 이두영
         감독의 평가가 어떨지 궁금했던 거고. 그게

500만이 본 이유라고 보는데?

복도에 서서 일부러 들으라는 듯 크게 떠벌리는 박감독.

#22. 청담 고깃집 안. 밤.
비참한 심정으로 듣고 있는 제하. 뭘 어떻게 수습해야하나
싶은 승원.
안 되겠다 싶어 일어나 제지하러 가려는 걸 제하가 막고.

> 승원   너 부러워서 저래. 자격지심. 불러올 테니까,
>   오해는 풀자.
> 제하   여기 오해가 어딨는데. 순전히 팩트구만…
>   치사하게 팩트로 후드려 패냐…

일어나려는 제하 붙잡는 승원, 따라 일어나며.

> 제하   (몸을 툭툭 털고는) 형, 영화 축하해. 미안해
>   그리고, 초나 쳐서.
> 승원   좀 더 있자니까.
> 제하   나는 좀 더 처박혀 있을게. 나 말고, 이두영
>   아들로다가.

제하, 간다. 가는 뒤통수에 승원,

> 승원   그래, 가! 다시 얘기하자! 회사에서! 어?!   55

#23. 고깃집 앞 골목길. 밤.
담배 태우고 있는 서영이 보이고, 제하 그냥 가려는데

Episode 1

서영	맥락 없는 베드신에 노출이 있긴 해도 캐릭터가 좋아서 한 거야. 그래서 나 이 영화 안 싫어. 물론 감독은 싫지만.
제하	…미안하다. 이제 와 하나 마나 한 소리겠지만, 너 멋있었어. 어떤 노력을 했을지도 보이고…
서영	(픽 웃고) 나 이혼해 보니까 연기가 더 잘돼. 내가 감독님이랑 헤어지고 잘 풀린 것처럼. 나는 꼭 누구랑 헤어져야 인생이 풀리나봐. 징크스 같은 건가. 또 연애하고 헤어지고, 재혼하고 헤어지고, 계속 그럴까? 나 연기 잘하게 잠깐 만나주다 헤어질래?
제하	취했어. 적당히 마시고.
서영	감독님, 나 아직 좋아해?
제하	(바로 대답 못하고서)…

씁쓰레 웃으며 뒤돌아서 가려는 제하.

서영	(가는 제하 뒷모습에 대고) 좋아하는 거 아니면 나 때문에 화내지 마. 아까워하지 말라고.
제하	너 때문은 아니고, 한 5년 고여 있다 보니까. 내가 좀… 썩어가는 것 같아.

제하, 간다. 남겨진 서영. 제하의 뒷모습을 보면서… 회상.

56

#24. 서영의 회상. 과거. 제작발표회장 안. 낮.
5년 전, 제작발표회장, 기자의 질문을 듣고 있는 서영.
질문하는 기자 옆 기자들의 노트북 속 기사.

[한국 영화계 거장, 이두영 감독 사망],
[97년 〈하얀 사랑〉으로 칸 심사위원대상…한국 영화를
세계에 알린…]
[이두영 감독 아들 이제하 감독, 부친상 속 영화 개봉],
[故이두영의 아들 이제하 감독 첫 데뷔…] 기사 등등…

희태, 불쑥 일어서서 질문한다.

노희태   이두영 감독의 죽음이, 아들 영화의
         흥행에도 영향을 미칠까요?
         (남들 시선 아랑곳없이) 어떻게 생각하세요?

노골적인 희태의 질의에 삽시간에 웅성거리기 시작하는 현장.
곤란한 표정을 짓는 서영… 잠깐 시선을 내려두다, 고개를
들어 희태를 노려보며.

서영   글쎄요. 기자님은 어떻게 생각하세요?
       아니지, 어떻게 쓰고 싶으신 거예요?

#25. 현재. 고깃집 앞 골목길. 밤.
현재. 들어가려는 서영, 박감독 들쳐메고 나오는 승원이
보인다.

승원   (민망하게 웃고) 취했어 취했어.
서영   대표님이 고생이에요.
승원   서영 씨랑 이감독 영화 얘기는 꺼내지도 못
       했네 다시 자리 한 번 만들게 내가, (수화기
       손짓 얼굴에 갖다 대며) 아 회사로도 따로

57

전화 갈 거야.

서영   진짜 영화 다시 하는 거예요? 이제하.

승원   내가 하게 만들려고요. 그게 내 일이니까.
          아우 무거워, 갈게.

지나치는 서영, 승원의 말이 진짜일까? 신경 쓰인다.

#26. 편의점 테라스. 밤.

제하, 편의점에서 담배 사들고 나와 테라스의 플라스틱
의자에 털썩 앉아버리는.
뒤풀이 때 흥분한 일을 자책하며 자괴감에 빠진 표정.
심란한 마음으로 담배를 뜯으려는데 금연 표시를 늦게 본.
아차 싶어 일어나 주위를 둘러보다 편의점 알바생과 눈이
마주친다.
제하를 보고 흡연구역을 검지로 가리키는.
제하 목례 슥 하고 자리를 옮기자 엄지 척하는.

그 앞에 가로수에 기대 담뱃불 붙이고 피우고, 다음과
교영이 그 앞을 지나간다.
둘이 편의점에 들어가고, 다음만 포도주스를 사서 나온다.
그리곤 제하가 맡아놓은 자리에 풀썩 앉는다. 포도주스 한
병 까서 한 번에 원샷.
나머지 두 병은 올려놓고. 가방에서 캠코더를 꺼내 킨다.
그 광경을 지켜보는 제하. 자리를 빼앗겼다. 다가가 가방
들어 멘다.
다음의 캠코더 뷰파인더 앵글에 제하가 들어온다. 다음,
놀란다. 놀라서 앵글을 줌 아웃 한다. 그리곤, 제하를 빤하게
쳐다본다.

58

살짝 눈물이 고이는 듯한 눈빛.

다음	(너무 빤히 봤다) 아, 맡아 놓으셨구나.
제하	아뇨, 갈 거예요. 드세요.
다음	(일어서며) 아뇨, 앉으세요.
제하	괜찮아요, 앉으세요.
다음	…그럴게요, 그럼.

제하, 테이블 위에 놓인 포도주스 두 병과 캠코더를 생각
없이 빤히 보는데, 그 눈길을 의식하고 손으로 슬쩍
포도주스를 가리는 다음. 제하는 어이가 없다.

제하	(뭐야… 미친) 그거 달라고 본 거 아니고 (한숨)
다음	(제하 쪽으로 포도주스 밀어주며)… 가져가세요.
제하	안… 먹어요. 괜찮아요 정말.
다음	에이 가져가시라니까 괜찮아요. (일어나 덥석 쥐여준다)
제하	(얼떨떨 받아들고) 저 찍은 거 아니죠? 찍힌 것 같은데.
다음	(전원 끄고) 아닌데.
제하	빨간불 들어온 거 봤는데.
다음	아닌데. 진짜 안 찍었는데.
제하	(아니다 싶은) 네… 뭐. 잘 마시겠습니다, 이건.
다음	이게 투 플러스 원이라, 이렇게 되면 제가 두 개 가격으로 두 개를 산 셈이 되는 거긴 한데

59

Episode 1

진짜 괜찮아요. 선물이에요!

어정쩡하게 포도주스 들고 머뭇머뭇 미친 여자 보듯
쳐다보며 가는 제하.
사라지는 제하를 보며 아는 사람처럼, 작게 읊조리는 다음.

> 다음   …고마워서 그래요, 고마워서.

갑작스레 알람이 울리고, 능숙하게 해제 후 남은 포도주스
한 병 더 까는 다음. 그때, 다음의 앞으로 즉석식품을 데워
오는 교영. 테이블에 내려놓고서 뜨거운 듯 귀를 잡는.

> 교영   (가는 제하 보며) 아 뜨거, 저 남자 뭐야?
>   아는 남자야?
> 다음   안다고 해야 되나… 모른다고 해야 되나.
> 교영   뭐야 (뒤돌아보고) 잘생겼어?
> 다음   뭐, 나름 반반한 듯?
> 교영   (비웃고) 뭐래… 네가 보면 알아? 연애도 못
>   해본 게.
> 다음   엄연히 안 한 거랑 못 한 거랑은 다르죠.
>   친구야.
> 교영   그치. 다르지. 그 나이 먹도록 연애 못 해본
>   기분은 어때?
> 다음   기분 째진다. 됐냐?

60

교영, 다음의 팔목에 상처를 보고,

> 교영   너 이거 뭐야. 요새 어딜 그렇게 돌아다녀?

넘어졌어?

다음 어… 어. 그냥 진짜 순수하게 넘어졌어.

교영 요즘 좀… 수상해. 남자랑 말을 붙이고 있질
않나. 부쩍 싸돌아댕기질 않나.

다음 (핸드폰으로 블랙 원피스 보다 보여주는)
어때?

교영 촌스러워 보여, 아까 그 남자~ 진짜야?

다음 (하얀 원피스 보여주고) 그럼 이거는?

교영 구닥다리 같아 보여. 무슨 얘기했는데?

다음 (실망) 구닥다리? 퍼스널 컬러에 좀
맞춰볼까…

교영 언제 입을 옷인데? 자고로 패션은 티피오가
들어맞아야…

다음 중요한 날. 나한테 제일 중요한 날.

#27. 제하의 오피스텔. 밤.

외딴 섬처럼 보이는 제하의 고요한 집.
정적을 깨는 도어락 소리가 들리고, 문을 열고 들어오는
제하. 지친 표정이다.
책상 앞으로 가 포도주스를 책상 위에 올려놓고 가방,
웃옷을 벗어 대충 툭 던져놓는.
자연스레 시선이 꽂히는 포도주스… 그리고 밑에 깔린 〈하얀
사랑〉의 시나리오.

CUT TO.   61

비워진 포도주스. TV에서 오래된 흑백영화 재질의 영상이
재생되는데,
창문에 비친 제하의 얼굴에 〈하얀 사랑〉의 영상이

Episode 1

이중노출처럼 함께 비치고…
제하의 표정에서 〈하얀 사랑〉의 오프닝 장면, 어디론가
떠나고 있는 현상의 모습으로.

#28. 영화 〈하얀 사랑〉의 한 장면. 비 오는 바닷가. 낮.
필름 노이즈가 자글거리는 영화의 프레임 효과가 더해지면서.
비를 맞으며 다급하게 수평선을 향해 물속으로 뛰어
들어가는 현상.
가슴까지 차오른 물속으로 들어가는 여자, 규원에게 향한다.
(진여의 젊은 시절 모습)

현상(E)   당신 미쳤어?
규원(E)   이거 놔요! 당신이 뭔데 이래라 저래라야.
         (소리치는) 나는 나를 무너뜨릴 권리가 있어!
현상(E)   그 누구도 자신을 무너뜨릴 권리는 없어요!
         사랑할 권리라면 모를까!

자신에게 쏘아붙이는 현상을 쳐다보며 말을 잇지 못하는
규원…

#29. 종로 아트시네마. 상영관 안. 낮.
텅 빈 상영관 안. 제하, 영화 〈하얀 사랑〉을 본다.
스크린의 불빛이 제하의 얼굴에 묻고, 그저 답답한 표정으로
바라보고만 있는…
세 번째 줄 좌측에 혼자 앉아 있는 제하, 첫째 줄 우측엔
다음이 혼자 앉아 울면서 영화를 보고 있다. 서로를
의식하지 못한 채, 같은 공간에 있는 둘.

62

#30. 종로 아트시네마. 매표소 앞. 낮.

상영관을 나와 어둑한 계단을 내려오는 제하.
매표소에서 앉아 졸고 있는 70대 주인 명훈과 마주치는.

명훈	문은.
제하	(뒤돌아보며) 잘 닫았어요. 건강은 어떠세요.
명훈	이 나이에 문제없는 게 이상하지. 아 신경 쓰지 말어.
제하	이젠 좀 쉬시는 게,
명훈	요즘 들어 젊은 사람들이 꽤 찾아와. 너보다도 젊어. 낡은 영화 보는 게 유행처럼 번졌나보지?
제하	젊은 사람들은 안 본다니까요. 이딴 신파 누가 본다고.

명훈의 시선이 제하의 뒤를 향하고. 제하 시선 신경 쓰여
뒤를 돌면, 다음이 서있다. 울었는지 얼굴이 퉁퉁. 제하
비켜주고, 다음 명훈에게 휴지를 받아 말아서 코를 푼다.

제하	…보는 사람이 있네…
다음	(중얼거림에 처다보고, 알아보는) !?
제하	(알아보고) 어?
다음	(핸드폰을 꺼내 액정으로 부은 눈 확인하고, 얼굴 가리고) 아닌데요.

63

다급하게 나가버리는 다음, 그런 다음의 뒷모습을 의아하게
처다보는 제하.

Episode 1

CUT TO.

아트시네마를 다급히 나온 다음. 우두커니 서서,

다음   찾았다.

#31. 종로 아트시네마. 로비. 낮.

제하, 벽에 붙어있는 〈하얀 사랑〉의 포스터를 본다. 누군가
뒤로 다가와 말을 걸고.

진여   〈하얀 사랑〉을 보러 왔네요. 좋은 영화죠?

제하의 등 뒤에 서있던 진여가 묻자, 제하가 흠칫 하고
놀란다.

제하   당신 같은 사람들한테나 기억하고 싶은 좋은
영화겠죠.

제하, 무시하고 가려다가.

제하   저한테 할 말 있으세요?
진여   있어요. 〈하얀 사랑〉에 대해서.
제하   (웃기고) 영화 얘길 하자고요? 당신이랑
나랑?
진여   이 영화에 대해 잘 모르고 있을 것 같아서…
제하   신파 클리셰의 기념비적인 역할은
인정합니다. 개인적으로는 영화라고 부르고
싶지도 않고요.
진여   (타격 없이) 이두영 씨 아들은 그렇게

생각하고 있었네. 정말 아름다운 사랑
이야기라고 생각해요.

제하   (욱하는) 눈물 나게 아름답겠죠. 죄다
가짜니까. 어머니 돌아가시자마자 두 분이서
눈치 볼 것 없이 좋다고 만든 영화잖아요.

진여   이제하 감독은 잘 모르고 있네. 이 영화를 쓴
사람의 마음을…

제하   (기가 막힌다) 받아들이는 사람의 마음도
중요하죠. 누군가에겐 더러운 기억 같은
영화일 수 있어요, 그런 생각은 아직도
못하세요?

진여   영화의 의미를 알았으면 해서요.

제하   그걸 제가 알아야 되나요?

진여   〈하얀 사랑〉… 영화로만 봤죠? 언제 한번,
시간 날 때. 초고도 찾아서 읽어봐요. 직접
쓰는 사람이니… 읽어보면 어떤 마음으로
썼는지

제하   (말 자르며) 저희가 이렇게 말 섞을 사이는 못
되지 않나요?

진여   …미안합니다.

제하   미안하다고요? 이제 와서요? 재밌네요.
그리운 이두영 씨 흔적 많이 느끼고 가세요.

자리를 뜨는 제하. 할 말이 남은 것은 진여… 뒷모습만 그저
바라보고.

65

#32. 승원의 제작사 전경. 낮.
강남 한복판 제작사가 있는 빌딩 전경.

Episode 1

#33. 승원의 제작사 사무실. 낮.

띵- 엘리베이터에서 내린 곳. 승원의 제작사. 승원의 방으로
들어가는 제하.
승원, 어딘가로부터 전화 응대. 창가에 서서, 허리 30도쯤
숙이고 두 손으로 폰 받고.

> 승원 　거장의 역작. 그걸 현대적으로 재해석하는
> 　　　그의 아들. 이게 영화 그 자체 아니겠습니까?
> 　　　예, 예예. 하란다고 할 놈은 아니고요.
> 　　　하게끔 판을 짜야할 것 같아요. 정통성!
> 　　　리얼리티! 분명 깐느 측에서도 좋아할 겁니다.
> 　　　썰 좋아하는 건 만국 공통이니까요. 남자
> 　　　배우도 이미 김정우가 출연 의사 밝혔구요.
> 　　　네네 국민 연하남. 거기다 채서영만
> 　　　붙여주면… (노크에 돌아보고 제하 보곤
> 　　　손짓으로 앉으라고) 자세한 건 제가 뵙고
> 　　　네네… 알겠습니다 상무님.

승원 통화하는 동안 벽 한편이 채워져 있는 각종 영화
포스터들, 트로피들 눈으로 훑다가, 제하의 입봉작 포스터와
감독상, 각본상 트로피에 시선이 멈춘다.

#34. 승원의 제작사 사무실. 낮.

트로피를 보고 있는 제하.

66

> 승원 　이제 가져갈 때 되지 않았냐?
> 제하 　(시선 돌리며) 가지라니까.
> 승원 　저기에 이제하라고 적혀있는데 언제까지

우리영화 대본집

	내가 갖고 있어 아. 역시, 타고난 체질이
	성골이라 감독상 같은 건 우습다 이거지?
	좋아. 이참에 아버지처럼 해외에서 제대로 된
	상 한 번…
제하	(말 끊고 째려보며) 누구처럼?
승원	빠져나와, 그 늪에서 빠져나오시라고. 내년
	칸에서 이두영 감독님, 너희 아버지 특별
	회고전이 열려. 거기에 〈하얀 사랑〉 리메이크
	작품을 붙일 거야. 그건 내가 붙일 거고,
	네가 만들 거고.
제하	말은 쉽네.
승원	(웃음기 빠지고) 전 세계가 사랑한 작품이야.
	이거 절대 쉽게 오는 기회 아니고… 하.
	(답답해서 울컥) 안 할 이유가 없다고
	생각하는데 특히나 네 입장에선.
제하	(웃음기 멎고) 하기 싫은 게 이유가 안 돼?
	하기 싫어. 그래서 안 해. 차라리 몇 년
	뺑뺑이 돈 책이나 웹툰 같은 거 없어?
승원	난 이게, 정면 돌파가 될 수 있다고 본다?
제하	(잠깐 멈칫했으나) …정면으로 돌파할 생각,
	없다고.
승원	(버럭) 야! 안 한다는 소릴 하면 그건 새끼야,
	너는 염치가 없는 거야.
제하	(따라서 버럭) 아 왜 급발진이야! 나 지금
	쓰고 있는 거,
승원	(말 자르고) 줘 봐! 썼어? 썼으면 줘 봐
	새끼야! 허구한 날 기획안만 내놓지 말고!
제하	좀 더 걸려 시간이.

67

Episode 1

승원	5년 걸려도 안 나오는데 뭐 5년 더 필요해? 왜 자꾸 시간만 축내는 거야. 왜 아버지랑 경쟁을 하려고 그래. 독점을 하면 되잖아.
제하	독점이든 경쟁이든 관심 없고, 내 이름으로, 내 걸로 하고 싶어서 그래.
승원	그때까지 버틸 돈은 있고? 유산은 무슨, 이두영 감독님, 〈하얀 사랑〉 이후에 영화 제작 못 해서 빚만 잔뜩 남은 거 박감독 빼곤 다 안다! 빚 갚느라 네가 번 돈도 몽땅
제하	(자르며) 그러니까 돈 좀 벌게 쌓여있는 시나리오나 달라고.
승원	(진정하고. 나름 비장의 수를 은근히 꺼낸다) 이 기획 처음에 박감독한테 갔어.
제하	…누구한테 뭐가 가?
승원	너 얘기 잘 해. 네가 정 싫다면 이거 박감독한테 줄 수밖에 없으니까.
제하	**형!**
승원	그러니까… 이 영화는 그렇게 만들면 안 돼. 그래서 널 부른 거야. 물론 알지. 네가 얼마나 힘들어했는지. 그런데, 포기가 안 된다. 네가 제일 잘 할 걸 아니까. 네가 아들이니까.
제하	아버지 돌아가시고 지금까지. 지긋지긋해. 아버지 이름. 따라다니는 꼬리표들. 제발, 이제 없는 사람 얘기는 그만 좀 듣자.
승원	그래, 안 계시잖아. 이두영 감독님의 명작. 아들이 다시 한번 제대로 리메이크를 하면…
제하	(자르고) 형까지 내가 아버지 아니면 영활 못 만드는 놈으로 보네.

68

승원	야 그런 말이 아니잖아. 너만이 할 수 있다는 소리지.
제하	… 형. 나 이 영화 제대로 만들 자신 없어. 좋아야 할 거 아냐. 끌려야 만들 거 아냐.
승원	(냉정하게) 좀 까놓고 말해 보자… 너 이거 하면, 투자부터 배급까지 순식간이야. 개봉도 전에 깐느 회고전에서 첫공개로 홍보도 알아서 될 거고. 장담하는데, 너 이거 하면 진짜 네 영화 다시 만들 수 있어. 잘 생각해. 네 앞에 놓일 기회들이 얼마나 많겠냐?
제하	(자르며) 여전히 아버지 후광 빨아먹고 사는 보잘 것 없는 후진 새끼로 사는 게, 그게 내 유일한 살길이다, 이거지? 이제 알겠네. 5년째 뻥이치고 있는 안 될 시나리오 붙잡고 썩어 문드러질래, 아님 지금껏 빨아왔던 것처럼 내 아버지 이름 가져다가 팔아먹고 살래. 선택지는 두 개뿐이라는 얘기잖아.
승원	너 그거 배부른 소리야. 그런 선택지 아무한테나 다 있는 거 아니다.
제하	그래도 박감독 그 새끼는 진짜 아니다.

〈하얀 사랑〉 시나리오를 툭 던져놓고 나가는 제하. 그런 제하를 보고서 의미심장하게 쳐다보는 승원. 어떤 궁리가 따로 있는 것 같은, 묘한 표정으로…

69

Episode 1

#(추가씬) 새마을금고 앞. 낮.
새마을금고의 전경이 보인다.

#(추가씬) 새마을금고 안. 낮.
창구 앞에 앉아있는 제하. 직원이 모니터를 확인하고서 환한
표정으로,

창구 직원	와~ 적금 만기시네요. 축하드립니다.
제하	아, 네… 감사합니다.
창구 직원	예금은 어떻게 해드릴까요? 쓰시는 계좌 중에…
제하	(자신의 통장과 계좌번호가 적힌 메모지를 건네며) 아래 계좌로 입금 좀 부탁드릴게요.
창구 직원	네~ 입금 도와드리겠습니다. 얼마나 이체해드릴까요?
제하	거기 있는… 전부요.

#35. 달리는 차 안. 낮.
운전하며 어디론가 향하는 제하. 무심한 표정이 운전석 쪽
차창에 비친다.

#36. 정릉 제하의 본가. 밖. 낮.
누군가에게서 열쇠를 건네받는 제하. 정장차림의 중년 남자다.

제하	이제 그럼… 집에 묶인 채무는 다 해결된 거죠?
아버지 지인	다달이 메꾸느라 힘들었을 텐데, 고생 많았다. 여기, 열쇠.

70

제하	빚 갚는데 5년 걸렸네요. 죄송해요. 더 빨리…
아버지 지인	내가 네 아버지한테 미안하지. 사는 게 팍팍해서…
제하	안 팔아주셨잖아요. 이 집. 그걸로 됐어요.
아버지 지인	근데 돈은 어떻게 버니? 영화는 접은 거야?
제하	가끔 강의도 나가고. 글 쓰는 걸로도 벌고 해요.

인사하고, 열쇠로 대문을 열고 들어가는 제하.

#37. 제하의 회상. 과거. 정릉 제하의 본가. 안. 밤.

과거로 장면 전환. 집 안으로 들어온 유년 시절의 제하.
온갖 한국영화 포스터들과 카메라 장비, 소품, 책들로
입구부터 엉망이나, 그 좁은 틈으로 오가는 사람들이
많고 북적인다. 들어오는 어린 제하를 보고 반기는 사람들.
행색으로 보아 두영의 영화관계자들로 보인다. 거실에는
아버지 두영이 조감독과 회의를 하고 있는. 익숙한 듯 거실을
지나쳐 2층으로 올라가는 제하. 제하의 모가 반겨주는.

CUT TO.
시간이 지나고, 온기 없이 싸늘한 집. 교복 차림의 제하.
안쪽 방에서 짐가방을 들고 나오는 두영. 제하와 마주치자
별말없이 식탁에 생활비를 올려두고 그대로 현관문을 열고
나간다. 남겨진 어린 제하. 돈은 쳐다보지도 않고 방으로
들어간다.

71

Episode 1

#38. 현재로 돌아와서. 정릉 제하의 본가. 안. 밤.

과거와 달리 말끔하게 정돈되어있는 거실. 제하, 아버지 방
앞에 가 선다,
잠시 고민하다 문을 연다. 불을 켠다. 과거 거실에 있던
짐들이 창고처럼 쌓여있는 두영의 방. 먼지와 거미줄로
자욱한, 말끔한 거실과 상반된 방.

쌓아둔 포스터들을 뒤적이다 〈하얀 사랑〉 포스터를 보고
뭔가 생각난다는 듯 책상 서랍을 뒤진다. 잔뜩 쌓여있는 〈하얀
사랑〉 시나리오 뭉치들… 진여가 했던 말이 떠오르는 제하.

    진여(E)   **직접 쓰는 사람이니… 읽어보면 어떤 마음으로
                      썼는지**

CUT TO.
자필로 되어있는 초고의 끝장을 읽고 있는 제하. 툭 던지며,
잠깐 기지개를 펴려고 다리를 뻗는데, 발에 걸리는 작은
자개소품함을 발견하는 제하. 바닥에 엎드려 책상 바닥
깊숙한 곳에서 먼지로 자욱한 소품함을 꺼내며 탈탈
털어낸다. 입을 막고 기침하며 열어보는데, 두영과 제하모의
젊었던 시절의 사진들, 편지들 나오는데 그 양이 꽤 많아
보인다.

그것들 사이 제하의 눈에 뭔가 걸리는 한 종이뭉치,
시나리오로 보여 집어 든다.
시나리오를 들고서 뚫어져라 한 곳을 쳐다보는데, 각본에
뚜렷하게 쓰여 있는 이름.
유은애(제하 모) 세 글자를 발견한다. 헛웃음 짓는 제하,

72

책상 위에 올려두었던 아버지 이두영 세 글자가 쓰인 〈하얀 사랑〉의 초고의 날짜를 확인한다. 어머니 이름이 쓰인 초고의 날짜가 무려 1년이 앞서는 걸 확인한다.

CUT TO.
은애의 초고를 다 읽고서 충격에 빠져있는 제하.

　　　제하　　　이게… 왜…

#39. 제하의 회상. 과거. 정릉 제하의 본가. 안. 밤.
- 영화 이야기로 북적이던 분위기, 그 거실 한가운데에
  있는 (어린 아이가 아닌) 현재의 제하. 엄마가 쓴 초고를
  자기 것마냥 들고 선 웃고 떠드는 이두영을 경멸의 눈으로
  바라보는 모습.
- 두영과 사람들 사라지고, 서재에서 쓸쓸히 초고를 쓰고
  있는 엄마를 바라보게 되는. 그런 그녀를 도무지 이해할 수
  없는 표정으로 바라보고 있는 제하.
- 주변이 과거에서 다시 현재로 돌아오고. 텅 빈 현재의 거실.
  혼자 남겨진 제하.

#40. 한국대병원 앞 버스 정류장 일각. 낮.
다른 날. 버스가 정류장 앞에 다다르고, 정류장과 좀 떨어진
거리에서 걷던 다음의 옆으로 사람들이 우다다 뛰어가
버스를 탄다. 오직 다음만이 천천히 걷는다. 결국 버스 문이
닫히고, 출발하는. 다음, 정류장 의자에 풀썩 앉고. 먼저
앉아있는 할머니는 통화 중. 그때 또 다시 다음의 핸드폰
알람이 울리자, 알람을 끄고서 가방에서 빵을 꺼내는.

73

Episode 1

다음	(한입 베어물고 우걱우걱 씹는) 아깝다. 탈 수 있었는데.
할머니	(전화) 됐어, 늙으면 다 아프고 골골거리는 건데, 유난을 떨어. 시끄러워. 입원은, 돈이 썩어나? 끊어.
다음	(머쓱하게 웃으며, 가방을 다시 뒤지고, 떡을 꺼내 건네는) 저… 할머니, 요거 드실래요?
할머니	(빤히 보는)
다음	인절미예요!
할머니	아니, 이쁜 아가씨 다 먹어. 나는 인쟈 버스 와서 타야 돼.
다음	(떡도 먹고 가방에 집어넣는데 계속 시선이 느껴지고) 저, 뭐 묻었어요 할머니?
할머니	(웃으며) 으응, 내가 계속 쳐다봐서? 예뻐서.
다음	할머니가 훨씬 예뻐요.
할머니	다 늙어 쭈그러진 할머니가 예쁘기는.
다음	그게 예뻐요. 할머니. 그게 정말 예쁘세요.

버스가 온다.

#41. 영화 제작사 회의실. 안. 낮.
회의실에 들어오는 제하를 맞이하며 테이블에 마주 앉는
정대표.

74

정대표	승원이 아니, 부대표는 잘 지내죠? 독립해놓고선 연락이 통 없네.
제하	뭐 늘 똑같죠. (괜히 머쓱) 그 형은… 잘 지내는 것 같더라고요.

인사치레하며 가방에서 시나리오를 꺼내 앞에 두는데,
받아서 옆으로 치우는 정대표.
그걸 가만히 보는… 제하.

> 정대표   알잖아요 감독님. 요새 경기 안 좋은 거.
> 제하   …읽어는 보실 거죠? 끝만 좀 다듬으면

정대표, 제하의 말을 끝까지 듣지 않고, 무언가를 꺼내며
제하의 시나리오 위로 얹는다.
영화 시나리오, 감독 이름에 박병식(박감독) 적혀있고…

> 정대표   박감독이 2년 정도 붙잡고 있다가 결국
>   안 된 거긴 한데… 소재는 좋았어요. 한 번
>   읽어보고 이감독 스타일로 변주를 좀…
> 제하   대표님.
> 정대표   꼭 작가주의적인 감독이 될 필요는
>   없잖아요~ 요즘에 감독들 워낙
> 제하   (비참하고) … 됐습니다.
> 정대표   (…) 그래도 생각 바뀌면 언제든지 연락

그때, 회의실 노크를 하고 들어서는 박감독.

> 박감독   어? 여기서 보네요?
> 제하   (까딱 인사) 네.
> 정대표   온 김에 식사라도 하고 가심 좋은데, 제가
>   선약이 있어서.
> 제하   괜히 시간 뺏은 것 같아 죄송하네요.
> 박감독   어우. 역시 제작자 앞에선 겸손하시네.

75

Episode 1

	하던 얘기하세요. (정대표에게 담배 피우는 시늉하며 나가는)
제하	박감독님이랑 선약이신 것 같은데 저는 가볼게요.
정대표	(머쓱) 아, 박감독 〈하얀 사랑〉 끝나고 들어갈 영화 때문에…
제하	〈하얀 사랑〉이요?
정대표	아 맞다. 이감독이 유력했다던데, 끝끝내 안 한다고 잘랐다면서? 왜 그랬어~ 그것도 좋은 기회인데. 박감독은 하던 거 그대로. 되게 섹슈얼하게 간다던데? 하얀 사랑이… 빨간 사랑 될 판이야…
제하	(도저히 참을 수 없고)

#42. 영화 제작사 지하 주차장 안. 낮.

담배 태우고 있는 박감독을 힐끗 보곤 무시하고 차로 가려는 제하, 박감독이 부르고.

박감독	이감독! (손 흔들)
제하	(멈칫하지 않고 그대로 꺾어서 박감독 앞으로 와 서고. 노려보는)
박감독	(좀 쫄고) 이번에 엎어지면 그쪽은 몇 연속이야?
제하	(무시) 뭘 한다고요?
박감독	아~ 〈하얀 사랑〉? 감독 제의가 와서 고민 중이야. 자기는 겨우 한 편 찍은 신인이긴 하지만 그래도 감독이니 알 거 아냐. 되게 구닥다리 신파인 거.

76

제하	그쵸. 알죠.
박감독	뭐, 허락이라도 받아야 하나? 〈하얀 사랑〉 연출하려면?
제하	허락 안 하면 안 하시게요?
박감독	(비웃고) 채서영이랑 각별하지? 이번에도 화끈한 역할로 같이 하고 싶은데, 자기가 말 좀 잘해줄래? 싫어?
제하	(더 이상은 못 참겠고) 어. 싫어.

제하, 박감독 앞으로 한 대 칠 듯한 눈빛으로 성큼성큼.
박감독 뒷걸음질 치다 벽에 딱 닿고.

박감독	(눈 질끈)
제하	(박감독 옷깃 만져주며) 뭘 쫄고 그래.
박감독	(눈 뜨고, 자존심 상해 악 지르며) 너 미쳤어???
제하	그러니까. 내가 미쳐 가나보다.

#43. 정릉 제하의 본가. 안. 낮.
현관을 열고 들어선 제하, 아버지 방으로 들어간다. 〈하얀 사랑〉의 초고를 집어 든다. 각본 옆에 쓰인 이름, 유은애를 뚫어져라 보다가, 손으로 두 눈을 감싸 비비는 제하.

#44. 제하의 회상. 과거. 은애의 장례식장. 밤.
장례식장, 고인명에는 유은애라고 적혀있는. 빈소에는 두영이 얼이 빠진 표정으로 서있고.
빈소 밖 응접실 소파에 기대어 앉아있는 어린 제하. 맞은편 TV에서는 두영과 진여의 스캔들 뉴스가 나오고… TV속 젊은

77

두영과 진여. 진여의 화려한 얼굴이 클로즈업 되고…

CUT TO.
진여의 화려한 얼굴이 마구 헝클어진 채로 머리채가 잡혀
흔들리고 있는.
친척으로 보이는 여성이 진여를 붙잡고 어떻게 친구의
남자와 놀아나냐며 흔들고 주변인들이 이를 말리며
소란이다. 이런 현장을 바라보고 있는 어린 제하.

#45. 승원의 제작사 사무실. 낮.
마주앉아 〈하얀 사랑〉을 얘기하고 있는 박감독과 승원.
열정적인 박감독에 비해 상대적으로 듣는 둥 마는 둥 하는
미온적인 태도의 승원.

> 박감독   이번에는 진짜 제대로 벗겨야 장르가 살아요.
> 승원   (대꾸는 하지만 시선은 핸드폰에) 어어…
>   살아야지… 우리 다 같이…
> 박감독   그래서 말인데, 채서영 어떻게 안 돼요?
>   저번처럼 말고, 이번엔 처음부터 계약서에
>   노출 수위를 못 박아서… 빼도 박도 못 하게

그때, 승원의 핸드폰에 알림이 오는. 제하의 문자다.
[시나리오 각색할 시간 충분히 줘.]
승원, 만면에 웃음을 띠고. 박감독, 말하다 말고 의아하게
쳐다보는. 문자 알림 하나 더 오는.
[평양냉면. 형이 사.]

> 승원   곧 겨울인데 뭘 자꾸 벗겨요. 감기 걸려, 외투

박감독	따시게 입으시고.
박감독	?
승원	투자자가 또 엎는다 만다 말썽이네. 일단 내가 연락드릴게.
박감독	에? 이렇게 그냥 가요? 우리 밥은 안 먹어?
승원	(짠하게 보면서) 박감독… 모쪼록 건필 합시다.

외투를 챙겨 서둘러 나가는 승원. 맹하게 쳐다보고 있는 박감독.

#46. 평양냉면집. 테라스. 밖. 밤.
밤바람 선선한 식당. 승원 앞에 소주 네 병 비워져있고,

승원	(기분 좋게 취한) 너는 다 계획이 있었던 거야! 그치?
제하	계획 같은 거 없어. 만들 이유가 없었는데, 이제는… 생겼거든.
승원	(환희의 삿대질하며) …박감독~? 그런 감독 열 트럭 갖다 줘도 나는 너랑 절대 안 바꿔. 아버지보다 잘 만들어보자. 나도 너. 최대한 하고 싶은 것 다 할 수 있게끔 확실하게 서포트할게.
제하	그 말, 꼭 끝까지 책임져라.
승원	자~ 이제 감독이 들어왔고. 배우는… (눈치 보다 툭) 채서영 어때? 서영 씨가 너 영화 들어간다니까 엄청 놀라면서 좋아하더라. 아직 너한테 맘 있는 거 아냐?

79

Episode 1

제하	(말 자르고 젓가락 내려놓고 팔짱) 그래, 더 해봐.
승원	아 그렇잖아. 옛날에 네 디렉션 한마디에 밤새 울고 퉁퉁 부어 오던 신인 배우에서 이젠 영화 바닥서 입김 쎈 배우가 됐는데. 심지어 갔다가 돌아오긴 했지만 싱글이구.
제하	그래서 잘 나가는 채서영을 내가 꼬셔?
승원	응. 영화 찍자고 꼬시라고. 채서영 지금 안 잡으면 너 다신 개랑 못 찍을 수도 있어, 지금이 적기라니까! 채서영 의리 있어. 네가 하자고 하면 해.
제하	영화 의리로 찍고 싶진 않은데.
승원	새끼가 딴에 존심 있다구… 투자 새끼야 투자. 채서영이 들어와야 투자가 붙지. 네 돈으로 찍을래?
제하	책 써봐야 알지. 배우를 놓고 쓸 것도 아니고. 그리고 분명히 말했다. 각색할 시간 넉넉잡아 두 달은 더 필요해.
승원	한 달은 안 될까? 이게 일정이… 내년 깐느 일정도 그렇고…
제하	원작이 90년대야, 현대로 각색할 때 바뀌는 설정들이 생각보다 더 많아. 중요한 건 리얼리틴데… 우울증과 시한부, 자문이 당장 필요해. 연결 좀 시켜줘. 그리고 조감독도 미리 미리 구해주고. 진행비는 웬만하면.
승원	(얼떨떨) 소름. 뻔뻔하게 이거저거 다 해달라고 지르는 버릇. 그대로네, 그대로야. 근데, 이게 이렇게 눈물 나게 반가울 줄은

80

몰랐다! 써, 써 그냥, 다 들어줄라니까!
하하하.

호탕하게 웃으며 부담스러운 텐션으로 건배를 들이미는
승원에게, 물 잔으로 짠을 맞춰 주는 제하.

#47. 도심 속 거리 전경. 낮.
다른 날. 캠코더를 들고 도심 속을 걷는 다음.

#48. 도심 속 거리 일각. 낮.
호숫가 인근. 촬영 중인지 분주해 보이는 스태프들과 구경
중인 시민들로 북적이고, 다음도 걸음이 멎는다. 까치발로
고개를 들어 보면, 서영이 다 찢어진 너덜한 옷을 입고
캐리어를 든 채 서서 분장을 받고 있는. 서영을 보곤 입을
틀어막는 다음. 캠코더를 꺼내 그 모습을 담으려는데, 연출부
알바가 와서 제지한다. 아, 넵 하고 뷰파인더를 닫는 다음.

> 행인1　　(통화 중) 여기 채서영 있어. 몰라. 뭐 찍나봐.
> 어? 자기가 훨씬 예쁘지. 별로 안 예뻐.

옆 행인이 통화를 끝내는데 옆을 보면, 다음이 인상을 쓰고
째려보고 있다.
행인, 이상하게 쳐다보고 후다닥 가고, 곧이어 촬영이 시작된다.

CUT TO.　　　　　　　　　　　　　　　　　　　81
캐리어를 끌고 빠르게 걷다가 이내 들고 전력질주를 하는
서영의 모습. 컷- 소리.
테이크가 여러 번 반복되고, 점점 지치는 서영의 모습.

Episode 1

그런 현장 속 서영을 동경하는 눈빛으로 바라보고 있는
다음…

CUT TO.
다음의 상상.
다음이 서영의 복장을 한 채, 서영이 했던 씬을 그대로
연기한다.
- 벨소리가 들린다.
다음이 가방에서 폰을 꺼내 보면, 알람이다. 끄고, 감독과
이야기를 하고 있는 서영을 부러운 듯이 바라보던 다음. 인파
속을 지나 어디론가 간다.

#49. 도심 속 거리 일각. 낮.
카메라가 레일을 타고 서영 쪽으로 쭉 들어오면,

감독(V.O)　컷.

감독과 조감독이 서영에게 간다.

감독	서영 씨. 우정출연 치고 너무 고생시켜서 어떡해?
서영	와. 이렇게 고생할 줄은 몰랐는데 감독님이니까 참는다.
감독	너무 미안해. 미안한 김에 좀 쉬었다가 다음 씬 가자. 물이 조금… 찰 수도 있는데…
조감독	체크해봤는데, 괜찮더라구요.
서영	(어이없는 듯 쳐다봤다가, 호수로 시선) 저기 빠지는 거죠?

82

호숫가를 바라보는 서영.

#50. 호숫가 인근 벤치. 낮.

다음이 벤치에 앉아 일렁이는 호수 윤슬과 산책하는
사람들을 구경하고 있다.
가방에서 샌드위치를 꺼내 한입 먹으려는데, 누군가 옆으로
와 거리를 두고 벤치에 앉는다. 서영이다.

> 다음   (놀라서 굳고) 어…
> 서영   (통화 중) 차는 답답해서, 잠깐 앉아 있다가
>   갈게. 괜찮아 안   와도 돼. 니네끼리 먹어.
>   난 바람 좀 쐬다가 갈게. (끊고) 아, 배고파…

산책하는 행인들, 서영을 힐끔 힐끔 보고, 서영, 멍하니 윤슬
쳐다보고.
다음이 눈치를 보다 가방에서 캡모자를 꺼내 서영에게
건네준다.

> 다음   이거 필요하시면…
> 서영   아뇨. 머리 망가져서. 감사합니다.
> 다음   (팬이라고 하고 싶다) 샌드위치 드실래요?
> 서영   (군침) …괜찮아요.
> 다음   쉬시는데 자꾸 말 걸어서 죄송해요.
> 서영   …호밀빵이네요.

83

CUT TO.
둘이 반짝이는 강물을 보며 샌드위치를 먹는다. 다음이
캠코더로 호숫가를 찍는다. 한 커플 서영 사진을 찍으려고

Episode 1

하면. 서영 낌새 눈치 채고 조금 지치고 곤란하고.

다음	(후다닥 서서 예의바르게) 죄송합니다. 지금 식사중이라, 죄송해요.
서영	(감동이다) 고마워요.
다음	조금이라도 편하게 있으시면 좋을 것 같아서… 너무 오지랖이죠.
서영	그건 왜 찍는 건지 물어봐도 돼요? 손에 든 거.
다음	아, 예뻐서요. 다시 못 볼 수도 있으니까 돌려보려구요.
서영	왜 못 봐요. 또 와서 보면 되지. 난 이따 저기 들어가야 돼요.
다음	네?
서영	제가 지금 돈가방을 들고 쫓기고 있는데 돈가방 주인이랑 사투를 벌이다가 돈가방이 저 호수에 빠지거든요. 그거 건지러.
다음	(동경의 눈빛) 우와… 재밌겠다.
서영	재미없어요. 나 물 공포증 있거든요. 죽을 것 같아요. 물에 빠지면.
다음	그런데 어떻게…
서영	그게 내 일이니까요. 참고 해야죠. 잘 먹었습니다.
다음	…팬이에요! 청소 때부터!
서영	팬이었어요? 처음부터 말하지. 음, 사인? 펜 없으시면 사진이라도?
다음	(후다닥 캠코더 꺼내고) 괜찮으시면 이걸루.

84

다음이 캠코더를 셀프캠으로 만들어서, 둘이 웃는 모습을 짧게 담고.

> 다음   감사합니다. 촬영 파이팅하세요!
> 서영   덕분에 제가 감사하죠. 저, 좀 지쳐 보여요?
> 다음   …네.
> 서영   (얼굴 근육 풀고) 큰일 났네. (웃고) 고마워요.
> 샌드위치 값을 해야 되는데…
> 다음   (손사래) 아니에요. 얼른 가세요!
> 서영   고마워요. 우리 나중에 또 보면, 그때 제가
> 샌드위치 꼭 갚을게요!

가는 서영의 뒷모습을 유심히 바라보는 다음… 부럽기도…
아쉽기도 하면서…

#51. 제하의 오피스텔 안. 낮. (한 달 후)
어두운 방 안. 노트북에서 나는 잔잔한 빛에 반사되어
자세히 보니… 나라 잃은 표정.
이미 얼음이 다 녹은 커피. 스페이스바만 틱 틱 틱 누르고. 방
곳곳에 구겨지고 버려진 종이가 가득하다. 암막 커튼을 쭉
걷어내면, 계절이 바뀐 듯 가을빛이 만연하다.
파일명 〈하얀 사랑 6고〉라는 파일이지만,
노트북에는 [시한부…] 라고 세 글자만 쓰여 있다. 지우지
않고 글자를 뚫어져라 본다.
노트북 옆에 있던 핸드폰이 부르르. 승원의 전화다.
– 승원은 제작사 사무실에서 유홍과 미팅 중. 유홍, 계약서   85
  쓰고 있고.

> 제하   (창밖 보며) 저번에 소개해준 자문, 영

Episode 1

	별로야. 시높도 안 읽고…
승원	최소한 안부부터 묻고 그러자. 잘돼 가? 벌써 한 달 됐다.
제하	난 분명 두 달이라 그랬다.
승원	야 저번에 그 3고, 그거 죽였어. 5고였나? 그것도 현대적이었고. 그만하면 됐어!
제하	(안 듣고) 무슨 여자 주인공이 다분히 순종적이기만 해, 남자 주인공이 인생에 안 찾아오기라도 했으면 어쩌려고 했나 몰라. 꿈도 없고, 야망도 없고. 이거 쓴 사람은 무슨 생각으로.
승원	(하아… 이 새끼 진짜) 너희 아버지지 누구긴 누구야.
제하	(미간 찌푸리며 손가락으로 긁는) …글쎄
승원	(못 알아듣고) 뭐?
제하	(얼버무리고) 아무튼. 아무리 90년대라고 해도, 시대착오적이야.
승원	됐고. 새 자문 선생님 구해놨어. 이번엔 마음에 들 거야. 얘기해 놨으니까 취재는 거기로 가면 된다. 일단 선생님이 바쁘시거든, 이거 말고도 영화를 3개를 하신대. 스케줄 어렵게 빼주신 거야.
제하	한 번 더 속아본다. 오늘 바로 가면 되지?
승원	조감독님도 보낼까? 그래도 인사차 네가 먼저 가고. (조감독이 앞에서 시간 안 된다고 싫다고 입 뻥긋뻥긋)
제하	혼자 갈게.
승원	주소 보내놓을게. 근데 있잖아, 쫌… 그

86

교수님이 쫌… 여튼 만나봐. 네가 만나보면
알 거야.

#52. 승원의 사무실. 낮.

유홍 계약서에 사인하고, 앞에 과자 까먹으며.

승원	스물아홉밖에 안 됐는데 오징어게임에 파묘에… 독립영화는 또 몇 개야. 우리 조감독님 경력이 정말… 너무 고맙다. 앞 작품 끝나자마자 쉬지도 못하고 바로 들어와서 어떡해요.
유홍	(핸드폰하며) 이거까지만 하고 그만하려구요 조감독.
승원	그래. 그래. 자기 입봉 시킨다고 대기한 제작자가 몇 명인데 그중에 한 명, 나, 오픈런해서 겟했잖아. (자기 가리키고 웃고)
유홍	저는 영화감독 안 해요.
승원	근데 조감독은 왜 해?
유홍	감독을 왜 해요 귀찮게. 어렵고 머리 아프고 다 감독만 찾고 추울 때 추운 데서 일하고 더울 때 더운 데서 일하고… 으 너무 싫어요.
승원	그러니까 조감독은 더 바쁘고 더 힘든데 감독도 안 할람 왜 하냐구.
유홍	이제하 감독님 작품은 해보고 싶었어요.

87

유홍, 핸드폰을 들여다보는데 창에는 소나무위키(나무위키
스타일의) 이제하 검색결과.
관련 검색어 소포모어 징크스 눌러보는.

Episode 1

유홍	소포모어 징크스?
승원	아, 뭔 징크스에다가 이름들 갖다 붙이기는. 뭐 감독으로 치면 차기작 못 찍는 징크스라는데, 찍네? 차기작?
유홍	감독님도 참, 부담스럽겠어요.
승원	감독 이쯤 부담감이지 뭐. 자, 그럼 오디션 준비부터 바로 도와줘야 할 것 같은데.
유홍	(?!) 책이 벌써 나왔어요?
승원	아니, 쓰고 있어요. 감독이.
유홍	이제하 감독님이 직접 써요? (갑자기 생기도는 표정)

#53. 서영의 소속사 사무실. 낮.

소속사 대표 고혜영 (여, 50대)과 서영의 매니저 박민희 (여, 20대 후반) 소파 앞 테이블에 놓여있는 대본 무더기. 〈하얀 사랑〉 기획안이 제일 위에 놓여져 있다.

고대표	하여간 웃긴다니까. 누굴 어디다 갖다 붙이는 거야. 부대표 미친 거 아니니?
민희	그래도 선배님한테 물어나 볼까요?
고대표	내가 이제하만 생각하면 아직도 이가 갈려. 걔 때문에 서영이가 날린 시간이, 역할이, 돈이 얼만지 알아? 나 그때 탈모 온 거 봐봐. 아직도 구멍 나 있는 거.
민희	죄송합니다.
고대표	서영이한텐 입도 뻥긋하지 마. 이혼하고 이미지 타격 올 거 박감독 영화로 간신히 재기했어. 채서영 인생에 이제하는 두 번

다시없어야 해. 이 영화는 서영이 귀에 안
들어가게 최대한 막고. 알겠니?

민희　　　네… 대표님.

#54. 한국대병원. 민석의 연구실. 낮.

진료실 벽면에 길게 붙어있는 전신거울.
[마음먹은 만큼 행복하세요] 글귀를 빤히 보는 제하.
그리고 거울 보는데 뒤에서 자길 쳐다보고 있는 민석과 눈이
마주친다.

민석　　　아픈 적 있어요?

제하　　　몇 년 전에 건강검진 했어요 별건 없었고요.

민석　　　아픈 가족, 부모님은?

제하　　　돌아가셨어요. 두 분 다. 아, 어머니가 아프다
　　　　　돌아가셨구요.

민석　　　음… 감독님이 질의서에 보내준 시한부
　　　　　케이스는 건강검진 같은 기본검사로 확진을
　　　　　할 수가 없어요. 안 나와 거기선.

제하　　　그래요? 그럼 어떻게 알게 되는 거예요?
　　　　　아픈 걸?

민석　　　이미 손쓸 수 없는 상태로 실려 오죠 대부분.

제하　　　(!) 아, 대부분…

민석　　　시한부 이거 소재가…

제하　　　진부하죠. 자주 나오는 소재니까.

민석　　　더 나와야 돼. 대한민국에 시한부가 얼마나 　89
　　　　　많은지 알아요?

제하　　　?

민석　　　많기도 많고 케이스도 되게 다양해.

Episode 1

제하	멜로라서… 평범한 시한부면 돼요.
민석	그거 굉장히 진부한 발상인데 시한부는 안 평범해요 이 사람아.
제하	아… 죄송합니다. 표현이 좀 그랬네요.
민석	(별거 아니라는 듯 으쓱) 얼마나 남은 시한부예요? (대답 없자 쳐다보고) 영화 속에서~ 내가 자문은 선수라니까? 나는 영화적 허용을 이해하는 의사야. 감독이 설정을 해줘야지.
제하	글쎄요… 얼마가 적당할까요 그거 물어보러 온 건데…
민석	나도 담 생엔 감독 해볼까 싶더라구. 다 지 맘대로 정하잖아. 사랑도, 죽음도…
제하	뭐… 예… 어림잡아 한… 1년? 너무 긴가… 6개월?
민석	1년이야 6개월이야, 그거 천지차이야.
제하	(왜 반말…) 6..6개월이요.
민석	(어디로 전화 거는) 어 아직 안 갔지? 지금 어딨어? (제하 보고) 잠깐 자문 인터뷰 좀 해줘. (표정이 굳어지고) 아… 그렇게 됐구나… 그래. 나도 내려가 봐야겠다. 이교수님도 모르고 계실 거야. 그래.

앞장서서 걷는 민석. 따라오라는 제스쳐. 뭐지? 싶은 제하.

90 따라 붙으며,

제하	지금 어딜 가시는…

#55. 한국대병원 장례식장 빈소(승희 딸, 민정의 장례식). 안. 낮.

민석(E) 사인은 쇼크사. 겨우 한 번의 쇼크였는데, 이
환자한테는 그 한 번이 치명적이었고, 이렇게
허망하게 급사로 이어진 거지.

– 제하, 민석을 따라 처음 보는 이의 빈소에 도착하는.
– 병동 복도에서 검은 옷을 챙겨 입고 다급하게 어디론가
걸어가는 여자.
– 제하와 민석, 향을 올리고 절을 하는. 상주와도 맞절…
– 여자, 빠른 걸음으로 걷다가… 뛰려다… 이내 멈추고, 다시
천천히 걷는다.

#56. 한국대병원 일각. 안. 낮.

민석(E) 이 병은 그게 참 무서워. 막을 수도 없고,
돌이킬 수도 없이 순식간이라는 게.

– 엘리베이터에서 내린 여자의 뒷모습. 떨리는 손을 꽉 쥐며
장례식장으로 내려가는 발걸음.

#57. 한국대병원. 장례식장 식당 안. 낮.

민석 앞에 앉은 제하는 말없이 의아하게 육개장을 먹는다.
제하 자리 밑에는 포도주스 박스가 한 통 있다.

민석 끔찍하지. 병이 심해질수록 발작성 쇼크도
잦아지고… 것도 좀 아픈가. 총에 맞은
것처럼 온 전신이 뚫리는 고통까지… (전화
오고) 네, 어… 제가 올라가 볼게요.
지금 콜이 와서. 여기 있으면, 올 거예요.

91

Episode 1

제하	네? 누가…
민석	찾는 사람.

#58. 한국대병원. 장례식장 안. 낮.

장례식장 안으로 여자가 급하게 들어온다. 다음이다. 제하,
건너편 식당에서 입구에 들어선 다음을 발견하곤 주시한다.
다음이 또래의 젊은 여자의 영정 앞에서 절을 하는 다음.
모은 손등 위로 눈물이 톡 톡… 떨어진다. 쉽게 일어서지 못
한다. 그런 다음을 측은하게 바라보고 있는 상주(승희)의
시선까지.

#59. 한국대병원. 장례식장 식당 안. 낮.

자리는 거의 만석. 4인석 구석에 홀로 앉아 있는 제하
테이블을 힐끗 보고 있는데, 쟁반에 국과 밥을 든
장례도우미 아주머니가 제하 쪽으로 앉으라고 양해를 구하고.
제하 대각선 자리에 다음이 앉는다. 밥과 국이 놓여지고.
촉촉해진 눈가를 씩씩하게 닦고 국에 밥을 말아먹는 다음.
동그랑땡 쪽을 뚫어져라 보면, 제하가 눈치껏 다음이 쪽으로
밀어준다.
고갯짓으로 감사하다 인사하곤, 반찬까지 얹어가며 복스럽게
밥을 먹는다.
다음은 볼이 터져라 밥을 밀어 넣는데, 자꾸 눈시울이
붉어진다. 손으로 벅벅 닦아내곤 또 한술 뜬다. 그런 와중에
울리는 요란한 알람.

92 능숙하게 끄고서 다시 입 안 가득 음식을 넣는 다음.
제하, 그런 다음이 신경 쓰여 자꾸 보게 된다. 그러다 눈이
마주친다.
마주친 시선에 제하는 시선을 피하는데

다음은 묘한 눈빛으로 제하를 뚫어져라 본다.
제하 젓가락을 내려놓고 가방을 챙겨 일어선다. 아랑곳 않고
마저 밥을 먹는 다음.

#60. 한국대병원. 야외 흡연장. 낮.
제하 포도주스 박스 들고, 승원과 통화 중.

제하	자문해 줄 의사선생님 다른 분은 없어? 아니, 좀 이상해 여기… (멀리서 어딘가 향하는 다음을 보고) 어 근데, 잠깐만. 일단 끊어봐. 내가 다시 전화할게.

#61. 한국대병원. 장례식장 앞. 낮.
식장 앞에 바인더 들고 통화하고 있는 장례지도사 앞에 가
서는 다음.
눈이 퉁퉁 부어있는.

장례지도사	(다음 보고) ?!… 네 네 알겠습니다 네 (끊고) 무슨 일…?
다음	제가 처음이라 잘 몰라서 그러는데 혹시 국화는 다른 꽃으로… 그러니까 음… 라넌큘러스나 백합 같은 꽃들 커스텀해서 꾸밀 수 있어요? 색깔도 있고 화사하게… 뭐랄까 웨딩홀 꽃 장식처럼요. 영정 앞에는 알리움이랑 안개초로 장식하면 어떨까 싶어요.
장례지도사	뭐 어디를… 빈소를요?
다음	네 빈소를요. 아니지, 장소를 혹시 바꿀 수

93

Episode 1

있나요? 장례식장이 아니었으면 좋겠어서…
(둘러보며) 격식은 없었으면 좋겠고.

장례지도사   그게… 그럴 수가 있나요?

다음   …? 그러니까요 그럴 수가 있어요?

장례지도사   저도 출근 일주일째라… 제가 한번
알아보겠습니다!

다음   아… 죄송해요. 그럼, 명함 하나만 좀
주시겠어요?

#62. 한국대병원. 야외 정원. 밖. 낮.

제하, 정원 벤치에 쪼그려 앉아 코를 풀고 있는 다음을 본다.
제하가 다가온 걸 알고 붉어진 눈으로 제하를 올려다보는
다음. 제하가 가방을 열어 휴지를 꺼내 건네준다.
감사합니다… 코를 쿠에엥 풀고. 혹시 좀 더 있어요? 더 주면,
눈 위에 휴지를 펼쳐 붙인 채 고개를 하늘로 올려 심호흡을
한다. 휴지가 눈물에 젖어가고. 멀뚱히 다음을 보고 있던
제하에게, 살짝 옆으로 몸을 움직여 옆 빈자리를 손으로
톡톡. 제하, 어색하게 앉고.

다음   (고개 들어 눈물 닦고) 어디 갔었어요?

제하   (두리번) 저요?

다음   네. 저 찾았잖아요.

제하   제가요? (어색하고, 불현듯) 혹시?
편의점에서 맞죠? 그때 아트시네마… 휴지…
(휴지 또 건네주며)

다음   또 보네요. (쿠에엥 코 풀고)

제하   (스치는 불안) 혹시…

다음   네. 그것도 저요. 자문이 필요하시다구요?

94

제하	(설마 하는 심정으로) 의사예요? 아니면, 간호사?
다음	(씨익) 아뇨. (아무렇지 않게) 자문을 맡을 시한부 이다음이라고 합니다. (악수 건네고)
제하	(…?!)

싱그럽게 웃으며 상반되는 자신의 처지를 아무것도 아닌 것처럼 언급하는 다음.
충격을 받은 듯한 제하, 천천히 다음이 내민 손을 잡는다.
제하의 손길에 묘하게 떨리는 다음.
그런 둘에게서… **엔딩.**

Episode 2

다음을 만난 뒤 제하는 막힌 시나리오를 풀어간다.
그리고 또 한 번 다음을 만난다. 자문이 아닌 배우로.

#1. 과거. 영화 촬영 세트장. 낮.

자막. **5년 전.**

오피스 스릴러 영화 **〈피곤한 킬러〉** 촬영 현장.

주연배우로 보이는 여자가 총을 든 채 대사를 하고 있다.

총구를 향한 대상은 겁에 질린 연기를 하고 있는 남자, 정우다.

> 여자배우   미안하다 너무 피곤해서, 네가 빨리
> 죽어줘야 할 것 같아.

탕- 총소리와 함께 쓰러져야 할 장본인은 정우인데, 뒤에
있던 단역 한 명이 쓰러진다.

더군다나 한 템포 늦게 정우의 와이셔츠에서 피가 튀어 개판
5분 전.

감독이 모니터를 보며 집중하고 있는데 총을 쏜 여자 배우의
얼굴이 연기에서,

당황한 현실 표정으로 바뀐다. 뭐야? 하곤 표정이 가리키는
곳을 본다.

이미 가짜 피로 흰 와이셔츠를 적신 정우는 적잖이 당황한 채,
어정쩡한 자세로 뒤를 바라보고 있고 쓰러져야 할 정우 대신
대자로 쓰러져 있는 다음.

> 정우   (의아한 표정으로) 제가 쓰러지는 거
> 아니었어요?

스크립터, 묵묵히 적고 있던 종이에 [특효, 단역 NG] 라고   97
적는다.

조감독, 서둘러 다음 쪽으로 간다. 다른 단역들과 함께
정우도 다음에게 가까이 가는데,

Episode 2

다음을 두고 사람들이 빼곡히 둘러싸고, 쓰러져 누워있는
다음.
숨을 헐떡거리다 이내 괴성을 지르며 나뒹군다.

> 다음   으아아아… 아아악!!! 아악-
> 정우   어어어…어 저, 저기요!! 조감독님!!! 이분 좀
>   이상해요!! 119. 119 불러야 할 것 같아요
>   지금!

진짜 총에 맞은 것처럼.
서 있던 단역, 주연 배우, 스태프들 전부 다음을 둘러싼
상태…
모두 경악을 금치 못 하고. 조감독과 감독, 프로듀서 전부
뛰어와 상태를 살피고.

> 조감독   여기 파주시 평화로 콕스 스튜디오인데요
>   구급차 좀 보내주세요. 총을 쏘는 씬이었는데
>   아니요! 총을 맞은 게 아니라 맞은 것처럼
>   쓰러져서요!! 그냥… 갑자기… 네 갑자기요!

여전히 소리 지르며 괴로워 엎드린 채 몸부림치는 다음.
다음의 시선에서 많은 사람들이 자기를 내려다보고 있다.

> **다음(N)   우물쭈물 산 것은 아니지만, 이렇게 될 줄은
>   알았다. 진작에 말이다.**

98

- 타이틀, 〈우리영화〉 -

고통이 서서히 멎어가는 듯 세워졌던 무릎과 팔이 풀어지며 바닥에 대자로 누워있는 다음. 음악이 시작되며, 다음의 어린 시절 시퀀스로 장면 전환.

#2. 과거. 병원. 야외 정원. 낮.

#1과 같은 포즈로 옥상 정원에 누워있는 어린 다음(7세). 부감으로.
파라솔 밑에서 선글라스를 끼고 있는. 마치 바캉스 피서를 온 듯.
캠코더를 들고 누워있는 다음을 찍는 다음 모.

> 다음 모   (바나나를 먹으며) 바다 보여?

다음 모의 말대로 다시 써보는 다음. 그러나 저러나 똑같고.

> 다음   이게 무슨 바다야…
> 다음 모   엄마 눈에는 바다로 보이는데 저~기
>   갈매기도 보이는데~

그때, 어느새 다가온 간호사가 누워있는 다음 모와 다음을 내려다본다.

> 간호사   (파라솔 빼며) 뭐야 이건 또 어디서 구했어.
>   내일 검사받을 거 많다고 가만 누워
>   계시라니까.
> 다음(N)   **엄마는… 환자였다.**
> 다음 모   가만히 누워는 있잖아요, 딸내미랑.
> 다음(N)   **그냥 환자도 아니고, 이상한 환자.**

99

Episode 2

멋쩍게 주섬주섬 일어나는 다음 모.

익숙하다는 듯 툭툭 털고 일어나 벤치에 혼자 앉는 다음.

다음 부. 정효가 다가오자, 간호사 슬쩍 눈치 보며 피하고.

아무 말없이 파라솔을 접어 어깨에 들쳐메는 정효. 그 바람에
캠코더가 굴러 떨어지고,

신경 쓰지 않고 캠코더를 줍다 다음 보며 코를 찡긋 웃어
보이는 다음 모.

둘을 보고 픽, 웃음이 새는 정효.

　　　　다음(N)　　그리고 아빠는, 의사였다.

#3. 과거. 정효 교수실. 밤.

한밤의 병원 전경. 홀로 불이 켜진 정효의 교수실.

진단검사학과 이정효 교수.

　　　　다음(N)　　의사지만… 아빠이자 남편이었다.

- 늦은 밤. 논문 쓰고 있는 정효.
- 제자(젊은 민석)가 들어오며 학술지를 펼쳐 보이는.
- 민석이 책상에 내려놓은 신문, 정효 일행의 사진과 함께…
  〈유전자편집의 시대, 현실로 다가오나…〉 라는 제목으로
  기사가 실려 있다.
- 기사를 보며 한차례 쓸쓸히 웃고는, 함께 찍힌 가족사진을
  바라보며 손으로 살짝 쓸어보는.
- 행복하게 웃고 있는 다음이 보이는 세 명의 가족사진…

#4. 과거. 병원 병실. 저녁.

행복한 표정의 얼굴이 클로즈업된 캠코더 속 다음.

100

투박한 줌 아웃으로 나오면, 율동을 추느라 몸을 흔들기
바쁘다.
그런데, 입고 있는 의상이 심상치 않다.
아동극용 나무 의상을 입고 있는 어린 다음. 그 모습이
귀여워 찍고 있는 다음 모.
율동이 끝나자, 카메라를 내려놓고서 박수치며 안아주는.
다음 모의 침상 옆에는 음식이 잔뜩 있다.

>   다음 모   와 진짜 나무인 줄(?) 알았어. 우리 딸
>   나중에 배우 해도 되겠다.

좋아하는 다음.

>   다음 모   엄마가 내일 못 가서 속상하진 않아?
>   다음   엄마한테 지금 다 보여줬잖아. 내일 유치원
>   가서는 대충 할 거야.
>   다음 모   대충 할 것치고는 대사를 너무 잘 외웠던데?

창에 비친 다음을 바라보는 다음 모. 의젓한 다음이
고맙기도 하지만 마음이 아프기도 한 듯… 그때, 알람이
울리고, 익숙한 듯 냉장고에서 죽을 꺼내 오는 다음.

>   다음 모   엄마가 재밌는 거 보여줄까?
>   다음   난 괜찮아 엄마. 얼른 먹어. 시간 됐어.

101

다음을 보고 웃는 다음 모.

Episode 2

#5. 과거. 병원 옥상. 저녁.

비가 쏟아지는 옥상.

다음 모. 이리 오라고 옥상 한가운데서 다음을 향해 손을
흔들고, 망설이는 다음. 조심스럽게 신발을 벗고 빗속으로
한 발… 두 발…

총총 뛰어가 엄마 곁에 안긴다.

> 다음 모   비가 와서 여기 우리밖에 없잖아 새롭지?
>   처음 오는 곳 같지?
> 다음   응! 엄청 재밌어!
> 다음 모   그치? 엄마 발 위에 발 올려봐. 이렇게
>   춤추는 거야, 재밌지?
> 다음   (손잡고 발 올리고) 이렇게? 우와.
> 다음 모   (해맑은 다음 보고 울컥해 눈물이 나는)
> 다음   (표정 살피고) 엄마 울어?
> 다음 모   다음이도 울고 싶을 때가 올 거야. 그럴 땐
>   꾹 참다가 비 오는 날에 울어. 그럼 티가 안
>   나. 봐봐. (웃는다) 엄마가 우는 것 같아 웃는
>   것 같아?

엄마를 보고 아무 말도 할 수 없는 어린 다음.

#6. 과거. 병원 병실. 낮.

다음 날, 학예회를 가지 못한 다음이 나무 옷을 입은 채 병실
앞 복도에 쭈그리고 앉아 있다. 급하게 복도 끝에서 뛰어오는
정효. 그대로 병실로 들어가고. 살짝 열린 문틈으로…
다음 모. 몸을 뒤틀며 소리 지르고 고통스러워하는 모습.
몰래 지켜보는 다음의 눈이 커지고…

간호사가 진정제 투여하고 정효가 떨어지지 않게 다음 모 몸을
잡아도 계속해서 몸부림치는 다음 모… 점점 진정되어 고개를
문 쪽으로 돌렸을 때.
다음과 눈이 마주친다. 다음 모의 눈에서 눈물이 떨어진다.
그런데, 웃고 있다.

#7. 과거. 병실 안. 밤.

침대에 기대어 안정을 취하는 다음 모, 팔에는 링거가 꽂혀있고.
엄마 옆에 나란히 누워 캠코더로 어설프게 찍고 있는 어린
다음.
링거가 궁금한지 확대를 해보는.

다음	저게 엄마 안 아프게 해주는 약이야?
다음 모	(힘없지만 장난기 있는) 약 아닌데? 포도주스야.
다음	이게 포도주스라고? 포도는 보라색이야.
다음 모	(이게 뭐라고 진지하게) 바나나는 노란색이지만 껍질 까면 무슨 색이야?
다음	흰색…
다음 모	포도도 껍질 까면 (링거 툭툭) 이 색이야. 엄마는 약으로 포도주스를 맞아.
다음	엄마는 맨날 뻥만 치는 뻥쟁이잖아
다음 모	이제 컸다고 안 속아주네. 딸내미 웃기기 힘들다.
다음	안 웃겨. 엄마도 웃지 마. 엄마가 웃을 때마다 아프잖아.
다음 모	(생각하다…) 다음이 그거 알아? 슬퍼서 눈물 홀리는 DNA랑 행복해서 웃는 DNA는 같은

103

Episode 2

거래. 아 우리 딸 DNA를 모르겠구나. DNA가
뭐냐면… 엄마도 사실 몰라.

알람이 울리고,

> 다음   엄마. 밥 먹어야 돼.
> 다음 모   (다음을 꼭 안고) 다음이 어제 엄마 우는
>   거 봤지? 그거 너무 재밌어서 눈물이 나온
>   거다? 나중에… (울컥 올라오고) 엄마를 꼭
>   닮은 다음이는 엄마처럼, 슬플 때 이렇게
>   웃어버려. 그럼 정말 괜찮아질 거야.

엄마에게 파고드는 다음.

> 다음 모   (작게) 괜찮을 거야. 다음이도. 아빠도.

잠깐이나마 고통을 잊고 눈물이 그렁한 채 행복하게 웃는
다음 모.

#8. 과거. 빈소 안. 밤.

해맑게 웃고 있는… 예쁜 다음 모의 영정 사진.
그 사진을 한 번 보고… 말없이 넋을 잃은 채 고개를 숙이고
있는 정효.
엄마의 얼굴을 한참 보던 다음. 억지로… 엄마처럼 웃어본다.

104

> 다음   아빠.
> 정효   (기운 없지만 미소 짓고) 응…
> 다음   (보고) 아빠, 유전이 뭐야?

미소가 걷히는 정효의 얼굴…

MRI 검사기로 들어가고 있는 어린 다음.
분리된 창을 통해 걱정스럽게 쳐다보고 있는 정효와 민석.

<blockquote>

정효   좋은 것만 닮고… 이런 건 안 닮았으면
             했는데…

민석   결과야 그럴 수 있어요, 다음이 때는 괜찮을
             거예요 교수님… 사모님 때 확보한 자료들도
             있고 충분히 발병까지 10년은 더…

정효   턱없이 부족해… 그 시간이라는 게…
             우리한테는 너무 부족해.

</blockquote>

검사기 안으로 들어가는 것을 무섭지 않은 듯 호기심 가득한
표정의 어린 다음.

<blockquote>

다음(N)   **엄마가 내 안에 고스란히 남아 있는 것. 그건
             오로지 나만이 갖고 있는 특별함이라고. 의사인
             아버지가 여덟 살 딸에게 가르친 유전이란 그런
             것이었다.**

</blockquote>

#10. 과거. 고등학교 복도. 낮.
복도 게시판에 붙어있는 연극반 CA 공고 글.
〈프리다 칼로를 통해 만나는 연극의 세계〉   105
아래에는, '그녀가 그려왔던 그림은, 끊임없이 살고자 했던
그녀의 외침이다.' 등의 문구가 쓰여져 있다. 빵을 우적우적
씹으며 유심히 바라보고 있는 다음, 침대에 기대어 반쯤

누워있는 프리다 칼로… 자세를 슬쩍 따라 해 보는.

#11. 과거. 고등학교 강당. 낮.

암전된 강당에 스포트라이트 조명이 켜지면, 다음이
우두커니 서있다.
그런 다음을 캠코더로 촬영하고 있는 교영. 조용한 정적이
이어지고…
다음, 갑자기 바닥에 눕는다. 뭐하는 거지? 약간
소란해지고…
조용해질 때까지 가만히 누워 기다리는 다음…
소음이 잦아지고. 그제야 눈을 천천히 감는다.

> 다음   이 외출이 행복하기를, 그리고… 다시는
>   돌아오지 않기를…

- 다음이 눈을 뜨면, 핀 조명이 떨어진 무대 위. 영화
  〈프리다〉의 한 장면처럼 침대에 누워있는 다음. 대사를
  끝내자 관객들이 일어나 환호하며 박수를 치는… 관객 중
  한 명인 다음의 엄마가 보이고. 손이 부서져라 박수를 치며
  웃는 다음 엄마의 모습이 스친다…

> 다음(N)   순간이나마 프리다 칼로, 그 여자가 된 것 같은
>   기분이었다. 아니, 프리다 칼로였던 순간이었다.
>   내 삶을 살기에도 충분치 않은 시간, 다양한
>   삶을 연기한다는 거. 난 이걸 하고 싶었다.

106

음악은 점점 더 고조되며…

#12. 과거. 몽타주. #1의 연결. 영화 촬영장. 낮.

#1의 〈피곤한 킬러〉의 촬영장. (#1의 이전 상황)
- 새벽 일찍 세트장에 도착한 다음이 단역 일행들과 인사를
  주고받는다.
- 인물 조감독이 단역들에게 촬영을 설명하자 유심히
  경청하고, 밝게 웃는.
- 단역 일행들과 군중들 연기를 찰떡처럼 해내고 있는 다음.
- 촬영 내내 집중하고 있는 다음의 모습.

　　　다음(N)　　　그렇게… 부단히도 우물쭈물 살지 않으려
　　　　　　　　　노력했지만…

CUT TO.
음악이 끊기고.
부감으로, 모여든 사람들의 머리가 하나 둘 사라지면 보이는,
바닥에 쓰러져 거친 호흡을 내뱉고 있는 다음.

　　　다음(N)　　　이렇게 될 줄은 여전히 알았다. 진작에 말이다.

#13. 과거. 병원 병실 안. 낮.
부감으로, 침대에 누워 링거를 맞고 있는 다음.

　　　다음(N)　　　결국에는 나도 저 포도주스를 피할 수 없게
　　　　　　　　　되었다.

침울하던 다음. 갑자기 억지 미소 지어본다.
병실 문을 열고 정효와 전문의 민석, 레지던트 둘이 들어온다.
아침 진료.

Episode 2

민석	어디 불편한 데 없으셨어요?
다음	불편하죠…
민석	어디요? 어디 불편하신데요?
다음	(가슴을 부여잡고) 마음.
민석	(눈치 보며) 네 마음 불편하시고~ 다른 곳은요?
정효	약을 좀 바꾸자.
다음	전 포도주스가 좋아요. (쩝쩝쩝) 신기하죠. 이렇게 먹는 척을 하면 진짜 포도주스 같아요.

레지던트 1,2 서로 눈치 보며 웃음 참고.
민석도 그러려니 웃는.
정효가 돌아서자 다 같이 따라 나가는 일행들.

#14. 과거. 몽타주. 다음의 병실 1205호.
병실 침대에 혼자 기대어 앉아 있는 다음.
계절이 시시각각 바뀌며 현재까지 나아오는.
무미건조했던 병실 1205호에서 그녀의 흔적들이 늘어나며
터전이 되어가는.

다음(N)   나에게 죽음이 다가오고 있다는 걸 알고 있다.
여덟 살에 병을 알았고 스물이 되던 해에
그 병에 걸렸으니까. 그럼에도 나를 이토록
움직이게 하는 건… 어쩌면 엄마가 남겨준 그
특별함 때문일지도 모르겠다.

몽타주 되어가는 병실 한편에서, 수없이 많은 독백 클립들을

108

찍으며 연습해내고 있는 다음. 울며, 웃으며… 협소한 공간
속에서 수많은 삶을 살아보는 다음.

CUT TO.
캠코더 세워놓고 바닥에 앉아 미친 여자처럼 연기중인 다음.
병실 문을 열고 들어온 정효가 이 모습을 보고,

> 정효   그러고 놀면 재밌니?
> 다음   노는 걸로 보였어요? 그렇담 성공이네요.
>   (일어나 카메라 확인하며) 노는 연기였거든요.
> 정효   전해 말했던 임상, 결과가 나쁘지 않아.
>   이대로 가면…
> 다음   (정효를 안쓰럽게 보고) 살 수도 있겠지.

정효의 말이 엎어지고,

> **다음(N)   그리고 아빠는 여전히 의사였다.**

정효의 말을 듣는 둥 마는 둥 캠코더로 찍은 클립을 골똘히
확인하는 다음.

#15. 과거. 다음의 병실. 안. 낮.
(시간 경과) 병실 침대에 누워있는 다음. 무언가를 골똘히
보고 있다.
캠코더 모니터에는 1부 26씬, 편의점에서 우연히 찍힌   109
제하의 모습이 나오고 있는…

CUT TO.

옆으로 돌아 누운 다음,

핸드폰으로 '이제하'를 검색하는데 연관검색어로 〈하얀
사랑〉이 뜨고, 〈하얀 사랑〉을 클릭하자 유일한 상영관으로
아트시네마가 검색되는.

> 다음   종로구… 7가… 아트시네마.

#16. 과거. 아트시네마 (1부 30씬 상황)

> 제하   (알아보고) 어?
> 다음   (핸드폰을 꺼내 액정으로 부은 눈 확인하고,
>   얼굴 가리고) 아닌데요.

다급하게 나와 버리는 다음, 나오고서는 우두커니 선 채로.

> 다음   찾았다.

#17. 과거. 한국대병원. 민석의 연구실. 안. 낮 (1부 51씬 직전 상황)

여느 때와 다름없이 컵라면에 믹스 커피 사오는 다음.
물건을 내려놓다 보게 되는 〈하얀 사랑〉 기획안. 감독/각색
이제하라고 선명히 적혀있는.

> 민석   화이트 말고 골드로 사다달라니까.
> 다음   이제하… 이거 뭐예요 교수님?
> 민석   아 그거? 자문 부탁받은 영화인데, 옛날에
>   엄청 유명했던 영화야. 주인공이…
>   시한부거든 (다음의 눈치 살피며, 불안)

다음	(시나리오를 꺼내 들어 품에 안고) 교수님.
민석	아니.
다음	내가 무슨 말 할지 대충 느낌 오죠?
민석	응. 그거 내려놔. 이거 다 도로 가져가 그냥.
다음	(이미 귀에 안 들어오고) 내가 만나보면 안 돼요?

#18. 한국대병원. 야외 정원. 밖. 낮.

1화에 나왔던 62씬(엔딩) 이어서, 현재.

제하	(설마 하는 심정으로) 의사예요? 아니면, 간호사?
다음	(씨익) 아뇨. (아무렇지 않게) 자문을 맡을 시한부 이다음이라고 합니다. (악수 건네고)
제하	(당황하며 잡는다)
다음	(맑게 제하를 본다)
제하	(수습. 어디서 들어본 듯한,) 이름이 다음이에요?
다음	(날 알아보나?) 네. 이.다.음.

제하, 다음이 자문을 받기로 한 시한부라는 사실이
믿겨지지가 않는다.
정적… 뻘쭘한 다음. 어색하게 손 떼고, 겉옷 주머니에서
포도주스를 꺼내 준다.

111

제하	(알아보고) 아, 포도주스. 그래서. 포도를 엄청 좋아하시나 봐요, 의사선생님이 이것만 들고 가면 될 거라곤 했는데… (제하, 들고

Episode 2

있던 포도주스 박스 민망하게 쓰다듬고)

다음   포도 말고 포도주스요. 거기다 투 플러스
원이면… 못 참지. 근데 눈치 없이 누가 뺏어
먹어서.

제하   (마시다 켁켁) 내가 그때 분명히
안 먹는다고… 왜 장례식장에서 아는 체
안 했어요?

다음   슬픔에 집중하려구요.

제하 다음의 시선 의식하며 조심스레 녹음기를 꺼내는데.

제하   아 저 혹시 녹음 좀 해도 될까요? 가서도
계속 들으면서 쓸 일이 많아서.

다음, 조심스레 캠코더 꺼내면서

다음   저도 혹시 좀 찍어도 될까요? 제가 감독님과
인터뷰하는 걸 담고 싶어서요. 소소한 취미?

끄덕이는 제하.

CUT TO.
켜진 녹음기와 바닥에 놓인 채 렉이 돌아가는 캠코더.

112   제하   (뭐지 앤…) 교수님께 들었어요 많이
아프시다고.

다음   (얼굴 슥 가까이) 내가 아파 보여요 지금?

제하   (멀쩡해 보인다) 아니요?

다음	(웃고, 다시 거리 유지) 안 아파요, 아플 땐 정말 티가 많이 나요. 그래서 하고 싶은 걸 다 하면서 살 수가 없어요.
제하	뭐가 하고 싶은데요?
다음	불륜.
제하	!?
다음	(반응 보고 픽 웃고) 계획적 연쇄 살인.
제하	네?
다음	죽어도 보고 싶고, 죽어서 귀신도 돼보고 싶고, 다시 환생도 해보고 싶고. 해보고 싶은 게 왜 이렇게 많을까요 나는?
제하	(또라인가봐…) 그거 다 해볼 수 있는 직업이 있긴 한데.
다음	그 직업이 제 꿈이에요.
제하	(빤히 보고) 네?
다음	왜요? 시한부는 꿈도 못 꾸나요?
제하	아뇨, 그래요? 배우가 꿈이었어요? 지금은?
다음	지금은… 보시다시피. 호스피스 다큐멘터리 주인공이면 모를까. 영화배우가 되긴 아무래도 힘들죠. (작게) 시한부 역할이면 몰라도.
제하	(못 듣고) 혹시 〈하얀 사랑〉은… 아, 봤겠네요. 그때 아트시네마에서.
다음	그때뿐만 아니라 쿨타임 돌면 꼭 한 번씩 챙겨보는, 그런 영화예요. 볼 때마다 펑펑. 알면서도 당할 수밖에 없는 눈물파크.
제하	신파가 그러라고 만든 거니까. 그렇게 시원하게 쏟아내면 마치 내가 대단한 사랑을

113

Episode 2

	한 것 같고. 제대로 된 인생을 산 것만 같고, 일종의 착각들을 하게 만드는 거죠.
다음	(?) 착각 아닌데. 사랑에 빠지고 사랑을 나누고. 결국에는 떠나는 사람도, 보내는 사람도 다 괜찮을 거다. 사랑이 있으면. 그걸 보면 버틸 힘이 생겨요. 그런 대단한 사랑이 정말 존재한다면 해보고 싶고, 해보려면 살아야 될 것 같고, 쉽게 말해 〈하얀 사랑〉이 나한테는 항암이고 방사선 치료다 뭐 이런 얘기… 저기, 듣고 있어요?
제하	(미간을 찡그리며) 그게 그렇게 슬플 일인가.
다음	얘기만 꺼냈는데도 벌써 콧등이 시큰하네.
제하	(시니컬) 도통 모르겠네.
다음	(쎄한 느낌 받고) …? 하기 싫은 사람 같네요. 보통은 원작을 좋아해서 리메이크 하는 거 아니에요?
제하	(딱 잘라서) 사람이 좋아하는 것만 하고 살 수 있나요.

서로를 이해할 수 없다는 듯 쳐다보고 있는 제하와 다음.

#19. 한국대병원 일각. 안. 낮.

제하 뒤를 졸졸 따라가는 다음. 엘리베이터 앞에 선 제하.
신경 쓰여 돌아보고.

114

제하	안… 가요?
다음	바래다 드리려고요. 너무 심심해요.
제하	괜찮아요.

다음	저도 괜찮아요.
제하	아니 괜찮다고요.
다음	저도 괜찮다고요.

이상한 눈으로 다음을 쳐다보곤, 무시하고 엘리베이터 타는
제하.
생글 생글 웃으며 따라 타는 다음.

#20. 한국대병원 주차장 일각. 밖. 낮.
계속 따라가는 다음. 어느새 차 앞까지 왔고. 차에 타려고
문 열려는데, 운전석 사이드 미러에 다음이 계속 걸려 있고.
눈이 마주친다.

제하	그렇게 아쉬우면, 나랑 좀 걸을래요?

환하게 웃으며 끄덕이는 다음.

#21. 한국대병원 맞은편. 밖. 낮.
산책길을 걷는 제하와 다음.

다음	내 장례식장도 아닌데 하나하나 천천히 눈에
	담게 되더라고요. 상주는 어떤 얼굴인지…
	누가 슬퍼하고 있는지… 내 장례식은
	달랐으면 했어요. 나는 내가 죽는 것보다
	내가 죽고 남겨진 사람들이 더 무섭거든요.
	상상도 하기 싫어요. 좋은 마음으로
	떠나고 싶어요. 그래서 장례지도사 명함을
	받아왔거든요, 근데… 그때부터 무서워지는

115

Episode 2

거예요 아직 죽지도 않았는데 죽을까봐.
죽을 것 같은 기분.

제하   (흥미롭지만 말을 아끼며 듣는데 집중한다)
다음   아프고 나면요 아프기 전과 후의 삶이
          완전히 달라져요. 모르는 게 약이라는 말이
          왜 있겠어요 그건… 정말 경험해 봐야 아는
          건데… (은근 무섭게 제하 쪽으로 다가서서
          장난치는) 서서히 죽음에 물들어 가는 거…
          두려움에 푹 절여지는 거… 무슨 말인지
          모르겠죠?

INS. **어릴 적 아픈 엄마를 쳐다보던 제하.**

제하   모르는 게 낫다는 건 알겠어요.
다음   저도 뭐 하나만 물어봐도 돼요?
제하   아, 네 말씀하세요.
다음   (잠깐 뜸 들이고)…감독님이 만드는 〈하얀
          사랑〉 결말은 원작과 같나요?

다음의 다소 갑작스러운 물음에 제하 즉각적으로 대답
못하고,

제하   (망설이다)… 아뇨. 결국에는, 죽겠죠.

116   아쉬운 결말이란 생각에 천진난만하게 입을 삐죽하는 다음.
      그런 다음을 바라보며 묘하게 상기되어 있는 듯한… 제하.
      이에 다음 역시 속을 알 수 없는 묘한 표정.

다음(N)　　그때, 확신이 들었다. 어쩌면 나도… 내 인생의
　　　　　　주인공이 될 수 있겠구나. 이제하, 이 사람만 내
　　　　　　인생에 캐스팅한다면.

#22. 제작사 회의실 안. 낮.
탁탁, 백스페이스 소리.

　　제하　　나레이션으로 몇 씬을 잡아먹냐… 촌스럽게.
　　　　　　줄여야겠다.
　　유홍　　(유심히 보다가 시나리오 보던 탭 내려놓고)
　　　　　　감독님.
　　제하　　응?
　　유홍　　좋은데요? 일단 시한부인 규원이가 죽으려는
　　　　　　현상을 말리는 장면. 이거 원작 역할과
　　　　　　반대로 바꾸신 거, 왜 이렇게 하신 거예요?
　　제하　　아픈 사람을 만나보니까, 그 사람들의
　　　　　　절박함만큼 살고 싶은 에너지가 크게
　　　　　　느껴지는 것도 없더라. 그걸 좀 살리고
　　　　　　싶어서.

승원은 통화 중.

　　승원　　(전화 중) 서영 씨 이제 주가 쫙 올라갔는데
　　　　　　이제 칸 가야죠. 이 영화는 목적이 명확해요,
　　　　　　이건 무조건 서영 씨 아니면 의미가 없는　　　117
　　　　　　영화라니까요 (능글맞게) 만나서 얘기해요,
　　　　　　대표님~ (끊고 찜찜한…)

Episode 2

유홍, 찝찝해하는 승원과 무덤덤한 제하 번갈아 보며 눈치 보고,

승원	시나리오 잘 나와야겠다. 좀… 쎄하네, 고대표.
제하	(시나리오 가리키며) 나랑 같은 수정고 본 거 맞지? 차라리 규원 역 말고 정화가 맞지 않나. (뻔히 알면서) 뭐 고대표한테 막힐 게 뻔하겠지만.
승원	고대표 주연에 집착하는 건 둘째 치자, 톱스타가 조연으로 참여하는 낭만까지 셋째로 쳐, 첫째인 투자가 엎어진다니까? (너스레) 장남이 집을 나가요.
제하	그렇게 내정해 놓을 거면 대체 내일모레 오디션은 왜 봐야 돼?
승원	보여지는 게 중요하지. 오디션 뚫고 발탁된 신인배우에게 주연으로 설 기회를 준다는 거. 얼마나 낭만 있냐? 라라랜드 같잖아~ 물론, 그럴 일은 헐리웃도 여기도 없지만.
유홍	오디션 할람 당장 지정연기 대사라도 줘야 되는데 감독님 어떻게 할까요? 원작에서 골라요? 수정고는 아무래도 아직…
제하	할 만한 게… (시나리오 뒤적뒤적)
승원	비슷한 멜로 장르로 대사 좀 뽑지 뭐 형식적인 오디션이라.
제하	(노트북 두들기고 노트북 덮고) 대사 메일 보냈어. 오디션 진행 부탁할게요. 시간 정해지면 연락주고.

118

제하 나가고.

> 유홍   (시나리오 다시 보며) 왜 이렇게 좋아졌지?

#23. 오디션장 앞. 밖. 낮.
다른 날, 오디션장 외관 건물 전경.
건물 밖으로 밴이 줄지어 있고, 안에서 배우들, 지망생들 몇
명이 나온다.

#24. 오디션장 안. 밤.
한창 오디션 진행 중. 테이블 센터에는 제하가 앉아 있고 양
옆으로 승원과 조감독 유홍이 앉아있다. 맞은편에 배우들이
앉아서 오열하며 연기하고, 테이블 위에 올라가서 울고,
테이블 의자 치우고 누워서 울며 연기한다.

> 배우1   (소리치며) 세상에 그런 권리가 어딨어요!
> 배우2   그래도 살 생각을 해야죠, 죽을 마음으로!
> 배우3   (통곡) 살아야… 살아야 다음이 있으니까

승원은 빈 커피 컵의 빨대만 죽죽 빨고, 유홍은 제하의 빈
커피를 새것으로 바꿔주면서 노답을 직감한 표정. 제하는
굳은 표정으로 부동자세. 이 오디션 언제 끝나나 딱 그 표정,
마지막으로 울던 배우의 연기가 끝나고 나간다.
다들 흘러가는 시간을 아까워하는 표정…

119

> 승원   내가 살고 싶다. 살아서 여길 나가고 싶어.
>   얼마나 남았어요?
> 유홍   다음 분이 오늘 마지막이에요. 어 진짜

Episode 2

다음이네.

모두 앞으로 어쩌야 하나 난감해할 때,
문 열고 다음이 들어온다. 손에는 캠코더를 든 채.

　　　다음　　　안녕하세요! 배우 이다음입니다.

다음을 보고 그대로 굳는 제하. 다음도 그 시선을 봤지만
아무렇지 않게 자리에 풀썩 앉는다. 조감독 지정 대사 적힌
대본 갖다 주고 다음은 심호흡 한 번 하고…
그리고 제하를 똑바로 본다.

　　　승원　　　어… 그 손에 캠코더는 소품인가요?
　　　다음　　　아 혹시… 저만 나오게 찍어서… 남겨놓을 순
　　　　　　　없을까? 해서요?
　　　승원　　　(말이야 방구야) 보안상 어렵습니다.
　　　다음　　　(쿨하게 접으며) 아 넵.
　　　제하　　　(다음을 보며 작게) 그놈의 캠코더는…
　　　승원　　　(제하를 흘깃 보고) 아는 사람이야?

말없이 서로를 쳐다보는 제하와 다음.

　　　승원　　　뭐야. 뭔데.

120　　　제하, 픽 웃음이 난다.

　　　승원　　　감독님하고 친분이 있으세요?
　　　다음　　　없어요. 초면입니다. 잘 부탁드립니다 감독님.

제하	(뻔뻔함에 황당하고)
승원	음… (서류보고) 경력이 5년 전에 뚝 끊겼네요?
다음	네. 그게 문제가 되나요?
승원	(당황) 뭐… 전혀요.
제하	(냉정하게) 나는 다큐멘터리 주인공을 찾는 게 아닌데.
다음	(제하 응시하고 꼿꼿이) 네 잘 알고 있습니다! 제가 좀 간절해서요, 이 시한부 역할에.

당돌한 다음이 당혹스러운 제하. 어이가 없다.

승원	(뭐지…) 그럼 지정 대사 먼저 시작해볼까요?
다음	내 장례식장도 아닌데 하나하나 천천히 눈에 담게 되더라고요.

다음의 연기를 보는 유홍, 승원은 이미 몰입. 제하도 놀란다.
재밌게 느껴진다. 앞사람들이 모두 오열하며 나갔는데 다음은
[울며] 라는 지문을 무시하고 자기 톤으로 한다. 담백하게…

다음	내 장례식은 달랐으면 했어요. 그래서 장례지도사 명함을 받아왔거든요. 그때부터 무서워지는 거예요.

제하, 다음의 연기를 끊으며.

121

제하	그 다음, 아니 대본 맨 밑에 씬. 자살하는 현상을 말리는 규원.

Episode 2

다음, 잠시 호흡을 가다듬고 연기 시작하는.

제하, 그런 다음에게 깊게 몰입하며 상상이 펼쳐지는.

#25. 영화 〈하얀 사랑〉의 한 장면. 비 오는 바닷가. 낮.

비를 맞으며 천천히 수평선을 향해 물속으로 걸어 들어가는 현상. (제하)

그런 현상에게 달려드는 규원, (다음)

> 현상   이거 놔요! 당신이 뭔데 이래라저래라야.
>   (소리치는) 나는 나를 무너뜨릴 권리가 있어!
>
> 규원   아무 말도 안 할게요… 그냥… 잠시만 가만히
>   있어요.

아무 말없이 현상을 안는 다음.

마주 안은 규원과 현상의 눈에도, 눈물이 맺힌다.

어느새 필름 노이즈가 사라지고, 흑백에서 현대적인 색감으로 바뀐다.

#26. 오디션장 안. 밤.

다시 현실. 다음의 연기에 다들 놀란 표정. 제하, 다음을 유심히 본다. 다음의 눈에는 눈물이 그렁그렁 맺혀있고…

승원, 부랴부랴 대본을 체크하며 말한다.

> 승원   (놀란 듯) 좋네요. 대사 바꿔서 해석한 것도
>   괜찮고… 어, 이거까지만 볼까요? 죽음에
>   대해서 나레이션하는 장면. 거기 뒤 페이지
>   보시면 '아직 죽지도 않았는데 죽을까봐'
>   여기요.

122

다음, 자신이 했던 말을 승원이 대사로 말하자 픽 웃고. 이내
집중.

> 다음   아직 죽지도 않았는데 죽을까봐… 죽을 것
>   같아요.

페이지 넘기는데 보던 대본 테이블에 던지듯 놓는 제하.

> 제하   (건조하게) 더 볼 건 없는 것 같은데
>   나가보셔도 돼요.

다음 인사하고 나가자, 승원 일어나 테이블에 앉고, 유홍
노트북 덮고, 제하… 고민한다.

> 승원   죽인다… 삘이 막… 찌르르한 게 내정만
>   아니었으면… 아깝네.
>
> 유홍   감독님 더 고민할 필요가 있을까요?
>   주인공이 제 발로 들어왔는데? 죽을 것
>   같아요 저 대사. 애드립 치고 되게 좋은데
>   대사로 그냥 쓰심 안 돼요?
>
> 승원   (각본 뒤적이며) 주인공 동생이라든지,
>   서점에 단골손님이라든지.
>
> 유홍   (감명받은 눈 초롱초롱) 전 좋던데. 뭐랄까,
>   다들 원작 따라가기 급급한 와중에, 혼자 좀
>   초연해 보인다고 해야 하나… 다르게 해석해
>   온 부분이 좋았어요. 그게 과하지 않아서
>   진짜 아픈 사람처럼 느껴지고… 감독님은요?

123

Episode 2

제하, 계속 고민하다 급하게 가방을 챙긴다.

> 승원   (여전히 각본 보며) 그래 여동생 역이
>   어울리겠다.
> 제하   먼저 갈게요.
> 유홍   아니, 감독님! 오디션 결과는요? 감독님!!

들은 체도 않고 급하게 나가는 제하.

#27. 오디션장 건물 비상구 계단. 밤.

다음, 비상구 문 열고 들어와 벽에 기대 주저앉는다. 숨이
차고, 가슴이 너무 뛴다. 손 모아 얼굴 감싸고… 잠시
생각하다… 벌떡! 일어나 계단을 빠른 걸음으로 내려간다.
다음 지나가고 나면, 비상구 한편에서 마스크와 모자를
눌러쓴 정우가 있다. 선물할 먹을거리들이 한가득 널브러져
있고, 그 옆엔 쓰고 있던 손편지와 볼펜이 펼쳐져 있다. 잠깐
멈추고서 떠나간 다음을 바라보고 있는 정우.

#28. 오디션장 안. 밤.

문을 열고 오디션장으로 들어오는 정우, 어수선한 분위기의
유홍과 승원을 보고, 웃으며 인사하는. 반갑게 맞이하며
정우가 사온 음료와 디저트들을 받아주는 승원.
흘깃 보고 인사하는 유홍.

124

> 승원   아유 뭘 이런 걸 다 싸들고 와 정말. 그냥
>   놀러오라니까.
> 정우   (웃으며) 오디션은 준비하시는 분들이 더
>   힘들잖아요. 지금쯤 출출할까봐. 응원도

담았어요.

유홍 와 손편지까지 쓰셨네… 밀크티도 맛집에서
사오셨네요. 초면에 이런 말씀 드리기 조금
그런데, 익히 듣던 대로 미담자판기 그
자체세요.

정우 (씨익) 하하, 널리널리 알려주세요.

승원 알릴 게 있나. 김정우 당신 스윗한 거 이
업계 사람들 누가 몰라. (먹을거리 꺼내며)
아, 감독은 지금 막 나가셨는데.

정우 오늘은 뭐 겸사겸사 놀러 온 거니까요. 다음
주에 보잖아요?

승원 너무 고마워. 이번에 함께 해줘서.

정우 그런 말이 어딨어요. 저도 엄연히 〈청소〉
멤번데.

승원 역시 의리파야 의리파. 안 그래도 곧 기사
하나 나갈 거야. 착한 남자 김정우의 훈훈함
돋보이는 의리 행보!

너스레 떠는 승원을 웃으며 받아주는 정우.

#29. 도심. 도로 옆 인도. 밤.

쌩쌩 차가 지나가는 도로 옆 인도를 빠른 걸음으로 생각에
잠긴 채 걷는 다음.
큰 일이 난 것처럼 불안한 얼굴. 이게 아닌데, 후회스러운
얼굴.
주머니에 진동. 폰 꺼내 보니 문자가 와 있다. 모르는 번호다.

[잠깐 서 봐요.] 문자를 보고 얼어붙어 그 자리에 멈춘다.

Episode 2

125

멈춰있던 다음, 핸드폰 주머니에 쑤셔 넣고 다시 걷는다.
빠른 걸음으로. 앞에 있는 육교 계단을 오른다.
계단을 하나 둘 그러다 끝까지 올라섰을 때 눈앞에 누군가
있다!

　　　다음(N)　　살고 싶다.

육교, 다음의 반대편에서 다음을 향해 성큼성큼 화가 난
것처럼 거침없이 그러다 부딪히는 게 아닐지 싶게 걸어오는
제하. 그 걸음에 울림이 느껴진다. 쿵… 쿵… 쿵… 심장이 뛴다.
다음, 멈춰 섰는데 뒷걸음쳐야 할지 말지… 이걸 어떻게 해야
하지…

　　　다음(N)　　지금. 살고 싶다.

모르겠다, 다음도 앞으로 걷는다. 둘이 가까워진다.
서로 한 치의 양보도 없이 마주 보며 걷는 두 사람.
닿을 듯 말듯한 거리가 되어서야 서로 멈춘다.
호흡이 아직 정리되지 않은 채로, 대뜸 질문하는 제하.

　　　제하　　　환자예요, 배우예요?
　　　다음　　　…전 그냥 이다음인데요
　　　제하　　　여길 오면 어떡하죠? 무슨 생각이에요?
　　　　　　　　진심으로 온 거예요?
126　다음　　　네. 너무… 진심인데요.
　　　제하　　　죽는다면서요. 일 년도 채 못 산다면서요.

육교 아래 8차로의 시끄러운 소리를 덮는 둘만의 정적이

이어지는데, 다음이 피하지 않고 제하를 똑바로 바라본다.

> 제하   이건 영화지, 호스피스 다큐는 아닌 거,
>   그리고 오디션인 거. 본인 스스로도 다 알고
>   온 거. 맞죠?
> 다음   네. 감독님 입봉작은 청소. 상 많이 받으셨고.
>   리얼리티 되게 따지는 편이고. 성격 안 좋음.
>   스캔들도 있었음. 본인보단 이두영 감독님
>   아들로 유명함. 인터넷 쭉 훑고 왔어요.
>   연기는, 솔직히 말해서 준비할 게 많이
>   없었어요. 그냥. 나던데요?
> 제하   죽으면. 찍다가 죽으면 어떡할 건데요?

시간이 멈춘 것처럼 띵… 하는 다음.

> 다음   (부정하고 싶어서) 누가요?
> 제하   그쪽이.
> 다음   (대답 못한다)
> 제하   나도 어지간히 급했나보다. 여기까지 와서
>   미안해요. 오늘 일은 없던 걸로 합시다.
>   (돌아서고)
> 다음   잠깐만요.
> 제하   (멈추고, 돌아보면)
> 다음   (일부러 뻔뻔하게) 좀 거시적인 관점에서
>   상황을 보자구요. 찍다가 죽으면? 화제가
>   되겠죠. 진짜 시한부가 연기한 시한부
>   캐릭터. 나라도 궁금해서 볼 것 같은데?
>   투자한 사람은 대박. 감독님도 대박. 나만

127

Episode 2

	괜찮으면 감독님이든 이 영화든 아무 상관없잖아요, 아닌가?
제하	(진짜 또라이 같다) 상관이 왜 없지? 사람 목숨이 달린 거예요.
다음	그 사람이 나잖아요. 내가 동의한다구요. 죽더라도 하고 싶어요.
제하	위험한 생각이에요. 이기적인 생각이고.
다음	영화는 유명해져서 좋고, 나는 죽기 전에 한 풀어서 좋고, 감독님은 음… 재기해서 다음 영화 그 다음 영화 쭉쭉 잘 나가고. 뭐야. 좋은 일밖에 없네. 생각해 보니까 좀 쓸쓸하네.
제하	(어이없어 픽 웃고) 무슨 자신감인지 모르겠네. 아픈 거 알겠고, 여기까지가 내가 이해해 줄 수 있는 한계예요. 그 한은 다른 걸로 풀어요. 다시 말하는데 내 영화는 아니에요.
다음	솔직히 좋았으면서? 내가 표정 다 봤는데요. 속된말로 완전… 갔던데? 나한테?
제하	그래, 그것도 인정. 좋았어요. 마음에 들어요. 그렇다고,
다음	제가 뛰면 안 돼요. 그래서 액션이 들어가는… 아니지, 남들 사는 것처럼 일상적인 장면도 촬영하기 힘들 거예요. 반복해야 하니까. 근데 이건 시한부잖아요. 내가 할 수 있는 연기예요. 내가 가진 거 다 포기하더라도 하고 싶어요.
제하	그게 목숨이어도?

128

다음	어차피 나한테 시간 없는 건 똑같아요.
	해보고 죽을래, 안 해보고 후회하면서
	죽을래 반대로 묻는다면 감독님은 다를 것
	같아요?
제하	(천진한 얼굴을 빤히 보며) 그래서요,
	언제까지 살 수 있다는 건데?
다음	(픽… 웃고) 언제까지… 살아야 하는데요?

흥미롭게 서로를 보는 둘에서…

#30. 서영 차 안. 낮.

다른 날. 안대 끼고 누워있는 서영을 백미러로 보는 매니저 민희. 그때 서영이 갑자기 안대를 벗고 백미러로 민희와 눈이 마주치자 놀라는 민희.

서영	(대뜸) 회사에 책이나 대본 더 들어온 것
	없니?
민희	(뜨끔) 아, 저 그 김정인 감독 책이 돈다고는
	하는데 우리 회사에는 아직…
서영	이제하 감독 책 들어온 거 없어?
민희	하하 글쎄요… 〈하얀 사랑〉을 리메이크한다고
	했던 것 같긴 한데… 잘… 안 써지나… 봐요?
서영	(실망한 듯, 옅은 한숨 내뱉으며) 이젠
	내가 매력이 없나 봐… 미진이 같이 어린
	애들한테나 가겠다.
민희	(경기 일으키며) 어어 아니에요 선배님!!
	선배님이 어때서요!! 책도 선배님한테 제일
	먼저 왔는데.

129

Episode 2

서영	그러니까. 제일 먼저 왔겠지 나한테. 고대표 짓이야?
민희	(아차) 제 잘못이에요 죄송합니다… 대표님이 아무리 그러셔도 선배님한테 먼저 여쭤봤어야 하는 건데…
서영	(분을 삭히며 매섭게) 됐고. 제작사에는 뭐라고 얘기한 거야?

#31. 승원 사무실 방 안. 낮.

승원	아 진짜 무슨 헐리웃을 진출해 개가!
제작실장	고대표 말에 의하면…

승원이 자리에 앉아 열을 뻗치고 있고, 책상 앞에 벌을 서듯 보고하는 제작실장.

승원	영어를 못 하는데 무슨 외국 영활 찍어. 무성영화라도 찍냐?
제작실장	한국인 역할…
승원	감독이 누군데
제작실장	데미언 셔젤요
승원	(생각지도 못한 대감독) 무슨… 뭐? 확실해?
제작실장	데미언 셔젤인데 거기다 대고 이제하 감독 영화 하자고 하기가…

130 승원 고대표에게 전화 거는. 꺼진 채로 받지 않자, 소파 뒤로 핸드폰 집어던지며,

승원	아무리 데미언 셔젤이래도 캐스팅 확정도

아니고 오디션 때문에 일정 어쩌구 하는 건
이제 니네랑 영화 찍을 급이 아니다 선 긋는
거잖아.

제작실장 어쩌죠? 투자사는 김정우 채서영 붙박이
캐스팅으로 알고 있잖아요.

승원 아직 이감독한테는 말하지 말고, 김정우야
워낙에 쎄니까 남자 주인공 원톱으로 가고
지금 오디션 보는 신인을 여자 주인공으로
붙여도 나쁘진 않아, 물론 이건 최악의
경우일 때만. 캐스팅은 제작 직전까지 채서영
설득시켜 보고 채서영 한다고 하면 신인은
바로 나가리. 알아들었지?

제작실장 투자 쪽에는…

승원 못 알아들었네. 입도 뻥긋하지 말아야지

제작실장 네 그렇게 진행하겠습니다. 고대표님은 그럼…

승원 고대표가 없어야지. 이제하랑 채서영이랑
다이렉트로 붙여야 돼.

#32. 제하의 오피스텔 안. 낮.

제하의 노트북. 규원의 이름 옆에 **언제까지 살아야 하는데요?**
라고 쓰여 있는.
그런 대사를 써놓고 제하, 아 그래도 이건 아니지… 하면서
백스페이스로 지워버리는.
그런 노트북 앞에 고개 숙이고 있고… 창작의 고통과 양심
사이에 절어있는 제하.
기지개를 피고선 일어나 암막을 촤아악 걷어내자, 천국 같은
빛이 쏟아지는…
여전히 창가에 세워 놓은 포도주스. 빛을 받아 더 성스러워

131

보이는.

포도주스에 붙어 있는 라벨지 속 광고 모델의 여자. 순간
다음으로 변하며.

포도주스(E) 언제까지… 살아야 하는데요?

제하, 보기 싫어 쓰고 있던 모자를 벗어 포도주스 위로
덮어버린다.

      제하   (쓸쓸한 웃음) 나가자… 좀 나가던가 하자…

#33. 테니스 코트. 낮.

따사로운 햇볕이 쫘악 들어오는 코트장 안에 사람들이
준비운동을 하고 있다.
넓은 벤치 한편에 노트북 올려놓고 작업하는 제하.
사람들이 랠리를 하며 내는 소리와 공 튀기는 소리가
반복적으로 울리는.
제하의 가까이서는 노트북 타이핑 소리.
적당한 고요함과 소음 속에서 작업에 열중하는 제하.
그때, 랠리 중이던 공이 바닥에 튀어 날아와 제하를 향하자
화들짝 놀라고.
공이 날아온 곳을 바라보면, 다음이 라켓을 들고 서있는.

      다음   언제까지 살아야 하냐구요. 6개월? 1년?
                    알려주시겠어요?
      제하   (헛것이 보이는 것처럼) 뭐? 어?

132

당연히 다시 보면, 다음이 아니고 공을 받으러 온 사람.

테니스1   죄송한데 공 좀 던져주시겠어요?

멍한 표정의 제하. 노트북을 챙겨 어디론가 나가는.

#34. 서영의 아파트 주차장. 차 안. 낮.
밴에서 내려 고급 승용차에 옮겨 타는 서영. 문을 열면
정우가 반겨주고.

정우   (스윽 보고) 표정이 안 좋네?
서영   응. 회사에서 왔는데. 다시 회사로 가야할 것
        같아. 회사 좀 데려다 줘.
정우   또 고대표가 일부터 저질렀나봐.

출발 준비를 하는 정우, 자연스레 서영의 벨트를 내려주고,
세심하게 엉뜨까지 눌러주는.

서영   대충. 다녀와서 말해줄게. 아 맞아. 〈하얀
        사랑〉 오디션장 갔다 왔다며?
정우   되게 크게 보던데.
서영   많이 컸네. 오디션도 안 보고.
정우   오디션 보고 나온 신인이 막 숨을
        헐떡거리더라. 옛날 생각나고, 안쓰럽고.
        긴장을 엄청 했나봐.
서영   …나도 그거 할까?
정우   !?   133
서영   왜, 너 나랑 같이 해보고 싶어 했잖아.

탐탁지 않은 정우의 얼굴… 시동을 걸고 출발하는.

Episode 2

#35. 상수동 카페. 안. 낮.

창가 자리에 노트북 펴놓고 앉아 시나리오 작업하는 제하.
노을빛이 감도는.
커피 마시려고 손 뻗어 보니 얼음이 다 녹고 흥건한 잔.
커피를 주문하고 자리에 앉는.

<blockquote>
다음   (커피 내려놓고) 아 언제까지 살면 되냐구요.

제하   (중얼 중얼) 아니 지가 무슨 가을동화야 뭐야.
</blockquote>

다시 보면, 다음이 아니고 알바생이다.

<blockquote>
알바생   이건… 시키신 아메리카노인데요…

제하   (아!?) 아… 죄송합니다…
</blockquote>

넋이 나가 한동안 멍했다가 커피를 벌컥 벌컥 마시고…
그때, 들어오는 유홍. 제하, 손을 들어 위치를 알리고.

<blockquote>
유홍   안녕하세요, 감독님.

제하   (카드 주며) 어 일단 뭐 하나 시켜.
</blockquote>

CUT TO.
큰 사이즈의 자몽허니블랙티 마시는 유홍.

134

<blockquote>
제하   작가가 꿈이라며? 감독이 아니라.

유홍   감독은 오롯이 다 책임져야 하잖아요. 전 그 책임감이 너무 무섭더라구요.

제하   (책임감이란 말이 와닿고…) 원작의 문제점이
</blockquote>

뭐라고 생각해? 에둘러 말할 필요 없고.

유홍   아무리 그래도 감독님 아버지 작품인데
        에둘러 말 안 할 수가…

유홍, 제하를 쳐다보는데, 눈빛이 사뭇 진지하고, 간절하다.
목 한 번 가다듬고.

유홍   음음, 아. 그러니까… 왜 리메이크를 하는지
        잘 모르겠어요.
제하   (유홍의 대답에 호기심이 생기는) 왜?
유홍   〈하얀 사랑〉은 90년대 한국 영화
        멜로드라마 부흥기 한가운데에 있던
        작품이잖아요. 그 클래식한 감성은 시대도
        나이도 다 초월해요. 사랑 같은 거 해본 적
        없는 저도 설레니까요. 그런 사랑 해보고 싶고.
제하   계속해 봐.
유홍   원작에서 주인공인 규원이가 너무 자신의
        운명에 순종적인 뭐, 그것도 매력 있지만,
        감독님이 이번에 비틀어 놓은 규원이 설정이
        정말 재밌어요. 근데… 알맹이가 안 보여요.
        제일 중요한 게 비어 있다고 생각해요.
제하   설마 사랑?
유홍   무조건 사랑이죠. 사랑이라는 근간을
        흔들어놓는 건 리메이크의 이유까지도
        없애버리는 것 같아서 걸리던데요.
제하   (통찰력에 조금 놀라고) 보는 눈이 좋네.
        감독해도 되겠는데?
유홍   아, 하나 더, 규원이가 현상을 살리는 것

135

말고, 하고 싶은 게 뭘까 궁금해요.

제하   〈라스트 홀리데이〉나 〈마이 버킷 리스트〉
같은?

유홍   규원이는 아프기 전에 어떤 꿈을 꾸었을까…
하고 싶은 게 되게 많은 시한부면 더 아플 것
같은데…

제하   (!)

#36. 서영의 소속사 대표 사무실 안. 밤.

고대표 문 열고 들어오는데 서영 앉아 있다.

고대표   어우 놀래라. 왜 여기 있어? 스케줄은
어쩌고.

서영   안 갔으니까 여기 앉아있죠.

고대표   박실장 이게 진짜.

서영   앉으세요. 빨리 얘기하고 가게.

고대표   (자리에 앉는다) 그래, 할 얘기 뭐.

서영   시놉은 봤어요?

고대표   그걸 꼭 봐야 아니. 원작이 원작인데.

서영   역시 안 봤구나.

고대표   …

서영   대표님이 계속 그러시니까 제가
삐뚤어지잖아요.

고대표   하고 싶다는 거니?

서영   저한테 들어오는 작품은 제가 고른다는 거.
잊으셨어요?

고대표   나 억울해 지금까지 쭈욱 그래 왔어, 〈하얀
사랑〉만 특별했던 거야.

서영   왜 특별해요? 내가 이제하랑 다시 만날까봐?

고대표   다시 헤어질까봐.

서영   (할 말 없고) 그 영화 하고 싶어요.

고대표   너한테는 할 명분이 없어. 그 영화 아니어도
         내년까지 스케줄 꽉 찼고 더 좋은 감독이 더
         좋은 시나리오 들고 줄 서 있는데 왜!

서영   더 좋은 감독 더 좋은 시나리오… 기준이
         뭐예요? 제작비? 스케일?

고대표   배우 채서영한테 걸맞는 작품.

서영   배우니까, 나는 내가 하고 싶은 영화가
         필요해요.

고대표   (노려보며) 그러자. 다음부터.

서영   아니요. 지금부터요. 명분이 왜 없어요?
         내가 하고 싶다면 하는 거지. 그게 내 연기의
         명분이에요.

팽팽히 노려보는 두 사람.

#37. 제하의 오피스텔 안. 밤.

소파에 기대어 누워있는 제하. 작은 스탠드 조명만 켜져 있고,
소파 앞 테이블에는 시나리오 뭉치들이 널브러져 있다.
이어폰을 귀에 꽂고서 무언가 듣고 있는 듯 보이는데, 다음의
자문 녹취록을 듣고 있는.

다음(E)   **아프고 나면요 아프기 전과 후의 삶이 완전히**   137
          달라져요.

계속해서 한 구간을 반복재생해서 듣고 있는 제하…

Episode 2

녹취록을 들으면서 다음에게 보낼 문자를 썼다 지웠다 하는…
[이제하입니다.]

그때 전화가 울리고.

제하   네. 누구시죠.
고대표(F)   **저 고대표예요. 감독님, 내일 잠깐 볼 수**
               있을까요? 조용한 곳이면 좋겠는데.

#38. 테니스 코트 벤치. 낮.

테니스를 치는 남녀. 주고. 받고. 랠리 중.
공치는 소리에 맞춰 벤치에 앉아 고개를 왼쪽에서
오른쪽으로. 오른쪽에서 왼쪽으로.
반복적인 리듬에 맞춰 돌려가며 감상 중인 서영의 매니저 민희.

#39. 테니스 코트 관중석. 낮.

텅 비어 있는 관중석에 가운데 한 자리를 비워두고 나란히
앉은 제하와 고대표.

고대표   일을 이런 데서 해요?
제하   전 잡음이 좀 있어야 집중이 돼요.
고대표   음… 그렇구나. 지금 상황도 잡음이 꽤
             시끄러우니 집중하세요.
제하   (보면)
고대표   내가 개인적인 감정으로 감독님을 싫어하고
             좋아하고… 그런 문제가 아닌 거란 거 아시죠.
제하   걱정하시는 바가 뭔지는 잘 알겠는데 며칠 새
             시나리오가 좀 바뀌었어요. 특히 캐릭터가요.

138

	유감스럽게도 바뀐 부분이 서영 배우와는
	거리가 좀 있고요.
고대표	그래요? 잘 됐네요. 내가 올 필요도 없었네.
제하	제안하는 역은 정화 역. 주인공 못 드려
	죄송하지만, 배우는 한다고 할 거예요.
고대표	(비웃으며) 나는 채서영 주인공 아니면 안
	시켜요. 아니, 주인공이라도 이제하 작품은
	안 시켜.
제하	… 서영 씨, 대본 보면 어느새 영화에 들어와
	있을 거 아는데, 고대표님한테 나름의
	죄송함으로 말씀드리는 거예요.
고대표	하. 이감독님은 깨끗하게 다 잊은 모양이다.
제하	…
고대표	그날, 이감독이 서영이를 버렸잖아요. 감히.

#40. 과거. 고대표 사무실 안. 밤.

고대표와 마주앉아 있는 제하. (과거의 모습으로.)

고대표	(한숨) 감독님 이 바닥 생리를 이렇게 몰라?
	사람이 왜 이렇게 이기적이지? 서영이한테
	지금 스캔들이 터지는 건 이제 뜨는 애
	주저앉히는 꼴밖에 안 돼.

서영, 문 벌컥 열고 들어온다.

서영	왜 저는 빼놓고 얘기하세요. (제하 옆에 앉고)
	같이 들을게요.
고대표	어우, 머리 아퍼. (사진 테이블에 펼쳐놓고)

Episode 2

이미 도장 찍은 광고만 4개에 찍을 도장만
5개가 넘는데.

서영　　　대표님. 뭐가 문제예요? 우리 만난다고 나한테
　　　　　그렇게 큰 타격 없어. 그냥 인정기사 내요.

제하　　　아니요.

서영　　　(놀라 쳐다보면)

제하　　　(서영을 보고) 기사 막아주세요.

서영　　　감독님.

제하　　　(고대표 보고) 저희 친한 건 맞아요. 그런데
　　　　　선 넘은 적 없습니다. 죄송합니다. 제가 서영
　　　　　씨한테 오해할 만한 행동을 했다면 그건
　　　　　사과할게요.

충격 받은 서영의 얼굴.

#41. 테니스 코트 관중석. 낮.
제하, 말없이 고대표를 보고 있다.

고대표　　처음이었어. 서영이가 그렇게까지 무너진 건.

제하　　　(냉정하게) 그때나 지금이나 대표님이
　　　　　걱정하는 일은 없습니다.

고대표　　버려도 서영이가 버렸어야지. 한동안
　　　　　이제하란 이름만 들어도 치를 떨었어요.

제하　　　…

고대표　　이제하만 만나면 채서영이 꼭 내 예상
　　　　　범주를 벗어나. (제하 똑바로 보며) 나도
　　　　　이제하한테 두 번은 안 당하지.

140

고대표 떠나고, 생각에 잠긴 채로 덩그러니 앉아있는 제하.

#42. 병원 병실 안. 밤.
캠코더를 삼각대에 세워놓고 병실 안 흰 벽 앞에서 상의만
셔츠로 갈아입고, 독백 연기를 녹화 중인 다음. 하다가 자꾸
꼬이고, 혼자 박수치고 다시 하는.
그러던 와중에 문자가 오고, 흐름 끊겨 렉 버튼 끄고. 문자 확인.

[이제하입니다. 늦었지만, 잠깐 볼 수 있어요?]
눈이 커지는… 다음. 다급하게 옷장 열어 가디건 꺼내 입는다.

#43. 병원 앞. 편의점 밖 파라솔. 밤.
파라솔 플라스틱 테이블에 김스깡, 커피 땅콩 같은 과자들
뜯어 놓고 옆에는 포도주스 세 병. 제하를 기다리고 있는 다음.
편의점에서 나온 꼬마 한 명이 그런 다음을 빤히 쳐다본다.
다음, 개인기라도 보여주려는 듯, 포도주스 까서 목 뒤로
젖히고 손 멀리 해서 목젖 열고 포도주스 들이 붓는데
사레들려 켁켁. 앞에 보니 꼬마는 없고… 제하가 있다.
한심하게 쳐다보는 제하. 무언가 자존심 상하는 다음. 제하,
앞에 앉는다.

제하	컨셉이 조금 과한 것 아닌가…
다음	무슨 컨셉이요?
제하	(턱으로 과자) 장례식장 가면 자주 나오는
	거잖아요.
다음	아~ 저번에 가서 먹었는데 너무 맛있어서
	꽂혔어요 이 과자에.
제하	병원에서 지내요? 원래 집은…

141

다음	저 남자한테 집 안 알려주는데요.
제하	(픽 터지고) 내가 남자야?
다음	(약간 심쿵… 위아래 훑으며) 여자는… 아니니까요.
제하	(머쓱해져) …먹어보란 소리도 안 해요?
다음	(하나 주는) 드셔보세요…

제하, 과자 하나 집어 먹는다.

제하	은근히 땡기는 뭐 그런… 맛이네.

포도주스 하나 까서 다음 앞에 놓는 제하.

제하	아까 그거 어떻게 했어요? 목 열고 마시는 거.
다음	보여드릴까요?
제하	(웃기고) 됐어요.
다음	(멀뚱 쳐다보는)
제하	자문… 아니, 물어보고 싶은 게 있는데.
다음	(괜히 오버하는) 불합격은 시켰지만! 자문은 받고 싶고! (아니다 싶은지 텐션 내려놓는) 물어보세요. 편하게. 녹음은 안 해도 돼요?
제하	아, 녹음.

급하게 주섬주섬 녹음기를 꺼내는 제하.

142

제하	해보고 싶은 게 있었어요?
다음	흠… 해보고 싶은 거요? 저번에 말씀 드렸는데, 불륜, 살인, 귀신…

제하	영화 속 역할 말고 (망설이다…) 보통의 꿈이요. 다음 씨의 꿈.
다음	뭔가 대단히 거창한 걸 얘기해주고 싶은데, 음… 나를 사랑하는 사람들에게 남겨주고 싶어요.
제하	뭘요?
다음	나를 언제든 꺼내볼 수 있는 추억이요.
제하	나 지금 그 꿈에 걸려든 거구나. 이다음 씨의 한풀이?
다음	그냥 다 아쉬워요. 이 아쉽다는 감정이 사람 돌게 하거든요? 못 해 본 게 너무 많으니까. 나한테는 나중이 없잖아요.
제하	그래서 영화가 하고 싶은 거구나.
다음	거긴 다 할 수 있으니까. 못해 본 사랑도. 하기 싫은 작별도. 미리 다 해볼 수 있으니까. 영화 안에서 자유롭게 사는 내 모습을 언제든지 꺼내 볼 수 있었으면 좋겠어요.
제하	누가요?
다음	…우리 아빠요. 엄마도 떠났고, 나도 떠나면 아빠는 혼자거든요.
제하	(먹먹하고) 나중에 나한테도 자문 받아요. 나도 혼자거든요.
다음	…!? 아… 분위기 너무 초상집인데요. 우리 아빠 얘긴 하지 말죠.
제하	아니, 참나. 이다음 씨가 꺼냈어요.

143

알람이 울린다. 다음이 가방에서 약통을 꺼내 약을 챙겨 먹는다. 제하, 안쓰럽다.

Episode 2

#44. 병원 앞. 가로수길 일각. 밤.

걷는 다음과 제하.

다음	처음으로 이름이 있고 대사가 있는 역할의 오디션을 붙은 거예요. 1차였지만. 2차가 정말 자신 있었거든요. 정말 열심히 준비했는데…
제하	그때… 처음 아팠던 거고요?
다음	(끄덕끄덕) 포기가 안 되는 거예요. 입원하는 날이 2차 보는 날이었거든요. 근데 저, 좀 현실적인 시한부거든요. 살고 봐야지. 살아서 내가 꼭 다시 오디션 본다. 눈물을 머금고 돌아섰죠.
제하	(시선을 마주치지 않고) …그랬구나.
다음	네. 그랬었어요.
제하	힘들었겠네요. 병원생활이 그렇잖아요.
다음	아뇨 저 바빴어요. 연기했어요. 남는 게 시간이잖아요. 비록 현장에서 쓰는 큰 카메라는 아니고 되게 손바닥만 한 카메라 앞에서긴 하지만. 해보고 싶은 캐릭터 다 해봤어요.
제하	너무 열심히 산다. 함부로 넘겨짚으면 안 되겠네. 예상을 하나같이 다 빗나가서.
다음	남은 시간이 얼마 없다는 거. 묘한 쾌감이 있어요.
제하	(또 뭔 소릴… 보면)

144

옆에 행인들이 지나가는데 아랑곳 않고 독백하듯.

다음	자! 여러분~ 살날이 많은 것 같죠? 영원히 살 것 같죠? 그렇게 마흔 되고 칠순, 여든 되고 백 살까지 건강할 것 같죠?
제하	(두리번, 당황) 누구한테 얘기하는 거야.
다음	사람 일은 모른다는 거, 모르고 살죠? 나는 아는데. 나는 여덟 살 때부터 단련이 된 사람이라 한순간 한순간이 애틋한 명장면인데. 당신들이 흘려보내는 이 시간들이 나한테는 로망이고 판타지인데! 여러분들은 모르고 살죠? (독백에서 빠져나와 제하보고) 이런 쾌감?
제하	(저항 없이 터지는 웃음) 뭐야. 뭐하는 거예요.

병원 앞에 다다른 둘.

다음	이럴 거면 차라리 자문 말고 배우로 바로 캐스팅하시는 게 훨씬…
제하	(말 끊고) 바로 들어가시는 게 훨씬. 좋겠네요. 춥네.
다음	저는요. 꼭 감독님이랑 같이 영화를 만들고 싶어요.
제하	(뜬금없어 보면)
다음	그거 나 좀 껴주면 안 돼요?

돌아서 병원 쪽으로 걸어가는 다음.   145

제하	(울림이 느껴지고, 소리치며) 근데 그게 왜 꼭 나예요?

Episode 2

다음	(돌아보고, 당황하고) 네?
제하	왜 영화를 나랑 하고 싶냐고요.
다음	모르겠어요… 그냥. 감독님이라면 날 써줄 것 같아서요.

그렇게 서로 시선이 마주친 채…

#45. 제하의 오피스텔. 밤.

씻고 나온 제하. 책상에 앉아 노트북으로 클라우드에 올라온
오디션 배우 포트폴리오 영상을 클릭하면 여러 명의 이름들이
나오고, 거기서 제일 첫 번째 폴더 [이다음]을 클릭한다.
단촐한 이력서 파일이 나오고, 수많은 영상 클립들 쌓여있는.
〈신과 함께〉, 〈오징어게임〉 등 생각보다 굵직한 상업영화도
있어 흠칫 하는 제하.
〈오징어게임〉의 다음. 500명 중 200명이 대거 탈락하여
총살당하는 200명 중 한 명.
멀찍이 포커스 나간 영역에서 피를 흘리며 쓰러지는데, 본인이
직접 편집한 듯 친절하게 동그라미로 따라가는 마킹까지
해놓는.
이게 뭔가… 싫은 제하. 그때 다음이 했던 말이 생각나 피식
웃는.

다음(E)   **저는요. 꼭 감독님이랑 같이 영화를 만들고
싶어요.**

146

CUT TO.
마지막 파일인 [독백연기] 파일을 눌러 본다. 무려 200여개의
파일.

스크롤을 내리며 놀라는데… 정말 남자 여자 가릴 것 없이
많은 캐릭터들을 연기한 파일들. 클립들은 하나같이 다음이
벽에 서서 카메라 앞에서 연기하는 방식. 그중 호기심에 하나
열어 보는데… 다음의 진지하고 깊이 있는 톤에 자연스럽게
매료되는 제하.
제하, 유홍에게 전화 건다.

     제하   어. 홍아. 늦게 미안한데…

#46. 다른 날. 다음의 본가 아파트 안. 낮.
비밀번호 치고 들어오는 다음. 복도를 지나 거실로 들어서면
소박한 제사상.
다음 모의 사진과 풍성한 꽃이 화병에 가득 꽂혀 있고.
커피가 한 잔 놓여 있다.
가방 내려놓고 사진 앞에 앉아 빤히 보는데, 앞치마를 하고
있는 다음 아버지.
의사 정효다.

     정효   왔어?
     다음   뭐 했어?
     정효   월남쌈.
     다음   제사 음식이 좀 그렇다.
     정효   우리는 트렌디하게, 우리 먹고 싶은 걸로.
     다음   (일어나 식탁에 앉으며) 이거 다 장봐서
                  자르고 한나절 했겠다.
     정효   자르기만 하면 되는데 뭐.

147

앉아서 밥 먹는 부녀. 정성스럽게 월남쌈 싸서 다음 앞에

놔주는 정효.

CUT TO. 밤
정효는 소파에 앉고 다음은 바닥에 앉아 단감 깎고, TV 보며.

다음	교영이가 아빠랑 나 쿨병 걸린 부녀래.
정효	쿨병이 뭔데.
다음	서로 너무 쿨한 척하는 거. 아무렇지 않지 않을 텐데 아무렇지 않아 하는 거. 과하게. 그거 아닌데. 우리 아빠 쿨하지 못한데.
정효	딸내미 죽게 생겼는데, 그것마저 쿨하면, 쿨하다 못해 얼어 죽어야지…
다음	그건 맞지 그럼 쿨하게 나 통원으로 바꿔주고, 다시 연기하는 것도 허락해주면 안 될까?
정효	(빤히 보는, 조금 놀란) 무슨 말이야?
다음	(단감 씹다 멈추고) 연기… 하고 싶어. 다시 하고 싶어.
정효	그러다 그때처럼 또 쓰러지면? 너 치료 소홀히 하면 훗날 네 엄마 만날 때 난 후회…
다음	(순간 욱 말 자르고) 아빠. 그건 아빠 입장. 엄마 입장 내 입장은 달라. 그걸 아직도 몰라?! 엄마는… 집에 가고 싶어 했어 늘. 마지막 순간까지도.

148

정효, 맘 아파 말을 꺼낼 수 없고. 다음은 그런 정효가 밉다.

다음	엄마는 아빠… 엄마는 집에서 죽고 싶어

했어… 그런데 병원에서 돌아가셨어. 아무도
없을 때… 아빠는 수술 중이고 나는 학교에
있을 때… (울컥 올라와 눈물이 떨어지고)
곁에 그 누구도 없이 쓸쓸하게 갔어. 나 엄마
딸이잖아. 닮았나봐, 병원에서 죽기 싫은 게.

다음이 하는 말을 계속해서 듣고만 있는 정효…
다음이 나가자 가슴이 미어지고… 애써 눈을 감는다.

#47. 다음의 본가 아파트 밖. 밤.
한 방울씩 툭툭, 빗방울이 떨어진다.
밖으로 걸어 나온 다음, 고개를 들어 비 내리는 하늘을
바라본다.
그때, 핸드폰 진동이 울려 확인하는데. 2차 오디션 안내
일정을 확인하는 다음.
믿을 수가 없는 표정의 다음. 손으로 입을 틀어막은 채,
계속해서 여러 번 확인하는.

#48. 제작사 회의실 안. 낮.
테이블 위에 갖가지 서류들, 시나리오 등으로 잔뜩 어지럽고.
회의 중인 승원 제하 유흥.

유흥	(가방에 노트북 넣고) 감독님. '여러분들은 모르고 살죠?' 이 대사… 좋아요. 좋다…
제하	…그래?
유흥	네 정말요. 뭐랄까, 원작보다 훨씬 캐릭터가 주체적으로 보인다고 할까. 하고 싶은 게 너무도 많다는 설정도 재밌구요. 거기서

149

Episode 2

빚어날 것 같은 비애들도 재밌을 것 같고… 또…

승원   (끼어들며) 난 생각이 좀 다른데, 설정을 바꾸고 뭔 비애를 빚고 자시고… 원작이 명작인 건 뻔한 신파여도, 주체적이지 않아도 익숙하게 슬프잖아. 우리도 그냥 그렇게, 원래대로…

유홍   그럼 리메이크를 왜 해요? 배우만 바뀌는 거잖아요.

승원   클래식은 클래식인 이유가 있는 법이야. 먹히는 영화를 만들어야지.

제하   홍이 말대로 똑같이 갈 필요 없지. 이 바닥에 정답이 어딨겠어.

유홍   규원이를 보면, 살아있는데도 살고 싶어지더라고요. 죽고 싶어 하는 남자에게 정작 삶이 정해진 여자가 자신의 버킷리스트를 들이밀면서 끌고 다니는 끈질긴 긍정!

승원   그럼 끈질긴 우리 2차 오디션 준비는?

유홍   (척하면 척) 아, 2차 올리라고 하신 배우들 리스트업은 끝냈구요. 연락은 일괄적으로 다 돌렸어요.

승원   그때는 감독님하고 배우만 들어가는 거지? 나 필요 없어?

제하   전혀. 필요 없어요.

승원   (쏩쏠) 오케이 나는 김정우 미팅 잡을게, 아 그리고 내일. 내일 진짜 중요한 자린 거 알지?

제하. 귀찮은 듯 대답을 넘기며 나가버리는.

#49. 아트시네마 앞. 낮.
아트시네마 앞에 서서 들어가지 않고, 저번 진여와의 만남을
떠올리는 제하.

INS. **1부 31씬. 진여와의 만남 장면 삽입.**
INS. **1부 43씬. 은애의 초고를 발견한 장면 삽입.**

CUT TO.
명훈에게 다가가는 제하.

　　제하　　배우 김진여 씨, 잘 아시죠?

#50. 교영의 집 안. 낮.
교영 모는 식탁에서 고구마 줄기 다듬고, 교영은 소파에서
자고 있고.
현관에서 누군가 비밀번호를 치고 들어온다. 상기된 다음이.
장 봐 온 봉지 식탁에 내려놓고 마주 앉아서.

　　교영 모　　(익숙하게) 쟤 좀 깨워봐 다음아.
　　다음　　냅둬요. 또 아침에 들어왔나본데.
　　교영 모　　이따 갈 때 반찬 좀 가져가. 채울 때 됐잖아.
　　다음　　그 고구마 줄기. 식초 팍팍 넣어서.
　　교영 모　　(웃고) 그래 이것도 무쳐서 싸줄게. 쟤 진짜 151
　　　　　　　깨워. 못살어 내가.

다음, 교영의 옆으로 가 반듯하게 시체처럼 자는 교영을

안아서 일으켜 앉힌다.

교영   (눈 번뜩) 야, 나 심장마비 걸려. 이렇게
             깨우지 말라니까.

다음   (표정 살피고) 너 눈이 왜 이렇게 부었어?

교영   (얼굴 피하고) 내가 찼다.

교영 모   아우 지겨워. 니네 들어가. 청소기 돌리게.

다음   왜 찼는데. (손가락 세 개 접고) 겨우 3주
             만나놓고?

#51. 교영의 방 안. 낮.

교영이 팩 붙이고 의자에 앉아있고, 다음은 침대에.

다음   (괜히 실실 웃고) 지독한 얼빠다 너도.
             그러게 사람을 진득하게 좀 보고 사귀라니까.

교영   어디서 훈수질이야! 얼빠도 유전이다. 울
             엄마도 울 아빠 얼굴 봤대. 아 맞다. 집에
             갔다 왔어? 아부지 잘 계시지?

다음   응. 나 다 일렀다. 네가 울 아빠랑 나랑 쿨병
             걸린 부녀랬다고.

교영   (도끼눈) 아오 이게! 요새 왜 이렇게 촐랑거려?

다음   (또 실실) 야 암튼 다음 연애 잘하면 돼.
             우울모드 안 어울려.

교영   ('다음에' 안 하던 말이다) …뭐?

다음   아우 나도 미치겠다. 이게 뭐랄까.
             숨겨지지가 않나봐.

교영   (다가가 다음이 볼 짜부하며) 똑바로 말해.
             너 무슨 일 있지?

152

다음	(그대로 웃으며) 우우… 나바…
교영	(놓고, 훑어보며, 입 틀어막고) 임상!?
다음	(동시에) 오디션!
교영	(놀라고) 뭐라 그랬어?
다음	나 오디션 봤다구. 영화 오디션. 〈하얀 사랑〉이라고 90년대 그 영화 리메이크작! 역할이 뭔지 알아? 웃기고 슬프게도 시한부 역할이야.
교영	안 웃겨…
다음	안 웃겨? 웃어 주지. 민망하게.
교영	(입은 웃는데, 눈은 불안하다) 어… 그걸 어떻게 봤어?
다음	그냥 가서 봤어. 냅다 가서 질렀어. 근데 있잖아. (핸드폰에서 2차 오디션 안내 문자 보여주고)
교영	(그제야 소리 꽥 지르고) 어우 야!!!!

그때, 교영 모 놀라서 뒤집개 들고 문 화다닥 열고.

교영 모	무슨 일이야! (별일 아니고) 소리를 질러 왜! (문 꽝)

교영의 눈에 눈물이 그렁하고. 그 눈을 보자 다음도 울컥한다.

다음	잘했다고, 잘하고 오라고 두 마디만 해주라.	153
교영	…잘했어. 잘하고 와.	

Episode 2

#52. 고급 일식집. 밤.

다른 날. 청담동의 고급 일식집. 어색하게 앉아 있는 제하와
승원.
드르륵 문 열고 한상무가 들어온다. (한성호, 34세)

승원	어우 오셨네, 앉으세요. (제하에게) 인사드려.
제하	(어색하게) 안녕하세요.
한상무	반가워요. 내가 꼭 한 번 뵙고 싶어서.
	저번부터 부대표님을 좀 졸랐어요. (명함
	건네고)

제하, 명함 받아 보니 영진그룹 영진창업투자 (대기업 산하
투자회사) 상무 한성호라 적혀있다.

CUT TO. (시간경과)

한상무	저는 솔직히 말씀드리면 영화 잘 몰라요.
제하	?
한상무	그거야 예술가들 영역이고… 저는 그냥
	장사꾼이라 이게 돈이 되냐, 얼마나 벌어다
	줄 수 있을까, 그게 중요한 사람이라서.
승원	무슨 말씀을 또 그렇게… 하여튼 겸손하셔.
한상무	요새는 영화가 영화만으론 아무런 힘이
	없잖아요, 무슨 말씀드리는 건지는 아시죠?

154

한 잔 따라주는 한상무에게 술을 받곤 마시지 않고 내려놓고,

제하	상무님은 원작 〈하얀 사랑〉, 어떻게

	보셨어요? 궁금하네요.
한상무	안 봤어요.
제하	제 각색 기획안은 보셨어요?
한상무	(승원 쳐다보며 웃고) 뭐… 대충 설명은 들었죠.
제하	고릿적 영화, 답습 안 할 거예요. 전혀 다른 영화가 될 거예요. 미리 말씀드리려고요.
한상무	(갑자기 웃음을 참기 어렵고) 아… 근데 그걸 제가 알아야 하나요? 그게 나한테 중요할 거라고 생각해요? 이감독님 실력이?

승원 당황하고,

제하	(당황하지 않고) 제가 이두영 감독의 아들이니까. 그래서 돈을 대려고 한다. 그거죠. 상무님이 중요한 건.
승원	(안절부절) 어우 이 친구가 솔직해요 시원시원하고.
제하	보통 사람이면 못한다고 할 거예요.
승원, 한상무	?!
제하	어머니가 돌아가신 지 일 년 만에 만든 영화예요. 그것도 염문설이 숱하게 뿌려졌던 배우랑 마침내. 자유라도 얻은 것마냥, 뻔뻔하게 사랑에 대한 예찬을 쏟아내죠. 사람들은 마치 떠나보낸 부인을 위해 피땀 흘려 만든, 순정 가득 담긴 영화로 알고 극찬을 하고요.

155

Episode 2

한상무 이제야 좀 흥미로워지고,

> **한상무**　　영화보단 영화를 만든 스토리. 그 서사가
> 　　　　　　재밌네.
>
> **제하**　　　이 영화, 제가 제일 잘 알죠. 어딜 뜯어고쳐야
> 　　　　　　할지. 그리고… 손해는 안 보실 거예요.

제하, 대답 대신 한상무 잔에 술 따른다. 한상무, 만족스런
표정으로 잔을 받는.
승원, 뜯어고친단 말이 맘에 안 들고.

#53. 병원 다음의 병실 안. 낮.
짐이 한가득 채워졌던 병실이 비어있다.
아무것도 없이. 하얀 이불이 반듯이 개어져 있다.

#54. 오디션장 안. 낮. 몽타주
- 카메라에 빨간 불이 들어와 있고 테이블을 사이에 두고
  제하와 마주 보고 있는 여자 배우.
- 제하 마무리하려 일어나 악수 건네고.
- 배우 나간다.
- 같은 과정을 두 번 반복.
- 배우가 나가고 빈 커피컵만 4잔… 피곤하고 지친다.
  그럼에도 여전히 누군가 기다려져 쉽사리 자리를 뜨지 못
  하고.

156

#55. 병원 정효의 진료실 안. 낮.
연구 자료를 보는 정효. 민석이 급하게 들어오고.

민석	교수님… 죄송합니다.
정효	무슨 일…
민석	다음이가… 사라졌어요…

#56. 오디션장 안. 낮.

다음이 들어온다.

유홍	이다음 씨 들어옵니다.

유홍, 제하에게 알리고 다시 나가는. 표정 변화 없는 제하.

다음	안녕하세요.
제하	안녕하세요.

정적. 제하가 다음의 풀어진 운동화 끈을 물끄러미 본다.
다음이 가방에서 파일을 꺼내 제하에게 건넨다.

다음	캐릭터 분석해봤습니다!

제하, 받아서 한쪽으로 치우고, 치워진 파일을 보는 다음.
기죽지 말아야지, 다시 정신 차리고 제하 본다.

제하	오늘은 연기를 본다거나 캐릭터 분석을 듣는
	것보다 대화를 좀 해보려고요. 둘이서만.
다음	(어색하게 괜히 두리번) 아… 둘이서…
제하	편하게. 그냥 얘기요.
다음	(순간, 긴장이 되고) 네. 감독님.
제하	카메라는 신경 쓰지 마세요. 어차피 어디다

157

쓰지도 못 하니까. 그냥, 편하게. 나한테 하던 대로.

그러나 편하지 않은 공기의 흐름. 긴장한 다음의 표정.

제하   이 영화, 이 캐릭터, 전부 진부하다고 생각 안 해요?

다음   (바로 튀어나오는 대답) 진부해요.

제하   그래요?

다음   관객들한테는 지겨울 수 있죠. 심지어 감독님도 지겨워 보이시는데… 그런데 당사자인 저는, 지겨울 수가 없죠. 그 흔해 빠진 시한부라는 소재가 내 일상이 되면요, 하루하루가 박진감 넘쳐요.

제하   ?

다음   (능청) 이만한 메소드가 어딨겠어요.

제하   그 말은, 그쪽 병을 영화에 이용해도 괜찮다는 말로 들리는데.

다음   벌써 이용했잖아요. 내 얘기. 대사로 썼잖아요.

- 다음 1차 오디션 대사 씬이 짧게 제하의 회상으로 스치고.

다음   감독님 이거 저 보고 썼잖아요, 이 배역 저 놓고 쓰고 있잖아요.

제하   (빤히 보고) 바꿀게요 대사를.

다음   (미세한 당황) 저보다 잘할 사람 찾았어요?

제하   (말려들기 싫고) …찾고 있어요.

우리영화 대본집

다음	너무 돌아가지 마세요. 시간 아깝게.
제하	현실적으로 힘들 거예요.
다음	저도 아픈 거 좀 까먹고 배우로 살아보려구요.
제하	까먹는 거랑 간과하는 거랑은 좀 다른 개념인데.
다음	… 지금 오디션 중이잖아요, 아픈 사람 말고 배우로 봐주세요.
제하	찍어 놓은 독백이 200개가 넘더라고요. 잘 봤어요. 궁금한 게 있는데, 투병 중인 상황에서 어떤 마음이 이다음 씨를 여기까지 끌고 온 거예요?
다음	저 여덟 살 때, 병실에 누워있는 엄마한테 물어봤어요. 엄마 꿈은 뭐냐고. 그때 엄마 얼굴이 아직도 기억나요. 병원을 나가면 까먹고 있었던 꿈을 다시 찾아가고 싶다 그랬어요. 그 꿈이 뭔지는 모르지만, 아마 환자는 아니었을 거예요. 나도 마찬가지고요. 저를 끌고 온 건 이런 마음이에요. 이해가 되실지 모르겠지만.

INS. **다음의 말에, 제하는 서재에서 늘 무언가를 쓰고 있던 엄마를 떠올린다.**

INS. **제하가 발견한 은애 이름이 적힌 초고.**

생각에 잠긴 제하. 그런 제하를 보던 다음,   159

다음	(자세 고쳐 잡고) 감독님. 아파도 영화도 보고, 오디션도 보고, 사랑도 해요. 영화도

Episode 2

찍을 수 있어요.

제하   (마음이 짠하지만 티 내지 않는다)

다음   다 할 수 있다고요. 앞으로 보여드리고 싶어요.

제하   (잠시 침묵) 오늘은 여기까지. 나가보세요.
     결과는 기다려보시고.

다음   (가방 들고 꾸벅 인사, 나가려다 뒤돌아) 저…
     감독님

제하   (본다) 네.

다음   저를 믿어보세요.

제하   (픽 웃기고) 본인한테 뭐가 있는데 무턱대고
     믿으래?

다음   계획과 배짱이요.

제하   되게 엉성해 보이는데. 패기는 좋네.

제하, 자리에서 일어나 다음이 서 있는 문 앞으로 다가간다.
다음한테 바짝 다가온 제하. 긴장되는 다음. 더 가까이
다가오는 제하.
그러다 제하가 갑자기 혹 숙여 주저앉아 다음의 운동화 끈을
묶어준다.
다음은 그런 제하를 내려다본다. 뭐지… 심장이 두근거리는
다음.

     제하   조건이 있어요.

160   다 묶은 제하가 일어서고, 둘의 사이. 가깝다.

     제하   죽지 마요.

시간이 멈춘 듯. 이 영화 같은 순간이 믿겨지지 않는 다음의
얼굴…
다가온 제하에게 묘한 두근거림을 느끼는 모습에서… **엔딩.**

Episode 2

Episode 3

다음의 캐스팅이 거센 반대에 부딪히자 묘수를 떠올리는 제하.
단 한 씬으로, 모두를 설득시켜야 한다.

#1. 과거. 5년 전 〈청소〉 2차 오디션 현장. 낮.

2019년. 제하의 데뷔작 〈청소〉의 2차 오디션 현장.
팻말이 붙어있는 문 앞 복도에는 순서를 기다리는
지원자들이 줄지어 앉아 있고.
저마다 대사를 외우는 등, 긴장되고 어수선한 분위기.
그런 와중에 진행요원이 문을 열고 나와 다음 지원자를
호명하는데, 아무도 응하지 않는.

> 진행요원1   이다음 씨! 이다음 씨 안 오셨나요?

복도에 배치되어 있던 진행요원2가 의아한 표정으로 다가와
귓속말, 그러나 다 들리는.

> 진행요원2   감독님이 따로 체크해 놓으신 분이
>   이분이죠?
> 진행요원1   아 그러니까. 온다는 연락도 확인했는데
>   왜 이래 진짜. 나 일단 진행할게. (서류 다시
>   보고) 다음… 채서영 씨! 들어가실게요.

다 들리는 둘 간의 대화를 듣고 있던 바로 앞 지원자,
서영이다.
서영 옆에 현재와는 다른 온화한 모습의 고대표.

> 고대표   편하게 봐. (속삭이며) 쭉 훑어봤는데
>   여기서 주인공에 어울릴 사람, 너밖에 없어.   163
>   (웃고)

서영, 고대표의 말에 차분해진 표정으로 오디션장으로

들어가는…

열린 문 사이로 보이는 제하의 모습.

진행요원2, 복도를 향해 다음의 이름을 호명하지만, 대답이
없다.

#2. 과거. 오디션 건물 앞 일각. 낮.

오디션 건물 앞. 오디션장을 올려보는 다음의 모습. 한참을
바라보다 뒤돌아 터덜터덜 걸어간다. 창 안에서 열심히
연기하는 서영의 모습과 그걸 보고 있는 제하. 맨 위 서영의
프로필 밑에 가려진 다음의 프로필이 보인다.

#3. 과거. 버스 안. 낮.

창가자리에 앉은 다음의 뒷모습.

버스가 사거리 신호에 정차하고 보이는 바깥의 풍경.

일상적인, 바쁜, 사람들과 세상.

그리고 너무나 억울하고 서글프게 울고 있는 다음의 모습.

— 타이틀, 〈우리영화〉 —

#4. 현재, 집으로 가는 길. 버스 안. 밤.

한남동에서 버스를 타고 집으로 가는 다음. 핸드폰이
울리고, 이제하 감독님이라고 뜨는.

다음	(통화 받으며) 넵. 감독님.
제하(E)	집이 어디예요? 아니, 병실이 몇 호예요?
다음	저 병원 나왔는데요.
제하(E)	(빗나간 예상) 병원에 있어야 된다고 하지
않았어요?

164

다음	아, 통원치료로 바꿨어요! 다음에 자세히 알려드릴…
제하(E)	(자르며) 지금은 어디서 지내는데요? 주소 좀 알려줘요.
다음	왜요?
제하(E)	시나리오 보내줄게요.

헉. 놀라서 전화 끊어버리는 다음. 당황해서 다시 건다.

다음	감독님!!
제하(E)	왜 끊어요.
다음	무슨 뜻이에요?
제하(E)	감독이 배우한테 시나리오 보내는 게 무슨 뜻이겠어요.

전화를 끊고… 한강의 휘황찬란한 야경이 창밖으로 보이자,
괜히 걷고 싶어 벨을 누르는. 내려서 대교를 걷는 다음.
걷는 다음의 등 뒤로 야경이 반짝이는… 가슴이 들뜬다…
거짓말 같다. 붕 뜬 걸음을 걷다가 잠시 멈춰서. 너무
행복하면 왠지 무서워진다…

#5. 교영의 집 안. 밤.
주방에서 정효와 통화 중인 미선, 교영 모.

| 미선 | 네 교수님 걱정 마세요. (거실에서 깔깔대는 교영과 다음 보며) 애가 튀어봤자 부처님 손바닥 안이지 뭐, 아유 이제 스물다섯인데 뭘 다 컸지. 잠깐 있겠대요. 네 들어가세요. | 165 |

Episode 3

(끓고 냄비에 물 올리며) 여지껏 밥도 안 먹고 뭐 했어. 밥때 놓치면 위험한 애가.

교영　(소파 한편에 펼쳐져 놓인 캐리어를 뒤적이며) 작정을 했구나. 네가. (쇼핑백을 발견하고) 야 이건 뭐냐? 내 거야?

다음　(후다닥 챙겨 미선에게 가는) 이모, 나 여기서 지내면 안 돼요?

미선　(조금 놀라서) 교수님이랑 싸웠니? 무슨 일 있어? 이건 뭐고?

교영　(다가오며) 아예 나왔대. 사춘기가 이십 대 중반에 온 케이스. (패키지를 살피고서) 뇌물이었구만? 똑똑하다 너.

다음　(약통을 꺼내며 능청스럽게) 야, 뇌물 아니고 선물.

미선　(흡족, 요리조리 살펴보고) 그르게. 안 하던 짓을 하네. 이다음~

교영　(만지작) 오 디게 좋아 보인다. 맞아, 여태 카페 하랴 살림 하랴 우리 미선 씨 팔다리 고생 많이 했지. (살펴보고) 나도 먹어도 되나?

미선　(탁 빼앗고, 가볍게 무시) 아니~ 안 그래도 요즘 어디 살짝만 부딪혀도 아프던 참인데, 고마워 다음아~

다음　미리 미리 챙기는 게 중요하다구요~ (물 건네며) 여기.

166

미선, 다음이 건네는 물을 받아 캡슐을 삼키는.

#6. 다음날. 제작사 승원 방 안. 낮.

승원은 책상 앞에, 제하는 소파에.

승원   채서영한테 정화를 제안했다고?
                (어이없어하며) 상식적으로 채서영한텐
                주인공이 가야 맞지.

제하   너무 눈에 익은 조합이잖아. 안 그래도 신파
                가득한 이야기에.

승원   신파에는 눈에 익은 게 있어야지.

제하   내용이 신파면 캐스팅은 새롭게 가보자.

승원   새롭게 누구. 설마 이다음? 여기 헐리웃
                아니라니까?

제하   언젠 라라랜드 같고 좋다며?

승원   그거 찍은 엠마 왓슨이 톱스타잖아. 전 세계
                사람들이 다 알고! 한국에선 임마 채서영이
                엠마 왓,

제하   왓슨 아니고 스톤. 엠마 스톤.

승원   말꼬리 잡지 말고! 왜 그렇게 꽂혔는데
                이다음한테? 걔한테 뭐라도 있어?

제하   (의미심장하게)… 있어. 우리한테는 없는.
                그런 게. 아무튼. 냉면에 소주 들이키면서
                밀어준다고 했어 분명히. 벌써부터 까먹은 거
                아니지?

제하, 쌩하니 승원 지나쳐 나가고.   167

승원   (나간 문을 뚫어지게 쳐다보며) 미친놈. 지
                혼자 예술하네.

Episode 3

#7. 정우의 차(밴) 안. 낮

정우와 소속사 대표, 밴을 타고 이동 중인…

> 정우　　여주인공은 어떻게 됐어?
>
> 대표　　오디션 봤다고 호들갑들은 떠는데… 이미
> 여주인공에 채서영 낙점됐다는 얘기 돈 지는
> 한참 전이야.
>
> 정우　　(기분이 안 좋다) …
>
> 대표　　(정우 눈치 한 번 보고) 서영 씨한테 뭐 좀
> 들은 게 있어?
>
> 정우　　(착잡한 표정으로) 아니, 일 얘기 잘 안 해.
>
> 대표　　서영 씨랑 주연으로 들어가면 우린 좋지.
> 니들만 스캔들 조심하면.
>
> 정우　　(창밖으로 시선 돌리며 혼잣말) 누구
> 좋으라고…

쓴웃음을 짓는 정우, 불편한 기색이 역력하고…

#8. 승원의 사무실 안. 낮.

승원, 이다음 프로필을 뚫어지게 본다.

> 승원　　그래, 누구 좋으라고… (다음 프로필 탁
> 뒤집고 의자 뒤로 몸을 기댄 채로 눈을
> 감고서) 슬슬, 올 때가 됐는데~

168

이때 문 벌컥 열리고 서영 들어온다. 역시, 생각대로, 하지만
깜짝 놀라는 척 일어나고.

승원	어! 서영 씨, 어쩐 일이야.
서영	(〈하얀 사랑〉 시나리오 들며) 이 시나리오 나한테 보낸 거 이제하 감독은 모르죠?
승원	(일부러 쭈굴) 네.
서영	이감독은 날 캐스팅할 생각이 없어 보이는데, 투자 때문에 부대표님은 나를 밀어붙이는 것 같고. 맞아요?
승원	(뻔뻔하게 눈 끔뻑) 어떻게 알았어요?
서영	(짜증이 팍) 감독이 싫다는데 배우가 어떻게 해요. 근데 웃기네. 내가 왜 싫대?
승원	(걸렸다. 회심의 카드) 오디션에서 웬 신인배우한테 꽂혔나.
서영	(당황하고) 신인배우요?
승원	(호들갑스럽게) 걱정하지 마. 채서영이잖아. 지금 대한민국에서 어느 투자사가 채서영을 거절해. 서영 씨는 그냥 하면 돼. 서영 씨 원래 그러잖아. 하고 싶으면 하잖아. 내가 하게 해줄게.
서영	감독이랑 얘기 한 번 안 해봤는데 뭘 할 수 있다는 거예요?
승원	모양새 같은 건 신경 쓰지 마요. 자자, 이감독은 나한테 맡기고…
서영	순서가 뒤바뀐 것 같아요. 이제하 감독을 직접 만나야겠어요. 만나고, 결정은 우리가 할게요.

169

서영, 쌩 나가버리고

Episode 3

승원   (회심의 미소) 그럼요. 둘이서 다이렉트로
       만나 결정하셔야지.

승원, 누군가에게 전화 건다.

승원   기자님, 좋은 소스 하나 줄까? (씨익)

#9. 육교 위. 낮.

육교 한가운데 서서, 난간에 팔을 기대고 저 멀리 응시하며
누군가를 기다리고 있는 제하. 핸드폰을 쥔 손에 힘이
들어가면서, 터벅터벅 계단을 오르는 다음. 화가 난 채 멀리
떨어진 제하를 향해 거침없이 걸어간다. 다음의 뒷모습 너머
제하가 고개를 돌려 다음을 바라본다. 어느덧 제하 앞에 선
다음. 다음이 제하의 눈앞에 핸드폰을 들이민다.
**[채서영, 이두영 감독 〈하얀 사랑〉 리메이크작으로 차기작 검토
중]** 연예 뉴스 헤드라인.

다음   뭐예요. 이거.
제하   (받아서 자세히 보고, 일그러지며) 이게
       왜요.

제하를 노려보다… 불쑥 제하 앞으로 다가서는 다음.

다음   내가 차여본 적은 없는데 이유도 모르고
       억울하게 차이면 딱 이 기분일 것 같아요.
       진짜 억울하다.
제하   (폰 빼앗고 뒤로 한 발 물러서서 기사 본다)
       기사 그대로예요. 검토 중. 규원 역을 신인인

170

이다음 씨로 갈지 채서영 씨로 갈지 논의 중.
계약서 썼어도, 심지어 촬영 중에도 캐스팅
바뀌는 일은 부지기수고 그런 변수에 대한
이유는 수백 가지는 됩니다. (폰 돌려주고)

다음   (쭈굴) 수… 수백 가지나 돼요?

제하   (왠지 모르게 다 설명해야 할 것 같다)
       처음부터 주인공 배역은 채서영한테 갔었는데
       그쪽에서 거절했고. 그 차선책이 오디션을
       합격한 이다음 씨였고. 여기까지가 감독인
       나의 입장. 제작사 입장은 또 달라요.

다음   근데… 하필이면 왜 채서영 배우예요?

제하   하필이면?

다음   내가… 너무… 좋아한단 말이에요.

제하   좋아하고 말고의 문제였구나. 나도 규원 역에
       좋은 건 이다음 배우예요.

다음   (배우란 말에 심쿵. 용기 낸다) … 저 이번에는
       진짜 포기 못해요.

제하   이번에?

다음   (!) 아 뭐, 아무튼 포기 못 한다구요. 아유…
       뭐가 됐든 계약서부터 먼저 써봐야 하는 건데.

제하   (픽 웃고 돌아서 가며) 가요.

다음   (뚱하니…) 어딜 가요?

제하   계약서 먼저 써야 된다며.

#10. 준병의 식당 안. 낮.
시네마 스토어를 방불케 하는 영화 굿즈들, 배우들의
사진들로 꾸며져 있는 작은 식당.

제하	뭐 먹을래요?
다음	(괜히) 맛없는 거요.
제하	여기 웬만한 거 다 맛없는데. 골라 봐요.

메뉴판을 들고 서 있던 준병(제하의 친한 동생). 끄덕끄덕.

준병	주문하시겠어요?
제하	여기서 제일 맛없는 걸로 줘요.
다음	장난이었어요! 제일 맛있는 걸로 주세요.
준병	(이마 긁고) 네 알겠습니다.

준병 메뉴판 치우며 제하 어깨 꽈악 잡고. 제하 웃으며 준병 배 퍽 치고 웃는다.

다음	감독님도 친구가 있어요?
제하	네.
다음	(귀엽게 꼽 주는) 와 되게 의외다.

다음, 가방에서 약통을 꺼내 색색의 약 여섯 개를 손바닥에 올리고 앞에 놓인 물과 함께 약을 먹는다. 그 모습에 흠칫하고 놀라는 제하.

제하	보통 밥 먹고 먹지 않나.
다음	네. 밥 먹고도 이만큼 또 먹어요. 뭘 벌써부터 놀래요.
제하	(감탄) 그걸 한 번에 삼키네…
다음	아~ 감독님. 알약 한꺼번에 못 삼키죠? 이거, 이거 나이가 몇 살인데. 괜히 뿌듯하네. 이거

172

하나는 감독님보다 잘하는 것 같아서.

제하, 무시하고 가방에서 종이와 펜을 꺼낸다.

제하	이다음 씨 말대로 계약서가 필요하겠더라.
다음	계약서요? 여기서?
제하	지금 우리한테 필요한 건 서로에 대한 확신인 것 같아서. 갖고 있는 거라곤 벽에 등 대고 찍은 독백 영상들이 전부인 이다음 씨를. 왜 캐스팅하고 싶은 거라 생각해요?
다음	(한참 생각) …리얼리티?
제하	(쓸쓸하게) 맞아요. 나는 시한부 역에 시한부를 캐스팅하는 거예요. 이게 알려지면 밖에서는 도의를 저버린 비윤리적인 행태니 뭐니 완전히 매장당하는 거고.
다음	좀 오바하시는 것 같은데…
제하	이 모든 위험을 진지하게 생각 못 하겠다면 계약서 작성은 그만두죠.
다음	(지지 않는다) 목숨 걸고 이 자리에 나온 사람만큼 진지할 수 있을까요?
제하	(한숨) …나도 매장당하는 거 각오할 만큼 진지합니다. 계약 내용의 첫 번째는 이다음 씨 상태가 밖에 새어 나가지 않아야 돼요. 그러려면 유일하게 알고 있는 내가 이다음 씨를 잘 알고 있어야 하고. 두 번째는 영화가 완성될 때까지 (잠시 망설이다) …죽으면 안 돼요.
다음	…

173

Episode 3

　　제하　　**조건이 있어요. 죽지 마요.**

　　다음　　…
　　제하　　이다음 씨가 영화를 찍을 수 없겠다는
　　　　　　판단이 들면 교체되는 거구.
　　다음　　(빤히 바라보는)
　　제하　　(뭐야… 시선 피하고) 서로를 위해서 비밀
　　　　　　유지 서약서를 쓰죠.
　　다음　　저도 조건이 있어요.
　　제하　　(계약서를 쓰는) 얘기해요.
　　다음　　난 죽지 않을 테니까, 감독님은 영화 망치지
　　　　　　마요.

제하 쓰던 손 멈추고. 다음을 본다.

#11. 한상무 사무실. 안. 낮.

여의도 높은 영진그룹의 건물 전경이 보이고. 고급스러운
한상무의 사무실.
한상무 앞으로 나이가 더 많아 보이는 40대의 박부장이 서
있고.

　　박부장　　상무님. 〈하얀 사랑〉이 정말 투자 가치가
　　　　　　　있을까요?
174　　한상무　　영진그룹이 수익만 좇는다는 인식이 너무
　　　　　　　강하잖아? 우리가 문화 산업 생태계를
　　　　　　　지키기 위해 이렇게나 노력한다…는 한
　　　　　　　줄이면 돼요. 다 발 빼지만, 우리는 지켜낸다.

그런 메시지.

박부장   부대표는 미다스의 손이니 믿음이 갑니다만.

한상무   아뇨. (웃음) 이 영화는 부대표가 아니라
　　　　전적으로 이제하한테 달렸어요. 이 영화를
　　　　만들기 위해선 무슨 짓이든 할 것 같은
　　　　느낌이야. (생각) 뭔가 제대로 돈이 되는
　　　　스토리를 만들어 올 것 같단 말이지.

#12. 준병의 식당 안. 낮.
10씬 이어서

제하   내가 감독인데 영화를 망치다니. 왜 그런
　　　　생각을 해요?

다음   원작은 아름다운 사랑 얘기잖아요. 아무리
　　　　리메이크라고 해도… (제하 한 번 보고) 무슨
　　　　멜로 영화 주제가 '사랑은 없다'예요?

제하   (펜 내려놓고) 제대로 봤네, 이거 멜로 영화
　　　　아니에요. 이 영화에서 제일 필요 없는 게
　　　　사랑이거든.

다음   현상이가 아픈 규원이를 두고 서울로 다시
　　　　떠나는 것도, 그거 다 사랑인데요?

제하   (의아하게 보는)

다음   현상이는 규원이한테 보여주고 싶은 게
　　　　있었을 거예요. 현상이에게 도시는 힘든
　　　　기억뿐인 곳이지만, 규원이를 두고 그런 곳에   175
　　　　다시 돌아가는 데에는 이유가 분명히…

제하   …

Episode 3

제하   여자가 죽을 걸 뻔히 알면서도 떠난 남자한테
과연 사랑이라는 수식어가 어울릴까요?
남자는 이기적이고, 여자는… (다음을 보며)
미련한 거고.

제하와 다음 대화가 평행선에 이르는데, 준병 음식을 내온다.
대단히 창의적으로 맛없어 보이는 요리들.

다음   (준병에게 상냥하게) 와! 잘 먹겠습니다!

맛없어 보이는 음식을 너무 맛있게 먹는 다음. 준병 감동.
제하 어이없어서 피식.
식사를 마친 다음, 준병 접시를 치워 주방으로 가져가고,
다음, 가방에서 약통을 꺼내 입안에 털어 넣고, 바라보던
제하가 물을 따라 건네준다.
다음, 물을 마신 후, 계약서를 찬찬히 읽고 사인한다.

다음   비록 시나리오는 감독님이 쓰셨지만, 저는
저대로 열심히 해볼게요. (다 들리는 혼잣말)
두고 봐라. 내가 이 영화에 꼭 사랑을
집어넣고 만다.

제하   (피식)

서명한 계약서를 제하에게 주고,

제하	(계약서 넣으며) 이건 우리 둘의 계약일
	뿐이란 거 알죠?
다음	(끄덕) 제가 이 배역을 따내려면 어떻게
	해야 돼요? 그러니까 저를 모르는 분들을
	설득하려면…
제하	(꿍꿍이가 있는 눈빛) 배우는 연기에만 신경
	쓰면 돼요.

그때, 제하 핸드폰이 울린다. 서영의 문자. **[감독님, 어디야?**
얘기 좀 해요]
제하, 핸드폰 메시지 보고 잠시 생각한 후, 다음 보며,

제하	이제부턴 이다음 씨가 이 역할에 누구보다
	어울린다는 걸 누구나 납득할 수 있게
	증명해야 돼. 시한부 리얼리티 빼고. 그건
	우리만 알아야 하는 반칙이니까.
다음	(의욕에 차 있다) 그럼요!
제하	그럼, 여기서 한가로이 있지 말고 가서,
	연습하세요.
다음	(제하의 말과 동시에) 연습하겠습니다!
	(꿈같다)

다음, 나가다 돌아서며,

다음	근데, 감독님.	177
제하	?	
다음	계약서 사본은…	
제하	(아하) 준병아. 여기 복사기 있냐?	

Episode 3

CUT TO.

다음, 계약서 사본을 소중한 듯 꼭 품에 안고 나간다.

그런 다음을 미소 지으며 보는 제하.

준병 　　 형, (턱으로 나간 다음을 가리키며) 누구야?

제하 　　 (걱정 반 기대 반 얼굴로) 내 영화 주인공.

#13. 서영의 소속사 대표 사무실. 낮

[채서영, 이두영 감독 〈하얀 사랑〉 리메이크작으로 차기작 검토 중]

기사를 보며 씩씩대는 고대표. 연신 승원에게 전화하는데

받지 않는다.

고대표 　　 부대표, 계속 씹겠단 거지.

민희 　　 대표님 진정하시구요.

고대표 　　 (버럭) 진정이라는 소리가 나와? (이번에는

　　　　　　 서영에게 전화 걸지만…) 애 지금 어딨어!!

민희 　　 저도 잘… 전화를 안 받으셔서…

고대표 　　 하… (헛웃음) 전화를 받으면 이상한 거

　　　　　　 아니니? 빨리 찾아와!

#14. 서울이 내려다보이는 한적한 공원 일각. 밤.

서영, 서울 시내를 보며 기대어 있고, 제하, 옆에 선다.

서영 　　 우리가 만나기 전에 기사가 먼저 나갔네.

제하 　　 응. 부대표가 언론 플레이는 잘하잖아. (한숨)

　　　　　 시나리오는 봤어?

서영 　　 봤어.

제하 　　 (떠본다) 어떤 역이 하고 싶어?

178

서영	(떠본다) 나한테 주인공 역이 당연한 게 아니구나? 나보다 어울리는 배우 찾았어?
제하	응.
서영	(철렁. 내색 않고) 누군데?
제하	오디션 봤어.
서영	감독님 마음에선 캐스팅 벌써 끝났어?
제하	끝났는데. 왜. 관심 있어?
서영	응. 관심 있어요.
제하	오디션에서 딱 맞는 역할 찾았고 난 결정했어. 부대표 어떻게든 설득할 거고.
서영	… 나는 다른 관심을 얘기하는 건데.
제하	(그렇게 나올 거라 생각했다)
서영	주인공 캐릭터 너무 불쌍하더라. 내가 제일 싫어하는 게 불쌍한 거잖아. 그 역할 말고 정화 캐릭터 하고 싶어요. 완전 나던데? 욕망에 충실하고… 솔직하고 재수 없고 지만 알고. 아픈 애인 두고 일말의 죄책감 없이 쾌락만 좇는 남자와 함께 파멸. 둘이 그렇게 계속 사랑 같지도 않은 사랑하면서 쓰레기처럼 살아가는 결말. 리얼하고 좋던데요. 아주 조금의 불쌍함도 없이. 날 두고 썼나 싶더라.
제하	… 네가 좋아할 것 같다는 생각은 해봤지.
서영	지금 나온 기사 정정 안 해도 되죠? 출연 검토 중인 거 맞으니까.
제하	고대표 생각은 다를 텐데.
서영	감독님이 넘어야 할 많은 산들 중에선 나름 젤 쉬운 등반일걸? 그 정돈 내가

Episode 3

	알아서 할게요. 그런데 신기하네… 갑자기. 영화를 다시 시작한다는 것도, 그게 〈하얀 사랑〉이라는 것도. 솔직히. 계속 뒤통수 맞는 느낌? 내가 알던 이제하가 맞나.
제하	(진심으로) 계속 그 사람 그림자로만 살 수 없으니까. 내가 어떻게 이용하냐에 따라서 후광이 될 수 있다는, 좋은 의미로 주제파악이 된 거지.
서영	(제하의 변화가 나쁘지 않다) 확실히 내가 알던 이제하는 아니네. 그래서… 주인공 배우 이름은?
제하	… 이다음.
서영	(이다음? 왠지 들어본 이름 같다) 질투가 좀 나네. 나한테 없는 게 있다는 거니까?

서영, 아무 일도 없었다는 듯 제하를 남겨두고 떠난다.
제하, 서울의 탁 트인 풍경을 바라본다. 미안하기도,
고맙기도 한 감정.

#15. 앤뉴스 회사 사무실. 안. 낮.
컴퓨터 앞에 반쯤 누운 채로 연예인 인스타그램을 훑어보던
희태.
모르는 번호로 전화가 오고.

180	희태	네 앤뉴스 노희태 기잡니다.
	서영(E)	기자님, 저 배우 채서영이에요.

용수철처럼 튀어 서서 전화를 받는데, 다른 기자들 시선

집중되고.
흥미로운 희태 얼굴…

#16. 서영의 소속사 복도. 안. 낮.
고대표가 자기 사무실 문을 부서져라 열어젖히며 나오고.
사태 파악하고 다들 고개도 못 들고 멈춰 있는 다른 직원들.
직원 하나가 보고 있는 모니터 속엔 희태가 올린 뉴스 기사.
헤드라인 **[채서영의 반전 행보. 주연에서 조연으로? – 영화보다 더 영화 같은…]**

> 고대표　　　다. 나가. 나가서 채서영 찾아와!

직원들, 분주하게 전화기 들고 전화하며 썰물처럼
빠져나간다.
적막감이 감도는 텅 빈 사무실.

> 고대표　　　하. 이제하 영화라는 것도 용서 못 하겠는데,
> 　　　　　　뭐, 조연?

#17. 필라테스 샵. 안. 낮.
통창의 오피스텔 안으로 햇빛이 부서지게 들어오고,
우아하게 필라테스에 집중하는 서영.
옆에 놓인 가방 안에 있는 핸드폰은 꺼진 채 까맣고
고요하다.

181

#18. 승원의 사무실.
승원, 희태의 기사를 보며,

승원	이게 또 이렇게 돌아가네. 둘은 잘 만난 것 같고, 그럼…

뒤집었던 다음의 프로필 다시 뒤집으며, 뚫어지게 본다.
손해 볼 것 없겠다는 미묘한 미소. 제하에게 전화 건다.

승원	이감독. 우리 얘기 좀 해야 할 것 같은데?

#19. 승원의 사무실. 안. 낮.
승원은 책상 자리에, 제하는 소파에.

제하	대화로 해결이 될 것 같지 않은 얘기는 시간도 절약할 겸 그냥 넘어가도 좋다고 봐.

승원, 서랍에서 소주를 꺼내 따 한 모금 마시고, 한참
말없다…

승원	그럼 어떻게 생각하냐, 생각을 바꿔줄 수 있겠냐, 이런 건 어떻겠냐 따위의 걸리적거리는 말은 안 할게. 캐스팅을 바꿔.
제하	(팽팽) 그렇게는 못 해.
승원	왜 못하는지 설명 좀 해줘라.
제하	일단 캐스팅 먼저. 채서영은 정화 역을 해야 돼. 누구보다 캐릭터를 이해하고 있어. 아주 조금의 불쌍함도 느껴지면 안 되는 캐릭터라는 걸 배우가 먼저 얘기했어. 그럼 이건 채서영이 하는 게 맞다고 봐.
승원	(수긍한 듯 안 한 듯 애매한 느낌. 어차피

182

채서영이 출연하는 거니 상관은 없다)
채서영 설득한 걸로 얼렁뚱땅 넘어갈 생각
마, 주인공이 이다음인 게 문제라고.

제하   이다음 연기, 형도 봐서 알잖아. 부정하기
               힘들잖아. 나보다 스타 냄새는 귀신같이
               맡잖아.

승원   그래 냄새가 좀 나긴 해. 그럼, 시나리오는 왜
               그러는 거야. 원작 파괴가 니 목적이야? 사랑
               없는 멜로 영화가 말이 돼?

제하   사랑이 그렇게 대단해? 먹고 사는데
               걸리적거리면 제일 먼저 버릴 수 있는 게
               사랑이야.

승원   영화가 다큐냐? 사랑으로 죽음도 극복하는
               아름다운 원작을…

제하   (끊고) 그걸 왜 아름답다고 생각하는 거야?
               나는 그 근처도 못 가봤고 본 적도 느낀 적도
               없어. 내가 모르는 걸로 영화를 만들고 싶진
               않아.

승원   그래. 사랑이 전부는 아니지. 근데
               영화에서는 전부라고 얘기를 해줘야지.
               티켓값 내고 보러 오는 관객들이 자기
               인생이랑 똑같은 영화를 뭐 하러 봐? 일말의
               희망도 판타지도 없는데.

제하   …

INS. **2부 29씬.**

다음   **진짜 시한부가 연기한 시한부 캐릭터. 나라도**
           궁금해서 볼 것 같은데?

Episode 3

제하	… 희망과 판타지를 대신할 볼거리가 있으면 몰려들겠지.
승원	(이건 무슨 소리지?) 너답지 않은 자신감인데.
제하	형은 손해 볼 일 없을 거야.
승원	너 진심이야? 이 영화에 진심이냐고.
제하	진심이야. 나도 영화 찍고 싶고 잘 되고 싶어. 5년 동안 틀어박혀 있는 거 지긋지긋하다고. 내가 이두영 영화를 선택한 거, 그게 내 진심의 증거 아니야?
승원	(뭔가 놀랍고 흡족하지만 티 내지 않고) 자, 그럼 이 모든 이야기를 내가 한상무한테 잘 설명…
제하	(말 자르며) 내가 할게.
승원	뭐?
제하	한상무. 내가 설득하겠다고.
승원	(귀를 의심)
제하	어차피 그 사람, 이 영화 관심 없댔잖아. 이 영화에 얽힌 우리 가족의 막장 스토리에 관심 있는 거잖아.
승원	(이게 아닌데 싶지만 거절할 수도 없고) 아니, 굳이 감독이 그렇게까지 할 필요가…
제하	자리 마련해줘.

의지 가득한 제하와 당황한 승원의 모습에서.

184

#20. 교영의 집. 안. 밤.
손으로 시나리오를 소중하게 쓰다듬는 다음.
가방에 캠코더와 시나리오를 집어넣고 지퍼를 닫는다.

교영	(양치 물고) 어디 가?
다음	연습하러 다녀오게.

교영 화장실로 뛰어가서 물고 있던 양치 뱉고,

교영	왜 연습해. 뭘 연습해?!
다음	나 시나리오 받았어. 야. 너 배우가 감독한테 시나리오 받았다는 게 무슨 의미인지 알아?
교영	무… 무슨 의미. 그냥 시간 되면 한 번 읽어는 보셔라…
다음	당신을 캐스팅하고 싶습니다. 그런 의미인 거지. 너 바보야?
교영	(걱정되고) 너… 정말 영화에 캐스팅된 거야?
다음	(조금 울컥) 그래서 더 미친 듯이 연습해야 돼…
교영	허우… 미치겠다. 네 말 무슨 말인지 알겠어. 알겠는데… 내가 나갈게. 네가 여기서 해.

다음, 문 앞 교영 너머로 TV 보며 깔깔 웃는 교영 엄마 힐끗 보고.

다음	민폐야.
교영	진짜 민폐는 니가 나가서 무리하는 게 민폐야. 안 되겠다 같이 가.
다음	내일 출근하는 애가 어딜 같이 가.
교영	야. 나도 내 친구 혼신의 연기 구경 좀 하자!
다음	(골똘) …그럼 대사 맞춰줄래? 나 연기하는 거 찍어주구!

185

Episode 3

다음, 가방 챙겨 바깥으로 나가고, 교영 외투 챙겨 입는데,
문자 온다.
잠시 고민하는 교영.

> 다음   (바깥에서) 빨리 안 오면 그냥 간다!
>
> 교영   옷 좀 입고! (문자를 보내며)

#21. 교영의 집 근처 체육공원. 밖. 밤.

한밤의 체육공원, 따뜻한 가로등 불빛 아래 조명을 찾아가는
다음.
만족할 만한 곳에 위치를 잡은 듯 여기저기 둘러보고 있고,
그런 다음을 찍고 있는 교영.

> 다음   팔 아프다고 카메라 아래로 내려가면 안
> 된다.
>
> 교영   야야, 걱정 말고 감정! 집중!
>
> 다음   믿습니다. 녹화 버튼 누르시고.

다음, 시나리오 보면서 여러 톤으로 연기 연습을 하고,
그때 조용히 멀리서 나타나는 정효. (교영에게 연락해 장소를
알았다)
마음이 아프지만 다가갈 수가 없어 돌아서려는데
다음, 통증이 시작된 듯 들고 있던 책들을 손에서 놓치고
쓰러진다.

186

> 정효   다음아! (한달음에 달려간다)

교영도 놀라서 다음에게로 뛰어간다. 아빠를 보고 놀란 다음.

다음	아빠…
정효	괜찮니? 정신이 들어?
다음	진짜 미안해…
정효	…?
다음	(손으로 캠코더 가리키고) 이거 연기하는 중이야…
정효	(떨어져서) 뭘 해?
다음	(떨어진 시나리오 주워 보여주면서) 역할이 아픈 사람이야.
정효	(버럭) 너 뭐 하는 놈이야!
다음	나… 준비하고 있어… 영화 촬영…
정효	(이게 무슨 말인가 싶어 교영을 본다)
교영	다음이… 오디션 합격했어요. 주인공으로…
정효	(화가 치민다) 정신 좀 차려!!!!
다음	싫어!!!

교영, 조용히 카메라를 들고 멀리 떨어진다.

정효	…??
다음	나 합격했다니까? 근데 어떻게 정신을 차려… 아빠는 안 좋아? 내가 영화에 출연한다니까?
정효	네가 그 몸으로 뭘 할 수 있는데. 영화? 너 그럼 반도 못 살아.
다음	제발… 제발… 그만해 아빠. 병실에 누워서 1년을 사느니 이렇게 딱 반만 살래…
정효	(다음의 말에 너무 충격)
다음	(아차 싶다) 아빠… 미안해… 내 말이 심했지.

187

Episode 3

정효	(할 말을 찾지 못하고) …

뒤도 돌아보지 않고 터덜터덜 자리를 뜨는 정효. 그런 아빠가
서운한 다음.
교영, 그런 둘을 안타깝게 바라본다.

#22. 다음 날. 한상무 사무실. 안. 낮.
한상무 앉아서 서영 조연 캐스팅 기사가 띄워진 태블릿을
내려놓고.
그런 그를 제하가 바라보고 있고, 승원은 옆에서 이들의
눈치를 살피는.

한상무	이걸 내가 어떻게 받아들이길 원하는지 모르겠네?
승원	…발상의 전환 같은 거죠.
한상무	왜 전환을 하지?
제하	(승원 보다 먼저) 스토리를 위해서죠.
한상무	스토리?
제하	영화보단 영화를 둘러싼 스토리가 중요하다고 하셨죠. 사람들 흥미를 끌만한.
한상무	(흥미롭다) 자. 그럼 여기 무슨 스토리가 있는지 들어보죠.
제하	톱스타를 주연에서 밀어 버릴 정도의 괴물 신인. 거기서부터 시작하려구요.
한상무	(오호) 채서영을 밟고 시작하겠다?
승원	(너무나 속물적인 제하의 제안에 당황하지만 티 내지 않는다)
제하	포장은 언론이 알아서 해줄 겁니다.

188

한상무	하하하. 감독님. 생각보다 야망이 있으셨네. 좋아요. 근데. 이 투자 건에 얽히고설킨 사람들이 많아. 내가 그 꼰대들을 설득시킬 명분은 기사 몇 줄론 안 되는데.
제하	(미리 준비해 왔다. 단호하게) 보여드릴게요. 한 씬으로. 간절한 신인 배우와 절실한 감독이 어떤 걸 할 수 있는지, 보여드릴게요. 그 스토리로 설득이 안 된다면… 투자, 철회하세요.
한상무	(확 흥미가 동한다)
승원	(어안이 벙벙)

#23. 영진그룹 주차장. 낮.

승원, 빠르게 걷는 제하 따라가며

승원	이감독, 야, 야 제하야. 너 뭐 잘못 먹었어? 다른 사람 같다?
제하	(멈추지 않고) 간절함이라고 봐주라.
승원	(멈춰 세우고) 본 적 없던 간절함, 나야 좋지! 근데. 상의도 없이 너무 도박하는 거 아니야? 게다가 채서영을 그렇게 포장했다간 정화 역도 날아간다.
제하	(단호) 채서영은 해. 애초에 그런 거 신경 쓰는 배우였음 날 찾아오지도 않았어. 고대표는… 형을 믿을게.
승원	(어이없고) 싼 놈 따로, 치우는 놈 따로네 이거. 채서영은 그렇다 치고, 한 씬으로 대체 뭘 보여주겠단 건데?

189

Episode 3

제하	그건 전적으로 날 좀 믿어주고. 형은 스태프들부터 섭외 시작해줘. 촬영은 무조건 지철민, 편집엔… 소원영, 음악 천세은, 미술은 아, 최은수.
승원	야!!! 업계에서 제일 바쁜 사람들만 줄줄…
제하	(말 끊고) 일주일. 더 끌 수도 없어. (쌩 간다)
승원	(어이가 없지만) 항상 세월아 네월아 하던 놈이 왜 저래?

승원, 투덜거리면서도 바로 전화기 들고

승원	아, 지 감독님~~ 잘 지내지? 죽이는 영화 있으니 만나요.

#24. 서영 집 안. 낮.

거실 소파에 앉은 서영과 제하.

제하	내가 좀 급해서 막무가내로 찾아왔다. (가방에서 씬 적힌 종이 건네어 주고)
서영	괜찮아. 밖에서 보는 눈들도 많고. 감독님만 안 불편하다면. 이거구나. 테스트 촬영한다는 씬이.
제하	응.
서영	(흥미롭고) 공들여 테스트 촬영을 하고, 그걸로 투자자를 설득시키겠단 감독의 열정. 단 한 씬으로 설득이 될 거란 자신감은 어디서 나온 거야?
제하	이다음, 채서영. 두 배우한테서.

190

서영	이다음… 오디션으로 뽑은 신인배우한테 언제 그런 믿음이 생겼어?
제하	처음 만났을 때부터.
서영	(!?)
제하	보면 너도 알 수 있을 거야.
서영	설득이 안 되면?
제하	혹시 이런 과정이 불편하다면,
서영	아니. 전혀. 나는 감독님 믿어. 감독님이 나 믿는 것처럼.
제하	그럼 그런 걱정은 안 해도 돼. 투자자도 설득하지 못하는 영화라면… 안 하는 게 맞아.
서영	(한참 바라보고) 그동안 어디서 뭐 하다가 이렇게 영화를 다시 시작할 마음을 먹은 건지. 도대체 그 배우는 어떤 배우인지. 사람 되게 궁금하게 만든다.
제하	(고민하다) 나랑 같이 만나볼래?
서영	아니. 싫어.
제하	!?
서영	감독님 없이 둘이 만나볼게.
제하	…
서영	둘이서 먼저 만나게 해줘. 할 거면 제대로 해야지.
제하	(끄덕) 대신, 이다음 씨한텐 테스트 촬영으로 이 영화의 운명이 결정된다는 건 비밀로 해줘.
서영	알아야 되지 않을까?
제하	아니. 부담만 될 거야.

191

Episode 3

서영   (뭔가 묘하게 서운하지만 내색 않고) …
　　　　알았어, 감독님.

#25. 이자카야. 안. 밤.

테이블 한쪽에 쌓여 있는 제작 기획안. 스케줄표. 스태프
프로필. 캐스팅 보드. 각종 서류. 그 위로 읽고 있던
시나리오를 얹어 놓는 철민. 묵묵히 밥 먹는 유홍. 철민만
뚫어져라 미소 장착하고 있는 승원.

승원   이제하는 지철민 당신 아니면 안 한대. 아주
　　　　눈물 나 진짜.

철민   나도 이제하 같은 감독이랑 하고 싶죠.
　　　　실력이야 잘 아니까. 그걸 아니까 이제하의
　　　　멈춘 시간이 더 안타까웠고요. 다시 한다
　　　　그랬을 땐 진짜 반갑기도 했고, 내심 연락이
　　　　오지 않을까 생각도 했어요.

승원   그런데 왜?

철민   …온 국민이 좋아하는 러브스토리를
　　　　이렇게까지 갈기갈기 찢어놓는 게 맞나
　　　　싶더라구요.

철민의 말에 웃음 터지고 바로 정색하는 유홍.

유홍   스케줄은 뻥이 맞았고.

철민   솔직히 말해서 이게 무슨 하얀 사랑이야
　　　　검은 사랑이지. 너무 다크한 방향이 아닌가
　　　　싶어서…

승원   오케이 조감독님 우리 이 얘기 몇 번

192

들었죠?

유홍   스태프 배우 대부분이 그랬으니까 (손가락 다 써서 세보는)

승원   (한 잔 철민에게 따라주고) 진짜 예술가야. 작품 잘 봐~

철민   이번 건, 나 말고…

유홍   (벌떡) 전 먼저 일어날게요. 감독님이 시키신 게 있으셔서.

승원   그 감독님 좀 내일 사무실로 오라고 전해줘요 조감독님.

유홍이 가게 문을 나서고 작게 들리는 대화…

철민   근데 채서영 씨가 조연을 한다는 게 진짜예요?

#26. 밤거리 일각. 밖. 밤. / 제하 집. 안. 밤.

백팩 메고 터덜터덜 어디론가 전화를 걸고 있는 유홍.

유홍   말씀하신 느낌들로 로케실장님이 1차로 리스트업 해주셨는데, 보셨어요?

- 집에서 콘티 작업 중인 제하.

제하   응 시간이 촉박해서 헌팅부터 돌아야겠는데   193

유홍   촬영감독님이 안 하신대요.

제하   한번 만나는 봐야지. 내가 연락해볼게.

유홍   감독님!! 하얀 사랑이 검은 사랑이든 빨간 사랑이든!

제하   어?

유홍   기죽지 마세요!

유홍의 응원에 전화를 끊고 잠시나마 피식하는 제하.

#27. 촬영감독 철민의 사무실 안. 밤.

텀블러에 내린 커피를 따르는 철민. 장비 구경하는 제하.

철민   아직도 술 안 마시죠? 커피 괜찮나? 밤인데.

제하   좋죠. (소파에 앉고)

철민   (앉으며) 오해는 하지 말고…

제하   촬영감독님이 검은 사랑이라고 한 거?
그래서 못 하겠다고?

철민   아니이…

제하   (가방에서 종이를 꺼낸 철민에게) 이거
봐줘요. 제가 생각한 엔딩 씬 콘티예요.
디벨롭이 필요한데 느낌만 보시라고.

CUT TO.

철민   (다 봤다. 약간 흥분)… 뒷모습으로 끝나네?

제하   거기다가 감독님이 잘하는 거. 핸드헬드로요.

철민   그치, 시한부 주인공의 마지막은 되려
동적이었으면 좋겠다 생각은 해봤어요.
(뜨끔) 아니, 저… 그냥 생각만.

제하   맞아요. 앵글은 비록 흔들려도 주인공
시선에서 삶과 죽음의 방향성은 더욱
뚜렷하게 보일 것 같아요.

194

철민   (다시 한번 보고) 좋긴 좋네… 확실히
       신파처럼은 안 보이겠다. 아이씨!! 졌다 졌어.
       설득은 충분히 됐어 근데, 나 겨울 지나고
       바로 들어가야 해서 시간이 많이 없긴 해요.
       그쪽이 밀릴 확률은 거의 제로라…

제하   감독님. 나는 이 영화를 빨리 찍고 싶어요.
       정말, 말 그대로 빠르게.

철민   참나. 빨리 찍어서 뭐 해. 잘 찍어야지.

제하   당연한 거구요 그건. 빨리 잘 찍는
       촬영감독과 일하고 싶어요. (강조) 저는 꼭
       감독님이랑 같이 영화를 만들고 싶어요.

철민   뭐야… 부담스럽게. (엔딩 다시 보고) 정말
       이렇게 갈 거예요?

제하   모르죠. 어떻게 완성될지는. 영화가
       그렇잖아요. 같이 해요.

철민   아… 모르겠다. (텀블러 원샷 하는, 그러다
       문득) 근데 왜 그렇게 빨리 찍고 싶은
       거예요?

제하   그야 시간이… 없으니까요.

CUT TO.

철민의 답을 얻고 사무실을 나오는 제하, 다음이 자신에게
했던 말이 떠오르고.

INS. **2부 44씬.**   195

다음   **저는요. 꼭 감독님이랑 같이 영화를 만들고**
        싶어요.

Episode 3

#28. 논현동 거리 일각. 밖. 낮.

바쁘게 걷는 사람들 사이에서, 거리에 서서 높이 치솟은
빌딩의 끝을 쳐다보는 다음.
그런 다음의 핸드폰이 울린다. 핸드폰을 드는 다음을 누군가
뒤에서 톡톡 친다.
다음이 돌아보면 한 손에 핸드폰을 들고 있는 서영과 민희다.

서영   (선글라스를 벗으며) 이다음 씨?
다음   어? 안녕…하세요.
서영   (다음을 유심히 본다) 어? 어디서 봤는데…
       아! 샌드위치!
다음   하하… 기억하세요?
서영   기가 막힌 우연이네요. 아니, (장난스럽게)
       운명인가?
다음   영광이에요.
서영   제가 영광이죠. 우리 영화 주인공이
       궁금해서 제가 감독님한테 연락처 좀
       졸랐어요.
다음   우리 영화…요? (괜히 기분이 좋다)
민희   이제 들어가시죠.

건물 안으로 서영 따라 들어가는 다음.

#29. 제작사 스태프 회의실. 안. 낮.

로케실장과 제하, 유흥, 회의를 하고 있는.

로케실장	(침울) 보내드린 리스트에서… 맘에 드는 곳이 없으셨나 봐요.
유홍	(눈치) 아무래도 감독님이 인위적인 느낌은 다 배제하시다 보니
로케실장	이번 장소가 테스트 촬영용이라고 하셨죠?
제하	테스트긴 한데, 정해지면 본 촬영에서도 이어진다고 생각해 주셔야 합니다. 조금만 더 고생해 주세요.
로케실장	(손사래 치며) 아우 무슨 고생이에요, 제 일인데. (떨떠름) 그럼… 감독님이 말씀하셨던 후미진 시골 주택에 늦은 오후 해가 동쪽에서 서쪽으로 이쁘게 떨어지는… 곳으로… 다시 한번 추려볼게요…
제하	(더해서) 죽음을 앞둔 주인공과 대비되게, 공간과 빛은 최대한 자연 그대로 아름다웠으면 좋겠어요. 그래서 더 안타깝도록.

제하의 장황하지만 틀린 말 하나 없는 요구에 혀를 내두르는 로케실장.

#30. 서영의 소속사 연습실. 안. 낮.
서영, 연습실 여기저기를 둘러보는 다음을 잠시 보다가, 커피를 다음에게 건네고.

다음	감사합니다.
서영	알겠다.
다음	네?

서영	왜 캐스팅됐는지 너무 잘 알겠다. 다음 씨, 정말 특별하네. 그거 아는 데 30초도 안 걸리는 거 알아요?
다음	(얼떨떨 부끄럽다) …제가요?
서영	(악수 건네고) 기사 봤죠? 잘 부탁해요. 나는 정화 역이에요.
다음	(두 손으로 받고 꾸벅) 잘 부탁드립니다!!
서영	감독님과 연습하기 전에 따로 보고 싶었어요.
다음	…?! 아! 아직 모든 씬을 다 연습한 건 아닌데 보여드릴게요!
서영	(웃고) 내가 감독이야? 나한테 왜 보여줘요. 난 그냥 다음 씨가 어떤 사람일지 궁금했어요.
다음	아… 저를요?
서영	나도 예전에 이감독님 오디션 본 적 있어서 알거든요. 되게 빡세잖아요. 궁금하네요. 어떻게 이 배역을 땄어요?
다음	(이런 질문을 받을 걸 대비해 연습했다. 술술 나온다) 건강검진하러 병원에 갔다가 자문받고 계시는 감독님을 봤어요. 유명하시잖아요. 바로 알아봤죠… 지망생들 카페 오디션 정보들이 막 올라오잖아요. 제가 찾아보고 오디션 봤어요.
서영	(웃고) 그랬구나… 대단해요. 자기 힘으로 배역도 따내고…
다음	감사합니다. 좋게 봐주셔서. 근데 여기는 왜…
서영	영화 찍을 때까지 여기서 연습해요. 다음 씨가 필요하면 언제든 나랑 같이. 아!

198

샌드위치 갖는 셈 치면 되겠다!

다음   ···??? 네? 제가 여기서 연습을···요?

             선배님이랑?

서영   시간 맞춰서 같이 대사도 맞추고 연습도

             하구 나도 정말 잘 해보고 싶거든요.

             알아보니까 다음 씨 아직 소속사가 없던데.

             연습실도 없을 것 같아서··· 혹시 부담돼요?

다음   아뇨··· 너무 좋아서요···

서영   (웃으며) 준비한 만큼 보여주려면 연습밖에

             없어요. 여기 편하게 써요.

다음   ···정말 그래도 될까요?

서영   그럼요. 그럼 연습 한 번 해볼까요?

다음의 폰에서 알람이 울린다.

다음   저··· 제가 밥을 좀··· 먹어야 되는데.

서영   ??

다음   아. 선배님 만난다는 생각에 아무것도 못

             먹어서··· 발성이 안 될까 봐요···

서영   (왠지 귀엽다는 표정)

#31. 서영의 소속사 엘리베이터. 안. 밤.

잔뜩 분노에 상기된 채 엘리베이터 안에 있는 고대표.

지하층에 도착하고, 내려서 거침없이 연습실 앞으로

걸어간다.   199

그 반대편에서 고대표를 발견하고 뛰어오는 민희. 말리는

손길을 무시하고 걷는다.

Episode 3

#32. 서영의 소속사 연습실. 안. 밤.

문 벌컥 열리고, 샌드위치를 입 안 가득 넣고 우적우적 씹는
다음을 본다.

> 고대표　　(순간 바뀌는 미소) 안녕하세요. 아,
> 　　　　　　이 분이구나.

찬찬히 다음을 스캔하는 고대표. 눈이 땡그래진 다음. 체할
것 같고.
눈빛이 경멸에서 호기심으로 바뀐다.

> 서영　　　(맞서는 억지미소) 대표님이에요 다음 씨.
> 　　　　　　인사해요.
> 다음　　　(꾸벅) 안녕하세요, 대표님.
> 고대표　　네~ 서영 씨한테 얘기 들었어요. 편하게 있다
> 　　　　　　가요~ 서영 씨 잠깐.
> 서영　　　바쁜데요 보시다시피.
> 고대표　　그럼 여기서 얘기하면 되겠어요? 난
> 　　　　　　괜찮은데.
> 서영　　　잠깐 있어요. 저희 대표님이 워낙 사람을
> 　　　　　　귀찮게 해요.

서영이 나가고, 문 닫는 고대표가 닫히는 틈새로 앉아 있는
다음을 유심히 쳐다보는.

200

#33. 서영의 소속사 연습실 앞 복도. 안. 밤.

고대표와 서영 사이에서 안절부절 민희.

고대표	쟤를 왜… 무슨 생각으로 데려온 거야?
서영	(시큰둥) 이번에 같은 작품 하는 배우랑 친해질 겸 연습 겸
민희	겸사겸사 좋은 게 좋은 거니까요 대표님.
고대표	(그라데이션 사자후) 너… 낄 데만 끼라고 했어 안 했어 조용히 안 해!!!!

– 연습실 안에서 앉아 있던 다음, 놀라서 몸 들썩. 뭐지???
다시 시나리오에 집중하려는데, 순간 몸에 이상함을
감지하고 화장실을 찾아 주변을 살피는.

고대표	지금 들어온 주연 시나리오만 열한 편이나 되는데… 내가 속 터져서… 저 어린애를 왜 여기 끌고 들어와 연기 잘하라고? 잘되라고? 너나 잘해.
서영	나는 잘하잖아요. 내가 못 해?
고대표	그런 말이 아니라… (누가 들을까 조용히) 너는 이제하랑 다시 하는 게 자존심도 안 상해?
서영	지긋지긋하다 진짜…
고대표	뭐?
서영	나랑 같이 영화하는 배우랑 연기 연습하는데 한 번만 더 이런 식으로 되도 않는 생트집 잡고 방해하면. 우리 몇 개월 남았지?
민희	6개월이요.
서영	응. 6개월 있다가 실장님이랑 나갈 거예요.

201

서영, 또각또각 걸어가 연습실로 들어가고.

Episode 3

기가 막힌 고대표와 안절부절못하는 민희.

#34. 서영의 소속사 연습실 안 화장실. 안. 밤.
땀에 머리카락이 얼굴에 붙어 있고 볼은 빨개진 채 화장실
안으로 들어선 다음.
세면대 앞에서 물을 트려는데 손에 힘이 빠지고, 툭 물을
트는 순간
고통이 찾아온다. 바로 입을 틀어막지만 고통스러운 괴성이
나오고,
복부와 가슴을 쥔 채 누워 몸부림치는데 그때, 서영이
화장실 안으로 들어와 그런 다음을 목격한다. 외마디
비명이 나오는 서영. 눈물범벅이 된 다음에게 달려가 상태를
살피고…

> 다음   사람… 사람들이 보면 안 돼… 안 돼요…
> 서영   구급차 부를게요! 괜찮아요?
> 다음   사람들이… 보면 안 돼요… 한국대병원으로
>   부탁드립니다.

서영이 입구 쪽으로 뛰어가 문을 잠그고 민희에게 전화를
건다.

#35. 연습실 앞 복도. 안. 밤.
민희가 헐레벌떡 차 키 들고, 뛰어와 문을 두드리면
문을 살짝 열고 차 키를 뺏는 서영.

> 서영   퇴근해요 실장님.
> 민희   무슨 일 있어요? 선배님 땀 나요.

서영	없어요.
민희	있잖아요. 언니 존댓말 쓰면 무슨 일 있는 건데.
서영	(표정으로 제발 가라)

서영 표정 보자마자 공손하게 인사하고 뒤돌아 가는 민희.

#36. 서영의 밴. 안. 밤.
서영이 부축해 다음을 뒷좌석에 태우고,
운전하는 서영. 뒷자리에서 이 악물고 참는 다음. 백미러로 다음을 살피는데,
통증 때문에 새어 나오는 신음에 어쩔 줄 몰라 하는 서영.

#37. 도로 일각. 안. 밤.
빠른 속도로 도로 사이를 운전하는 서영 밴.
병원 응급실 앞에 서고, 앞에서 기다리고 있던 민석이
이동식 침대에 다음을 옮긴다.

#38. 병원 응급실. 안. 밤.
커튼 쳐져 있는 응급실 안 베드에 누워 진통제 맞고 잠들어 있는 다음.

#39. 병원 응급실 앞. 안. 밤.
대기 의자에 앉아 있는 서영. 핸드폰으로 제하에게 전화를 걸려다가 그냥 집어넣고.
아까 봤던 민석이 지나가다 서영에게,

203

민석	(주변 살피고) 이다음 씨 보호자로 오셨죠?

서영	진짜 보호자는 아니고 어쩌다 보니 오늘만요.
민석	네… 진정제 투여했고 상태가 안 좋아서 입원해야 될 것 같은데
서영	입원이요? 뭐 수술 같은 거 해야 되는 거예요?
민석	할 수 있는 수술은 없고요… 입원도 제 희망사항이지 환자가 원치 않을 거라서요.
서영	왜요? 그럼 어떻게 해요?
민석	환자 부탁이라 더는 말씀 못 드리구요. 저… 오늘은 가보셔도 될 것 같습니다.
서영	환자를 그냥 두고 가라구요? 아니…
민석	걱정 안 하셔도 됩니다.

민석 가고, 서영 생각에 잠겨 천천히 가방 들고 일어서 응급실 안 다음이 침대에 커튼을 걷는데, 다음이 없다.

#40. 제하 차 안. 낮.
제하가 운전대를 잡고 있고, 조수석에서 태블릿으로 스태프 리스트 휙휙 넘겨보는 유홍.

유홍	결국 지 감독님까지 오셨네요. 다른 스탭들도 와… 이 사람들 한자리에 다 모일 수가 있네. 다들 본 촬영 아닌 거 알면서도 모인 거잖아요? 뭐랄까, 운명적인 느낌…
제하	우리 운명이 걸린 촬영이긴 해.
유홍	승원 대표님도 대단하시긴 하다. 요 며칠 얼굴 보니까 상황이 살벌하게 돌아가긴

했어요.

제하 그 형 얼굴은 원래 살벌한 편이고. 넌 근데
      무슨 조감독이 면허가 없냐.

유홍 그거 빼고 다 잘하니까요.

제하 (웃고) 그래, 잘났다.

지하철역 앞에 차를 세우는 제하. 인사하며 가는 유홍. 창문
사이로,

제하 내일모레 테스트 촬영까지만 잘 준비해 보자.
      전달 사항 생기면 채서영 배우 쪽이랑 얘기
      잘해주고. 이다음 쪽은 내가 알아서 할게.

유홍 제가 다 해도 되는데?

제하 내가 하는 게 편해서 그래.

유홍을 보내고 다음에게 전화를 거는데, 수신 대신 전달
오는 다음의 문자. **[병원이에요.]**

#41. 병원 병동 복도. 안. 낮.

병동 6층. 햇볕이 따갑게 들어찬 복도 끝 통창. 우두커니
서서 바깥을 보고 있는 다음.
피곤한 행색의 다음. 이전의 여파가 아직도 있는지 생기가
덜하다.

민석 (옆으로 다가와 같이 바깥 본다) 여기 있을   205
      줄 알았다.

다음 아빠는… 괜찮으세요?

민석 네 몸 걱정이나 해 이 자식아. 교수님이

Episode 3

걱정되면 집이라도 교수님 댁으로 들어가고.

다음   선생님 역지사지해 보세요.

민석   (생각 골똘) 해봤는데, 나라면 입원했어.
              너 이거 치료 거부야. 아버지 생각은 안 해?

다음   치료는 나으려고 하는 거지, 저는 나빠지는
              중이잖아요.

민석   오늘처럼 돌아다니다가 갑자기 발작과
              통증이 찾아왔을 때 주변에 아무도 없으면
              그땐 죽는 거야. 농담 아니야.

다음   알아요. 그래도 그렇게 무서운 얘길 할 땐
              농담처럼 좀 웃으면서 해주세요. 요새 나만
              보면 다들 정색이야. (바깥에 제하가 보인다)
              어?!! (제하에게 전화를 걸고) 감독님!

제하, 공원에 서서 전화를 받는데,

다음   여기요! 아니 뒤돌지 말고 다시 돌아서.
              병원이요! 저 안 보여요? 창문!

제하, 햇빛에 인상 쓰고 올려다보는데 다음이 보이고. 살짝 웃으며 손을 흔든다.

다음   (한참 보고) 교수님. 저 갈게요. 가야 돼요.

206   다음 돌아서 반대편으로 가고,

다음   (조용히 혼잣말) 그리고… 이제부터 저를
              지켜보는 아~주 많은 사람들이 있을 거예요.

주변에 아무도 없는 일은 없을 거예요.

#42. 편의점 앞 파라솔. 밤.

컵라면에 닭가슴살 소시지를 들고 우걱우걱 먹는 다음.
그 앞에 선 제하가 포도주스를 밀어주며 앉는다.

제하	오늘은 정기검진?
다음	아… 네… 정기검진. 하하. (말 돌리며) 오 포도주스 마시고 싶었는데.
제하	원 플러스 원이라 두 개를 한 개 가격으로 산 게 되는 건데, 특별히 주는 거예요.
다음	(웃고) 감독님 생색도 낼 줄 알아요?
제하	테스트 촬영할 씬 연습을 해야 되는데.
다음	(주스 마시다가 꿀꺽) 아, 네.
제하	보통은 영화 촬영 전에 계획한 대로 찍기 위해서 말 그대로 테스트로 촬영하는 건데, 이다음 씨에겐 실전이에요. 나는 설득했을지 몰라도, 우리 영화를 함께 만드는 많은 사람들한테도 설득이 돼야 해요. 내가 주인공을 할 수 있는 배우라는 걸 이다음 씨가 보여줘야 해요.
다음	(결의) 열심히 할게요. 할 수 있어요. 저.
제하	그리고… 속여야 할 사람들이 하루에 수십 수백 명씩 늘어날 거예요.
다음	(뜨끔) 어… 네. 조심해야죠. 안 그래도 어디 안 새고 집, 연습실. 또 집, 연습실만 왔다 갔다 할 거예요.
제하	연습실?

207

Episode 3

다음	서영 선배님 소속사요…
제하	??…거기서 왜?
다음	서영 선배님이 신경 써주셔서 회사 연습실 쓰게 해주셨거든요… 테스트 촬영 씬 맞춰 보자고 하셨어요!
제하	흠. 많이 보고 배워요. 좋은 배우니까. (잠시 머뭇하다) 아픈 거 들키지 않게 조심하고.
다음	(속이고 있어 마음이 불편) 네…

#43. 서영의 소속사 외경. 낮. (다른 날)

#44. 서영의 소속사 연습실 안. 낮.

먼저 와서 연습실에 앉아 있는 다음.
문을 열고 서영이 들어오는. 눈이 마주치자, 서영이 반갑게 먼저 웃어 보인다.
다음, 내심 안심하고… 준비했던 말을 하려고 하는.

다음	선배님 그 저번에는…
서영	(끊으며) 아니? 나 안 궁금한데?
다음	(흠칫 놀라고) 네…?
서영	준비되면. 말할 준비가 되면 나도 그때 들을게요.
다음	(뭉클…) 네… 감사합니다…
서영	(상큼하게) 그럼, 시작해 볼까?
다음	(신이 난다) 네!

#45. 몽타주. 다음과 제하의 준비

- 연습실. 다음과 서영 실전 같이 연기하는 모습. 다음의

캠코더가 그 모습을 담고 있다.

- 제하의 오피스텔. 밤새 대본을 본 듯한 제하의 모습.
  창밖은 아직 푸르스름하다.
- 한강공원. 운동복 차림의 제하가 한강 변을 뛰고 있다.
  호흡을 정리하며 멈춰서고, 괜히 잘 묶여있는 신발 끈을
  풀고 다시 묶는다. 그러고서 왔던 길을 돌아 뛰는 제하.
- 준병 가게 앞. 땀에 젖은 채 가쁜 숨을 몰아쉬는 제하.
  멀리서 양손 가득 식재료를 사 오는 준병이 보이고.

>   준병   (봉지를 흔들며) 형! 왔어? (운동화에 시선
>   향하고 수다스럽게) 오, 신발 좋아 보인다.
>   푹신푹신하니 발도 편해 보여.
>   제하   아침이나 주라.
>   준병   광어 타코. 오케이?
>   제하   (한숨)

- 아침, 교영 집. 알람 소리에 중얼중얼 잠꼬대를 하며
  깨어나는 다음. 거실로 나가 밥을 차리면서 주워 먹으며
  손에 대본을 들고 연습한다.
- 식당. 제하 옆 테이블에 앉아 모바일 게임을 하고 있는
  준병. 운동복 차림으로 한마디 없이 자신의 할 일만 하는
  제하.

#46. 병원 정효 연구실 안. 낮.
정효, 근심이 많은 얼굴이 컴퓨터 모니터에 비친다.   209

INS. **21씬.**

>   다음   **제발… 그만해 아빠. 병실에 누워서 1년을**

Episode 3

정효   (옅은 한숨) 하아…

#47. 서영의 소속사 고대표 사무실 안. 낮.

팀원들 대여섯 모여서 회의 중. 고대표는 묘한 표정으로
태블릿을 보고 있는데,

직원이 찍은 듯, 다음과 서영이 연습실에서 함께 웃고 있는
사진.

팀원1   (자료 챙기며) 그… 서영 씨 광고가 〈하얀
사랑〉 캐스팅 기사 이후로는 신규 건이 안
들어와서…

고대표   (태블릿을 골똘히 보고 있고) 응.

팀원1   재계약 기간이 곧인데, 그건 어떻게…

고대표   (태블릿에서 다음을 확대해 보여주는)
라이징하지 않니?

팀원1   (바로 알아듣고) 미팅 잡을까요?

고대표   (잠시 생각하고) 아니. 오랜만에 초심으로
돌아가야겠다.

#48. 교영의 방 안. 낮.

방에 들어오는 다음. 쓰레기통 앞에서 후다닥 뚜껑을 닫는
교영.

210

교영   드디어 내일 촬영이네! 안 떨려?

다음   테스트 촬영이 왜 떨려.

교영   뻥 치지 마.

다음   응. 나 너무 떨리고… 토할 것 같고…

쓰러질까 봐 무서워⋯

교영   연차 낼게!

다음   아니야. 너 출근해야지. 거기 가면 감독님이
          있어서 괜찮아.

다음이 지저분한 쓰레기들을 작은 쓰레기통에 넣으려고
보는데,
장례지도사 명함이 보이고. 멈칫하고서 딴짓 중인 교영을
쳐다보는.
들고 있던 쓰레기를 그 위에 버리고 뚜껑 닫고.

다음   봤어?

교영   뭐래 갑자기. 자, 어깨 펴. 무조건 잘해. 다른
          건 다 까먹고 연기만 생각해. 네가 제일 하고
          싶은 거. 그것만!

교영, 무심하게 다음의 옷 먼지 떼어 주는데, 다음이 눈이
글썽한 채 웃고.

#49. 시골의 한 주택. 낮.

- 테스트 촬영을 준비하고 있는 로케이션 주택. 조명팀으로
  보이는 장정 서너 명이 대형 흰 천을 프레임에 준비
  중이고, 촬영팀은 레일과 크레인을 동시 테스트 중인⋯
  촬영을 준비하느라 바쁜 현장 사람들. 그 한가운데에
  모니터를 보며 계속해서 철민과 콘티 얘기 중인 제하.   211
  대형 천 세팅이 끝난 조명팀이 프레임을 잡고서 크게 돌며
  움직이자 센스 있게 자기 쪽 스탠드를 스윽 밀어주는. 로케
  실장이 다가오는데, 꼴꼴이 말이 아닌.

유홍	고생하셨어요, 실장님. 답사 때보다 공간이 더 좋네요.
로케실장	하하… 파이팅입니다… 이거 근데 테스트 촬영이 좀 중요한가 봐요…? 살면서 이렇게 힘든 테스트는 처음이야…
유홍	운명이 걸렸거든요. 이게 넘어가야 실장님도 더 바빠지세요.
로케실장	(질린다는 듯) 나도 한 워커홀릭 하는데… 이번엔 뭐랄까, 이게 참…
유홍	유난이라고요? 어쩌면 그런 유난이 작품을 만듭니다! 자 가시죠. 어! 다음 배우님 오셨어요!

구석 한편에서 이 대화를 몰래 듣고 있던 다음.
흔한, 당연한 테스트 촬영이 아닌 건가… 싶고. 멀리서
승원이 다가와 다음을 발견한다.

| 승원 | 다음 씨! 오셨네. |
| 다음 | 안녕하세요 대표님! |

#50. 촬영장 주변 일각. 낮.
걷고 있는 제하와 서영.

서영	잘해야겠네. 이 영화의 운명이 걸려 있으니…
제하	부담되면 얘기해줘 편하게.
서영	부담돼.

잠깐의 정적. 그리곤 웃음.

212

제하	다음 씨 연습실 빌려준다며.
서영	응. 내가 다음 씨한테 갚을 게 좀 있어서.
제하	그게 뭔데?
서영	그런 게 있어. 뭘 그렇게 꼬치꼬치 관심을 가져?
제하	앞으론 제작사 사옥에서 해. 나랑 같이.
서영	왜? 다음 씨가 나랑 둘이 있는 게 좀 그래?
제하	왜 그렇게 생각하지?
서영	(의외의 냉랭함에 거리감이 느껴지고) 그…아니 뭐. 그래 뭐 그게 마음이 편할 것 같으면. 근데 있잖아, 감독님. 그…

INS. 34씬. 화장실에서 쓰러진 다음

제하	(서영의 태도가 심상찮음을 느끼고) 말해.
서영	아, 다음에. (웃으며) 아무것도 아니야. 들어가. 감독님.

#51. 시골의 한 주택. 낮.

주택의 이층 방 한편 병원용 침대에 걸터앉아 있는 다음과 그 앞에 서 있는 서영.

서영	긴장하지 말고. 연습하던 대로.
다음	(심호흡) 네. 선배님!

테스트 촬영이지만 다음의 첫 촬영. 그리고 진짜 주인공이 될 수 있는 운명의 순간.
다음, 두근거린다. 제하, 5년 만의 현장. 5년 만에 영화를

찍을 수 있을지가 걸린 운명의 순간. 기분 좋은 긴장감,
살아있음이 느껴진다. 제하가 2층 복도 감독 모니터
자리에서 일어나 방으로 들어가 다음과 서영에게 디렉션을
주고.
다음, 제하를 슬쩍 쳐다보고, 제하, 눈으로 다음에게
안심하란 사인 보내고,

        연출부   테스트. 테이크 원.
        촬영부   카메라 롤.
        동시부   스피드.

모든 게 시작되는 현장의 고요함을 깨고,

        제하   (경쾌하게) 레디, 액션.

벅찬 마음이 그대로 드러나는 제하와 다음의 표정.
(시간 경과) 서영이 나가고, 다음이 혼자 씬에 몰입해 있는
모습. 젖은 머리칼에서 물이 뚝뚝… 그 모습을 숨죽여
지켜보는 스태프들의 눈. 집중하고 있는 스태프들 각자의 손.
눈을 떼지 못하는 제하. 그러다 컷이 나와야 하는 지점에서
천천히 힘이 들어가는 제하의 손. 끝내야 하는 타이밍.
손가락을 테이블에 탁.

        제하   컷, 오케이.
214   유홍   컷이요 고생하셨습니다.

다음 컷 소리에 안도의 한숨을 쉬고, 서영 그런 다음 보며
웃는다.

제하도 긴장을 푸는 표정. 유홍이 수건을 다음에게
가져다주면 다음 고맙게 받아 들고.

> 서영   (철민 보고) 어땠어요?
> 철민   (감동…) 좋았어요.
> 서영   모니터 보러 가요.
> 다음   (아직 얼떨떨 호흡 가다듬고 있다) 저도 봐도
>   될까요?
> 서영   당연하죠. 우리가 같이 한 거잖아. 배우가
>   당연히 봐야죠.

그 말에 심장이 쿵…

#52. 촬영장 주변. 안. 낮.
다른 룸에서 모니터를 둘러싼 승원 제하 다음 서영 유홍
그 밖에 스태프 몇몇. 다 함께 현장 편집본을 보는 중. 다음의
대사가 끝나자마자 다음이 제하의 얼굴을 살피는데,
묘하게 찡그림이 스쳐 가는 것을 보곤 불안함이 찾아온다.
이때 한껏 상기된 승원,

> 승원   바로 들고 들어가자. 하나하나 안 짚어주면
>   도무지 믿는 법을 모르니까. 신인배우
>   설득시키려고 별짓을 다 한다. 어우, 이거
>   보면 이제 투자 철회니 뭐니 안 하겠지.

215

다음, 투자 철회? 이제야 모든 게 이해되는…

> 제하   (다음이 신경 쓰이고) 쓸데없는 소리 말고.

현장 편집본 말고, 내가 편집기사님이랑
제대로 편집해서 가져갈게. 색보정도 하고.

승원   더 완벽하게 하자는 말이지? 시간 얼마 줘?

제하   여유 있게 내일 아침 10시 정도로 해줘.

분주한 상황 속에 계속해서 제하의 표정을 살피는 다음.

#53. 촬영장 주변 일각. 낮.

제하 차 문을 열려는 데 반대편에서 튀어나온 다음.

다음   감독님!!

제하   (차 문 열다가 닫고) 아직 안 갔어요?

다음   (머뭇거리다 용기 내서) …저 때문에… 우리
         영화를 못 만들 수도 있나요?

제하   (단호) 아니에요. 못 만들면… (풀며, 부러
         가볍게) 다음 씨와 나 때문이에요.

다음   네?

제하   5년 동안 아무것도 못 한 감독. 어떤
         투자자가 믿어요. 이 요란한 테스트 촬영은
         이다음과 이제하, 이 둘을 위한 시험대예요.

다음   더 잘했어야 됐는데…

제하   뻔뻔하게 잘 해내겠다고 당당하던 이다음은
         어디 가고. 걱정 말고 들어가요. 나 믿어요!

다음   (두근!)

제하와 운명 공동체라는 느낌에 뭉클하기도 불안하기도 한
다음,

216

차에 탄 제하, 시동 걸고 출발하기 직전에.

제하   오늘 고생했어요.

떠나는 제하. 그런 제하의 뒷모습을 바라보는 다음.
왠지 저 남자가 신경 쓰이기 시작한다.

#54. 편집실. 안. 낮―밤.
51씬 다음과 비슷한 사이즈의 다음의 얼굴이 편집실 화면에
정지되는. (음악이 멈추고)

편집기사   (놀라움) 오디션에서 찾았다고요? 자기 발로
           걸어 들어왔다고?
제하   어때요?
편집기사   참 신기해. 매년 이렇게 뉴페이스들이 어디
           숨어 있다가 톡톡 튀어나오는지. 이 친구
           덕에… 서영 씨도 확 사네.
제하   …진짜 배우들이에요.

– 제하, 편집기사와 함께 상의해 가며 밤새 정교하게 편집을
  해나가는 모습.

#55. 교영의 집 안. 밤.
교영은 방 안에서 자고 있고,
책상에 앉아서 노트북으로 〈하얀 사랑〉을 보다가 멈추는 다음.   217
하얀 사랑 김진여, 검색창에 치고 자료 뒤지고.
영화를 또 재생시키고. 진여의 연기를 계속해서 보는…

#56. 색보정실. 밤.

암실에 가까운 색보정실. 색보정 기사가 색을 휙휙 돌리며 만지고 있고, 제하와 철민이 뒤편에 서서 유심히 바라보며 얘기하는.

철민	어, 레드를 너무 뺐나? 아 원래 다음 씨 피부가 너무 하얗구나. 진짜 아파 보이네. 연기도 워낙 몰입이 되게끔 하니까 진짜 아픈 사람 같아… 어디서 저런 신인을 찾았대?
제하	(뜨끔하지만 내색 않는) 기사님, 잠깐 쉴까요? 화장실 좀.

#57. 인서트. 아침.

해가 뜨고, 하드를 들고 어디론가 향하는 제하.

#58. 〈하얀 사랑〉 테스트 촬영본. 낮. 규원의 집 안.

정화(서영), 역한 냄새라도 맡은 듯 미간을 찡그리며 규원(다음)에게.

정화	이 냄새구나.
규원	(보면)
정화	이 냄새가 그렇게 지긋지긋했다고 하더라고.
규원	(내 얘기구나 싶어 떨리지만, 아무렇지 않게) 기분이나 마음 상태는 어때 보였어요? 서울에서 많이 바쁜가요?
정화	(못 참겠고) 야. 못 봐주겠으니까 그 청승 좀 어떻게 안 되겠니?

218

우리영화 대본집

규원	(화가 나고, 몸이 떨리고) 현상 씨 있는 곳 알죠? 나 알려줘요.
정화	알려주면? 그 꼴로 올라가 질질 짜면서 뭐, 매달리게? 곧 죽는다면서. 그건… 너무 염치가 없잖아.
규원	(순간적으로 정화의 뺨을 때리고)
정화	(어이가 없고 반사적으로 뺨을 때리려 손을 올렸다가 관두는) 아니다. 불쌍한 애한테 내가 뭐 하는 짓인지.

정화, 발로 캐리어 치우고 그대로 집을 나가버리고. 남겨진
규원. 자기 몸 냄새를 맡아본다. 아픈 사람한테서 나는 환자
냄새. 화장실로 뛰어 들어가 수돗물을 틀어 놓고 무작정
끼얹으며 얼굴과 몸을 거칠게 닦는다. 참아왔던 눈물을
터뜨리며 주저앉는다.

#59. 시사실 안. 아침.

암흑 속 빔이 꺼지고, 승원이 불을 켜고, 제하 담담한 표정.
한상무의 표정도 변화가 없고. 좌불안석 승원. 그러다,
한상무 웃음이 터지고.

승원	(눈치 보며 웃음) 씬 하나예요. 이 씬 하나로 모든 게 설명되죠. 본 촬영도 아니고 테스트. 연습인데도요.
한상무	아무것도 모르는 내가 봐도, 테스트라기엔 너무… 완벽하네요. 솔직히, 감탄했어요.
승원	모든 게 다 준비됐습니다 상무님.
한상무	이다음? 저 배우는 도대체 어떻게 찾은

219

거예요? 수백 명을 봤을 텐데 어떻게 저런
얼굴을 찾아냈을까. (의미심장하게)… 저렇게
생기 넘치는 여자가 죽는다니까 벌써부터 막,
가슴이 아려오고 그러네.

제하 　네 보신 그대로가 맞아요.

한상무 　이 정도면 우리 노인네들 설득할 명분은
충분하네요. 근데, 원작의 규원이었던
여자는 은퇴한 지 오래죠?

승원 　네네 뭐 그분은 진작에 업계 떠난 지가
한참이라

제하 　그분은 왜요?

한상무 　(묘하게 웃음) 그냥… 뭐 하고 사나 싶어서요.
영화가 끝난 후에 여자주인공들은 뭘 하고
사나 궁금하잖아? 투자는 제가 책임지고
진행할게요. 걱정 말고 (의미심장) 이감독이
만들겠다는 그 스토리, 재밌게 만들어 봐요.

#60. 시사실 주차장. 아침.

제하와 승원, 차로 가며 걷고 있는.

제하 옆으로 승원이 신난 채로 일정을 애기하며 떠들고 있고,

승원 　일정 안 된다던 촬감 꼬셔와, 탑배우
조연으로 캐스팅해. 특급 신인 찾아내.
투자자까지 설득하고… 정말이네? 손해는 안
보게 해주겠다는 말?

제하 　먼저 들어가, 난 어디 좀 들러야 해서.

승원 　그래그래 밤 샜지? 사우나라도 들렀다가 가지.

제하 　형.

승원	어! 왜?
제하	(피식) 고마워.

제하의 치레에 새삼 쑥스러워하는 승원. 이내 묘하게 군다.

#61. 제하 차 안. 낮.

제하, 다음에게 전화 건다.

제하	어디예요? 잠깐 시간 있어요?
다음(E)	병원 가고 있어요. 검사 결과 듣는 날이라서.
제하	병원으로 갈게요. 잠깐 얼굴 봐요.

#62. 한국대병원 앞. 낮.

마중 나온 다음. 달려오는 제하. 다음이 앞에 다다르고,
숨 고르고.

다음	(긴장되어서 못 물어보겠다) 감독님 무슨…
	일 있어요?
제하	이제… 다음 씨 진짜 우리 영화
	주인공이에요.
다음	네?
제하	이다음 씨가 연기한 그 한 씬으로 영화 투자
	받았어요.
다음	(믿기지 않고) 네?
제하	이건 어려운 일이에요. 다음 씨가 설득한
	거예요. 다음 씨 힘으로. 고마워요.

221

그 순간, 제하를 덥썩 안아버리는 다음.

제하, 놀라서 얼어버리고.

벽찬 다음의 눈에선 눈물이 글썽하다. 몸 떼고,

>   다음   (어색해져서) 아… 감사 인사예요. 헐리웃
>   스타일로.
>   제하   (피식) 정말 잘했어요. 맘 같아선 그걸
>   그대로 영화에 쓰고 싶을 만큼.
>   다음   (벽찬다) 정말이에요? 제가 정말, 이제
>   규원이가 될 수 있어요?
>   제하   (끄덕) 이제 시작이에요.

다음, 심장이 막 뛴다. 갑자기 제하 손을 자신의 목덜미에
갖다 댄다. 다음의 떨림이 느껴져 제하 또한 묘한 설렘이
느껴지고.

>   다음   느껴져요? 숨이 멈출 것 같아요. 막 뛰어서.
>   와 손까지 떨려.
>   제하   (손 빼고, 당황하고)
>   다음   아, 막 삶의 희망이 샘솟는다. 진짜.
>   제하   (다음의 현실을 다시 한번 자각한다)
>   다음   (제하의 시선 느끼고 화제 돌리며) 근데,
>   규원이가 삶을 포기하려고 했다가
>   아이러니하게도 희망을 보는 씬. 장소가 안
>   적혀 있던데…
>   제하   못 적은 거예요. 못 찾아서.
>   다음   그렇구나… !? 추천해도 돼요?
>   제하   아니. 그럴 시간에 연습이나 해요.
>   다음   연습은 연습! 추천은 추천! 따라와요!

222

#63. 병원 6층 병동 복도 끝. 낮.

긴 복도 끝 통창 앞으로 제하를 안내하는 다음.
통창 앞에 선 제하와 다음.

> 다음   여기예요.
> 제하   (주변 힐끔힐끔) 병원 홍보영상에
>   딱이겠네요.
> 다음   (피식) 아니 여기 말고 (손으로 바깥 아래
>   가리키고) 저기요.

제하, 다음이 가리키는 곳을 본다.
정속이었다 고속. 비둘기가 날아가고. 도로에 차가 멈추었다
출발하고. 사람들이 신호에 멈췄다가 걷고, 누군가와
이야기를 나누는 사람들도 보이고. 바깥의 소리가
인서트들을 채웠다가 다시 통창을 보고 있는 다음과 제하로
바뀌면, 바깥 소음들이 없어지고.

> 다음   병원에 있다 보면, 견디기 힘든 날이
>   찾아와요. 그럴 때마다 여기 이렇게 서서
>   바깥을 봤어요… 이 유리창 하나 사이로
>   삶이 이렇게나 다를 수 있구나…
> 제하   (가만 보면)
> 다음   규원이가 여기 서서 이렇게 바깥을 보면
>   정말 살고 싶을 거예요.
> 제하   (창밖만 보고 있는 다음을 본다)   223
> 다음   (여전히 바깥 보며) 제가… 며칠 전까지는
>   제 장례식 준비하겠다고 알아보고 다닌
>   사람이었거든요… 근데, 정신 차려 보니 저

바깥으로 나갔더라구요. (고개 돌려 제하
보고) 영화 때문에. 이 영화는… 적어도
저한테만큼은 그런 힘이 있어요.

다음의 이야기에… 무언가로 한 대 맞은 듯한 제하…
제하가 시선을 피하지 않으니 조금 어색해지고. 다음 시선
돌리며,

> 다음   그리고 저 바깥에 사람이 한 명 있는 거예요.
> 영화 속 규원이가 세상을 내려다볼 때,
> 세상에 속해 있는 어떤 사람이 지나가다
> 문득, 건물을 올려다보고 규원이를 향해
> 웃어주는 거죠.

INS. **41씬. 다음을 향해 손을 흔들어주는 제하.**

> 다음   그럼 어떻게 되는지 알아요?
> 제하   어떻게 되는데?
> 다음   규원이는 무너질 거예요. 너무… 살고 싶어서.
> 그런데 죽음이… 자꾸만 따라붙으니까…
> 제하   (마음 아파서 보면)
> 다음   그게 내 운명이라면, 오케이. 알겠는데, 나도
> 좀 즐기자 하곤 죽음을 따돌릴 거예요. (제하
> 보고) 그 순간이 아주 짧더라도.

224

생각지도 못했다. 그렇겠구나… 제하는 연이어 충격.
제하, 다음이 가리키는 바깥을 보고, 자기도 모르게 다음의
머리를 기특하다는 듯,

머리칼을 조금 터는 정도로 쓰다듬는다. 다음, 굳고.
어색하고. 두근거리고…
제하도 자신의 예상치 못한 행동에 당황하고…

제하   (웃으며) 여기 좋은데.
다음   (고개 돌려 제하보고 싱긋) 그래요?
           알바비라도 줘야 되는 거 아닌가? 최고의
           장소를 알려줬는데.
제하   섭외까지 해야 일한 거지 생색은.
다음   섭외까지 해줄라 그랬어요.
제하   !?
다음   노 프라블럼. 식은 죽 먹기. 여기… 내
           나와바리…

제하, 웃음 터지고. 웃는 제하 얼굴 보고 같이 웃는 다음.
FADE OUT.

#64. 승원 제작사 사옥. 낮.
FADE IN. (시간 경과)
제작사 사옥 내 연습실로 향하는 다음. 발걸음이 굉장히
상쾌하고 가벼워 보이는.
표정은 말할 것도 없이 행복해 보이고. 굉장히 설레
보이기까지 하는…

고대표   다음 씨 좋은 아침. 나 알죠?   225
다음   (놀라고) 네… 안녕하세요.
고대표   미팅 가는 길인 거 알아요.. (웃음) 나도
           서영이랑 왔어요.

Episode 3

#65. 제작사 사옥 내 카페. 낮.

사옥 내 카페의 야외 테라스.
빨대를 조심스럽게 입에 가져다 대는 다음. 마시면서도
시선은 시계로 향하고.

다음   저… 혹시 하실 말씀 있으세요?

고대표   당연히 있죠.

다음   어떤… 말씀…

고대표   우리 회사에 새로운 얼굴이 안 들어온
         지 꽤 됐어요. 난 아무나 안 들이거든요.
         요즘엔 진짜 같은 사람들이 없어. 내가 제일
         중요하게 생각하는 게 연기에 대한 진정성?
         뭐 그런 거?

다음   (어쩌지…) 저는 회사는 안 들어가요 대표님…

고대표   (커피 마시다 사레) 켁켁. 왜요? 아니, 이런
         영화에 주인공으로 캐스팅됐으면 이제
         쭉쭉 치고 나갈 일밖에 없는 라이징 스타가
         회사가 없는 게 말이 돼? 우리 회사가
         마음에 안 들어서? 계약 조건도 안 듣고?

다음   조건 같은 건… 상관없고… 전 이 영화면
         되거든요… 이 다음엔 …욕심이 없어서요…

고대표   모두가 원하는 역을 땄는데, 욕심이 없다니.
         그거 간절한 배우들에게 되게 실례예요.

다음   (아) …죄송합니다. 그냥 사정이 있다고
         해둘게요.

고대표   나한테 죄송할 일은 아니고… 혹시…
         감독님이 계약하지 말라던가요?

다음   아뇨. 그럴 분 아니에요.

고대표	여기 그럴 분 안 그럴 분 따로 있지 않아요.
	업계가 그래. 이제하 감독… 감독으로선
	믿더라도 인간으로서 너무 믿진 마요.
다음	(불쾌하지만 상큼하게) 전 누구보다 감독님
	믿어보려구요. 죄송한데 미팅 시간이 다
	돼서… 일어나보겠습니다.

꾸벅 인사하고 가는 다음.
물러서지 않는 표정으로 사라지는 다음을 바라보고 있는
고대표…

#66. 승원 제작사 사옥. 낮.
연습실 앞 복도. 방금 전 일에 조금 상기된 채 연습실 문을
여는 다음.
천천히 문이 열리고… 다음이 앞에 보이는 건,
제하에게 키스하고 있는 서영이다…!
너무 놀라 그 자리에서 문고리를 잡은 채 굳어버린 다음.
그 모습에서 엔딩.

227

Episode 3

Episode 4

제하와 서영은 무슨 사이일까? 혼란스러운 다음.

한편 정우는 제하에게 묘하게 불편한 식사자리를 제안한다.

#1. 과거. 〈청소〉 촬영현장. 안. 낮.

생활감 느껴지는 20평대 아파트. 쓰레기 소품으로 가득 차
있는 공간. 스태프들 전부 손 놓고 서로 눈치만 보고 있고,
몇 시간째야… 왜 이렇게 안 나와… 웅성거리고. 조감독이
화장실 문을 닫고 조심스레 온다.

조감독   감독님께서 가보셔야겠는데요.
제하   (일어서며) 좀 괜찮아?
조감독   (절레절레) 아뇨… (머리칼 쥐어 잡고) 막…
                막… 이러면서

제하 일어나 달려가고.

#2. 과거. 〈청소〉 촬영현장. 안. 낮.

서영, 화장실 구석에 주저앉아 머리칼을 붙잡고 엉엉 운다.
노크 소리, 제하가 살며시 문을 열고 들어오고, 문을 닫고.
서영 앞에 쭈그리고 앉아 본다.

제하   (휴지 건네주고) 일단 좀 진정하고.
서영   (휴지 건네받고, 닦고) 웃어도 컷. 울어도 컷.
                무표정도 컷. 떨려해도 컷. 다 아니래. 그럼
                뭔지 설명을 해줘야 될 거 아니에요.
제하   …미안해요.
서영   6개월째 이 쓰레기 집을 청소해 주는
                남자한테서 편지로 고백을 받았잖아요. 얼굴   229
                한 번 본 적도 없는데 사랑하는 것 같대.
                솔직히 그걸 어떻게 믿어요? 소름 끼치죠.
                난 숨고 싶어서 이렇게 사는 건데…! 근데

사랑에 빠진 것 같은 표정을 어떻게 지어요!

제하   (! 그거다) 일어나요. 지금 찍으면 돼요.

서영   뭐라구요?

제하   지금 서영 씨가 느끼는 감정으로 가요. 내가
       잘못 생각했어요. 그렇지. 사랑에 어떻게 빠져.
       본 적도 없는데.

서영   (눈물 그치고… 의아) 무슨 감독이 이래…

제하   이건 비밀인데, 내가 잘 몰라서 이 영화를
       만드는 거예요.

서영   뭘 몰라요?

제하   사랑한다는 게 뭔지.

서영   (순간, 솔직한 제하에게 마음이 쿵)

제하   (간절하게 쳐다보고)

서영   (일어서고, 제하에게 손 내밀고, 제하 잡고
       일어나면, 손 안 놓고) 준비됐어요. 무슨
       느낌인지 알 것 같아요.

#3. 과거. 한강 둔치. 차 안. 낮.

밖엔 비가 내리고. 차 안에서 맺힌 빗방울들을 보다 책 보고
있던 제하의 책을 빼앗아 덮고, 키스하려 천천히 다가가는 서영.

– 타이틀, 〈우리영화〉 –

#4. 제작사 건물. 안. 낮.

230   커피 컵에 맺힌 물기가 제하의 손가락에 닿자, 커피를 옆에
      내려두고 손을 바지에 비벼 닦고 시계를 본다. 멀찍이 거리를
      두고 앉아 있는 서영과 제하.

서영	(시계 보는 제하 보고) 정우 씨는 조금 늦는대. 다음 씨도. 고대표가 벌써부터 난리야, 다음 씨 불러 따로 얘기 중. 아마 계약 얘기겠지.
제하	!?
서영	저 정도 신인이면 눈 돌아가지 않겠어? 나 이제 곧 계약 끝나거든.
제하	…이다음 씨한테는 회사가 필요 없어.
서영	신인 배우한테 회사가 필요 없을 수 있나?
제하	(얼버무린다)… 회사를 낄 거였으면 애초에 신인을 뽑지 않지.
서영	이 영화만 찍을 건 아닐 거잖아? 우리 회사 정도면 다음 씨 크는 데 도움 많이 되겠지.

제하, 말없이 서영을 보고.

서영	나 어떻게 지냈는지는 안 궁금해? 우리 너무 일 얘기밖에 안 한다.
제하	잘 지내길 바랐지.
서영	그게 끝이야?
제하	그게 끝이야.
서영	서운하네. 그러네. 나 서운하다. 아직 이제하한테 서운함을 느끼네.
제하	우리 이제 하고 싶은 말 다 하고 그럴 사이 아니야.
서영	감독님이랑 그렇게 헤어지고 결혼 생활은 행복했는지. 전남편은 사업 한 번 휘청하니까 별 볼 일 없어 이혼한 건지. 외로운 건

231

병적으로 싫어해서 잠깐이나마 기댈 남자
찾는 버릇은 여전한지. 물어봐 주길
기대했어. 근데 잘 지내길 바란다가 끝?

제하   ···흥분했어. 그만 얘기해.

서영   ···가슴 밑바닥에 찝찝하게 기름때 낀 것처럼
이제하가 껴있어.

제하   (외면하고)

서영   (일어나 제하 앞에 다가선다) 제하 씨는?
밑바닥에 아직 내가 있어?

갑작스럽게 제하에게 입 맞추는 서영. 그때, 문 닫히는 소리.
제하 놀라서 서영 밀치고 문 쪽 보는데 아무도 없다.

제하   무슨 짓이야?

서영   날고 기는 대체품을 찾아내봤자 성에 안
차서 결국 처음 원했던 걸 갖고 나면 직성이
풀릴까. 그래서 해본 거야.

제하, 무시하고 가방 들고 간다.

서영   (한숨) 난 아직 에너지가 좀 남았나 봐.
고갈된 줄 알았는데··· 눈앞에 있으니까···
자꾸···

제하   (멈칫. 돌아보며 냉정하게) 우리, 영화만 하자.
너랑 나는 그거면 충분해.

서영   그래··· 영화···

제하   미안하지만 오늘 미팅은 취소할게.

232

제하 나가고. 제하가 뱉은 말이 아린 듯, 지나간 곳을
계속해서 보고 있는 서영.

#5. 제작사 건물 복도. 안. 낮.
제하, 문을 닫고 잠시 기대 한숨. 쓰린 표정. 심호흡하고 빠른
걸음으로 걷는다.

#6. 제작사 건물 비상문 난간. 밖. 낮.
비상구에서 멍하게 밖을 보는 다음.

INS. 제하—서영의 키스 장면. (#4 연결)

서영이 제하에게 키스하자 문을 닫고 벽으로 몸을 숨기는
다음.
놀란 마음이 진정이 안 되고, 곧장 비상구 쪽으로 뛰어간다.

다음, 이게 무슨 느낌이지? 감독님과 서영 선배는 무슨
사이일까?
온갖 생각에 머리가 복잡한 다음. 그때, 제하가 건물을
빠져나와 지상의 주차장으로 가서 차를 몰고 사라진다.
그 모습을 위에서 보고 있는 다음. 어딜 가지? 가면 안
되는데… 애타고. 애타는 다음의 어깨를 뒤에서 누군가 톡톡
친다. 다음이 돌아보면, 정우다.

다음	(돌아보는)…!?	233
정우	이다음 씨? 맞죠?	
다음	어? 안녕하세요… 선배님. 처음 뵙겠습니다…	
정우	사랑할 사이인데, 이렇게 처음 보네요.	

Episode 4

다음	(어색한 미소) 네… 잘 부탁드립니다.

#7. 제작사 복도. 안. 낮.

어색하게 복도를 걸으며 연습실로 향하는 정우와 다음.
다음의 머릿속에는 온통 제하-서영의 키스 장면이 들어있어
멍한 상태.

정우	근데, 거긴 왜 혼자 우두커니 서 있었어요? (장난) 흡연?
다음	(정신 차리며) 아, 그냥 좀…
정우	(웃음) 감독님은 가셨던데. 미팅 주최자가 말도 없이.
다음	무슨 급한 일이 있으셨나 봐요…
정우	(다 와서)…감독님이랑 친해요?
다음	(화들짝) 아뇨. 알아가는 단계예요.
정우	나도 감독님이랑 친해지고 싶은데. 알아가는 단계면 정보 공유 좀 해줘요.

그때, 미팅룸 문을 벌컥 열고 나오는 서영.

다음	(괜히 어색하다)
서영	두 사람… 어떻게 같이 왔네?
다음	안녕하세요, 선배님.
정우	앞에서 만났어요. 운명적으로.
서영	(정우 눈빛 피하고) 감독님이 일이 생기셨다고 해서… 미안하지만 우리는 다음에 따로 자리를 갖는 게 좋겠어.
정우	간 사람은 감독님인데 선배가 왜 미안해요?

234

정우의 물음에 대답 없는 서영. 그런 서영을 바라보는 다음.
잠시 어색한 정적.

> 서영   다음 씨.
>
> 다음   아, 네 다음에요! 다음에 해요! 괜찮아요.
>   선배님!
>
> 서영   (…웃음) 그래… 다음에, 다음에 얘기하자.
>   정우 씨도.

둘을 지나쳐 나가버리는 서영.
서영이 지나간 곳을 머쓱하게 바라보는 다음과 정우.

> 다음   저도 먼저 가볼게요! (꾸벅 인사)
>
> 정우   우린 그럼… 리딩 때나 보겠네요. 자주 봐야
>   정도 들고 할 텐데.
>
> 다음   (어색하게 웃는다)
>
> 정우   (웃으며) 하긴. 엄밀히 말하면 정은 떨어질
>   사이잖아요? 이래 봬도 내가 곧 아픈 당신을
>   두고 잔인하게 떠나버릴 사람이니까.
>
> 다음   (계속 어색한 웃음) 그러네요. 들어가
>   보겠습니다.

다음이 다시 한번 꾸벅 인사하면, 정우도 똑같이 두 손 모아
허리 숙인 인사로 받아주는.

235

#8. 거리 일각. 밖. 낮.
다음, 핸드폰을 꺼내 제하에게 전화를 건다.

Episode 4

다음	감독님! 어… 저… 어! 감독님께 드릴 말씀이 있는데… 아뇨. 만나서요!

#9. 준병의 식당. 안. 낮.

창가 쪽 자리에 노트북 펴놓고 멍하니 앉아 있는 제하.
서영과의 일이 아직 신경 쓰이는.
준병이 그런 제하를 이상하게 쳐다보고 그때, 다음이 가게
문을 열고 들어온다.

다음	(눈으로 제하 찾고) 감독님!
제하	(다음 쪽을 본다)

수저 닦던 준병이 다음을 유심히 보고.

다음	(앉으며, 준병 보고) 안녕하세요~
준병	(벌떡! 일어나서) 안녕하세요!
제하	할 말이 뭐예요?

다음, 제하를 뚫어지게 본다. 스치듯 지나는 제하-서영의
키스 장면.
제하, 뚫어져라 자신을 보는 다음의 시선에 어색한 느낌.
제하에게도 스치듯 지나는 제하-서영의 키스 장면. 괜히
신경 쓰인다.

236 제하	(괜히 말 돌린다) 갑자기 미팅 취소해서 미안해요. 사정이 좀 있어서.
다음	(괜히 날 세우고) 세 명이나 바람맞힐 만큼 중요한 사정이에요?

제하	(당황) 여기 중요한 미팅이 있었어요.
다음	(지그시 보며) …그래요?
제하	(눈 피하며) 할 말이 뭐냐니까요.
다음	(둘러보고) 어 그게… (알람 울리고, 핸드폰 제하 보여주고) 밥부터 좀 먹고…
제하	(폰 보고) 저번부터 이거. 뭐예요?
다음	네?
제하	그 알람 뭐냐구요. 뭔데 알람 맞춰 밥 먹어요? 약도 아니고. 다음 저한테는 밥이 약이기도 하니까요. 쉽게 말해서 밥때를 놓치면 (준병 의식하며 조용히) 죽어요.
제하	(놀라고) 무슨 말이에요? 쉽게 말하지 말고 정확하게 말해 봐요.
다음	(가볍게 다다다 하지만 조용히) 보통 사람처럼 영양분이 흡수가 안 돼요. 그래서 남들보다 더 많이 더 자주 시간 맞춰 정확하게 영양 섭취를 해야 돼요. 공복 시간이 길어지면… 쇼크가 올 수도 있고. 심각하면 갑자기 죽을 수도 있대요. 그래서 자다가도 걷다가도 때 되면 뭐라도 먹어야 돼요.
제하	(가만 보다 준병 보고) 준병아, 밥 좀 줘.

#10. 서영의 밴 안. 낮

서영, 창밖을 보고 있고, [김정우] 발신자 표시가 뜬 핸드폰
계속 울리는데 받지 않는다.   237
운전 중인 민희, 룸미러로 흘긋 본다. 핸드폰 끊기고 [**부재중
전화 4통**].
서영, 무슨 짓을 한 건지, 후회된다. 생각이 많은 표정으로…

Episode 4

#11. 놀이터. 밖. 낮.

아무도 없는 놀이터. 그네 앞에 선 제하와 다음.

제하	그네 타는 게 소화에 크게 도움이 될 것 같진 않은데.
다음	아무래도 둘이서만 할 얘기다 싶어서요.
제하	벤치로 가죠.
다음	그네 타기 쑥스러우세요?
제하	…
다음	(냉큼 앉고) 이게 뭐 별거라고. 얼렁 앉아 봐요.
제하	(떨떠름하게 앉고) 무슨 얘긴데.
다음	제가 지금 할 얘기는… 화를 안 내셨으면 좋겠는데 솔직히 제 잘못이라 화내셔도 백번 이해하거든요. 죄송합니다!!
제하	(당황) 괜찮으니까 얘기해 봐요.
다음	(빠르게) 저번에 서영 선배 연습실 갔다가 화장실에서 발작을 했는데 서영 선배가 아무도 못 보게 막아주고 병원까지 데려다 주셨어요.
제하	(놀라고) 발작? 발작을 했다고?
다음	그 전날 밤새 무리해서 연습을 했어요. 선배가 부른 거라 들떠서. 제 잘못이에요. 컨디션 조절을 했어야 했는데… 죄송합니다.
제하	지금은? 괜찮은 거야? 봐봐요. (그네를 끌어당겨 자세히 보고)
다음	(훅 들어와 놀라고)
제하	(본인도 어색해서 그네 놓고 시선 돌리며) 괜찮은 것 같은데.

238

우리영화 대본집

다음	(훅 들어온 제하에 괜히 부끄럽고) 에이.
	테스트 촬영까지 무사히 마쳤는데… 괜찮죠.
제하	(안심) 괜찮으면 됐어요.

다음, 숨겼다고 한 소리 들을 줄 알았는데, 괜찮으면 됐다는 제하가 괜히 고맙다.

제하	한 소리 들을 줄 알았는데 쉽게 넘어가서
	한시름 놓여요?
다음	(뜨끔, 끄덕끄덕)
제하	(까칠하게) 비밀 유지 서약 1항 위반이에요.
다음	아, 근데… 서영 선배는 제가 어떤 병인지.
	어떻게 아픈지까지는 몰라요. 그냥 쓰러져
	있던 절 보고 경황없이 데려다 주신 거라서.
	그러니까 위반까지는… (고개 푹 숙이며)
	죄송합니다…
제하	(표정 풀고) 솔직하게 얘기해줘서 고마워요.
다음	(안도) 서영 선배한테는 어떻게 변명해야
	하나 했는데. 먼저 그러시더라고요. 다음에
	말할 준비되면 얘기해달라고.
제하	그런 상황이면 도움 청하는 게 먼저고.
	차라리 서영 씨가 옆에 있던 게 다행이에요.

다음, 제하의 서영에 대한 마음이 궁금하다.

다음	서영 선배… 감독님이 데뷔시키셨잖아요.
	선배는 데뷔 때 어땠어요?
제하	… 내가 잘 몰랐던 걸 알려준… 훌륭한

Episode 4

배우예요.

다음	그럼, 감독님한테 서영 선배는… 어떤 사람이에요?
제하	(괜히 냉정하게) 감독에겐 배우가 어떤 사람인진 중요하지 않아요.
다음	(괜히 서운) 사람과 사람이 일하는 건데, 중요하지 않다구요?
제하	… 어떤 사람인지 보다는 어떤 배우인지가 더 중요하다는 말이에요.
다음	(숨기는 게 있음을 직감적으로 알지만 말 돌린다) 어렵게 얘기하시네. (제하 가리키며) 감독님도 저한테는 좋은 사람이에요.
제하	(괜히 찔린다) 글쎄…
다음	제가 사람을 좀 잘 봐요. 믿어보세요! 그럼 저는 앞으로의 컨디션을 위해서! 일찍 들어가 볼게요!

다음이 손을 흔들며 사라지자, 그제야 불안한 표정이
드러나는 제하.

#12. 제작사 승원의 사무실. 안. 낮.
통화를 하며 빠른 걸음으로 들어오는 승원.

| 승원 | (통화) 이다음이라고, 아직은 엠바고예요. 엉엉, 그러니까~ 우린 신인배우 홍보자료 생겨서 좋고, 편집장님은 채서영에 김정우까지. 말도 안 되는 조건인 거 알죠? 그래요, 통화하자고요. 네~ |

240

전화 끊으며 들어오는데, 제하가 이미 와 앉아 있는 걸 보고.

승원	넌 왜 배우 미팅을 파토 내서 일을 두 번 하게 만들어.
제하	말했잖아. 일이 있었다고. 형은 무슨 일인데?
승원	(태블릿 건네며) 화보 촬영. 주연배우 셋 해서.

패드 화면에 **화보&인터뷰** 촬영안이라고 쓰여 있는.

제하	(미간을 찡그리며) 배우들끼리 제대로 본 적도 없는데 무슨 화보 촬영이야? 이런 건 영화 다 찍고 해도 안 늦잖아.
승원	할 수 있는 건 미리미리 해둬야지. (의미심장하게) 영화 끝나고서 시간이 얼마나 된다고.

제하, 다음의 건강을 화보 촬영으로 소모하고 싶지 않다.

제하	이다음한텐 곧 있을 리딩 준비하는 것도 벅차. 걘 모든 게 처음이라고. 배우로 만들어 놓는 게 우선이야.
승원	관객들도 이다음 다 처음 봐. 미리 눈도장 찍어야 할 거 아니야. 화제성이 있겠냐? 그나마 생짜 신인, 김정우 채서영이랑 붙여서 인지도라도 띄워놓는 거지.
제하	아니. 영화 촬영 외 스케줄에서 이다음은 다 빼줘.
승원	(무섭도록 냉정) 이봐, 이감독. 내가 그걸

241

허락받아야 할 위치까지는 아닌데.

제하   (아차) 그럼, 일정을 조금만 미뤄주시던가요.
       (보고) 대표님.

승원   (대표님 소리에 풀어져서) 이유는?

제하   (막 던지는) 신…비주의로 가자는 거지!
       관객들도 처음 본다며. 조금 더 아껴놓자.
       신인이니까, 채서영 제친 신예라고 벌써부터
       얼굴 대문짝만하게 내면, 감질맛이 안
       나잖아. 도대체 누굴까, 끝까지 궁금하게
       만들어놓고 뚜껑 열면 짠하고.

승원   (솔깃하고) 좀 더 들어보자?

제하   (점점 할 말이 떨어지고) 김빠지게 지금
       이러지 말고, 아예 꽁꽁 숨겨놨다가 적당한
       타이밍에 한껏 꾸민 화보로, 빵. 그러면
       사람들 반응도 빵…

승원   (OL) 빵 터지겠네. 일리 있어. 너 이런 아이디어
       있으면 일찍 일찍 좀 얘기해. 일을 몇 번을
       하게 만드냐. 그럼, 받고 배우 셋에 감독까지.
       넷이서 화보 촬영. 일정은… (의미심장) 내가
       생각하는 최고의 타이밍에. 됐지?

제하   (당황) 나는 왜?

승원   인정하긴 싫지만, 잘 생겼잖아?

제하   하아…

승원   싫으면 그냥 내일 찍고.

242   제하   (마지못해)… 알았어.

승원   그럼, 내일부터 이다음은 신비주의로 컨셉
       잡고 시작한다. 근데 아무리 그래도 얼굴
       공개, 오랫동안은 못 미뤄. 요즘 세상에

숨긴다고 숨겨지는 것도 아니니까. 그리고.

(강조) 이다음 홍보는 빠르면 빠를수록 좋아.

제하   (질리는) 알겠어.

나가는 제하, 승원 웃고 있던 얼굴이 굳어간다.

#13. 몽타주. 낮.

- 인터넷에 보도 자료로 올라온 〈하얀 사랑〉 리메이크
  기사가 스크롤을 내려도 내려도 계속된다. 승원, 바쁘게
  직원들에게 지시하는 모습.
- **[〈하얀 사랑〉 주연을 확정한 이다음은 누구? 유일무이 신인의
  탄생]**, **[대체 불가능한 신인의 등장, 이두영 감독의 아들 이제하
  감독의 신작 파격 캐스팅]**, **[얼굴 없는 배우? 영화 완성까지
  정체는 비밀로?]**, **[채서영을 밀어낸 괴물 신인 이다음에 관심
  집중]** 기사를 읽고 있는 정효.

서영, 샵에서 머리 관리 받고 있고. 옆에서 [채서영을 밀어낸
괴물 신인 이다음] 기사를 보고 분개하는 민희.

민희   아니! 기사를 이딴 식으로!

서영   (아무렇지 않게) 틀린 말 하나도 없는데.
        타이틀 좋네.

민희   그래도 이건 아니죠. 선배님은 화도 안 나요?

서영   맞는 말에 왜 화가 나지. 자자, 떠들 거면
        나가라. (눈을 감는다)

243

- [채서영을 주연에서 밀어낸 괴물 신인 이다음] 기사를 보는
  고대표. 불쾌하지 않은 묘한 미소.

Episode 4

– 같은 기사를 보고 있는 한상무. 뭔가 재미있다는 표정이다.

#14. 제작사 건물 앞. 낮.

제작사 건물 앞에 진을 치고 있는 기자들. 건물에 들어가는
사람마다 붙잡고 '이다음 씨예요?' '이다음 씨 어디 있어요?'
묻는다. 멀리서 지켜보며 어떻게 하지 고민하는 다음. 그때,
승원이 다음 옆에 선다.

승원	난리네 난리야.
다음	(승원 보고) 안녕하세요, 대표님.
승원	(싱긋) 당분간 우리 사무실에선 연습 못 하겠네.
다음	죄송합니다. 저 때문에.
승원	죄송은. 신비주의 컨셉은 이제하 감독 아이디어예요. 다음 씨 연기에만 집중하라고.
다음	(제하에게 여러 뜻이 있음을 깨닫는다) 네…
승원	며칠 지나면 잠잠해질 테고. 기자들 구워삶는데 내가 또 선수니까, 조금만 참아요.
다음	감사합니다.
승원	오늘은 너무 시끄러우니 돌아가요. 감독님한텐 내가 전해줄게.
다음	네. (꾸벅)

244 승원, 가는 다음을 보는 묘한 표정. 슬쩍 시선을 돌리면
기자들 틈바구니에 있는 노희태와 눈이 마주친다. 승원과
희태의 알 수 없는 눈빛 교환.

#15. 교영의 집 안. 밤.

신나서 부엌에 서서 통화 중인 미선.

미선   그러엄~ 이두영 감독 알지? 그 감독 아들
        영화~

교영   진짜 주인공이라고 해! 채서영 말고
        다음이가 주인공이라구.

미선   주인공이야 주인공~ 오디션이 몇백 대
        몇이라고?

교영   (신나서)그냥 1000 대 1이라 그래!

미선   천명~~ 그중에 한 명.

교영   신비주의 컨셉이니까 다음이 얼굴 막
        알려주고 그러면 안 돼.

미선   다음이 사진 같은 거 인터넷에 올리면… 알지?

다음   (밥 먹으면서 능청스럽게) 밥 좀 드시면서
        하세요. 교영아… 가문의 영광이다 진짜.

다음   나 여기 가문 아닌데.

교영   여기서 밥 먹고 잠자고 다 하면서 이럴 때 선
        긋네? 여기가 네 집이지 뭐 숙박업소니?

미선   (전화 끊고) 숙박업소면 뭐 어때 많이 먹어
        손님~

다음   (천연덕) 갈비가 잘 재워졌네. 부드럽다.

교영   천천히 먹어. 꼭꼭 씹어서.

#16. 준병의 식당. 안. 밤.   245

준병이 만든 괴상한 모양의 오이 밥을 천천히 씹다 마는 제하.

제하   과도한 실험정신.

Episode 4

준병	누가 한줄평 해달래?
제하	왜… 자꾸 메뉴를 새로 개발하는 거야?
준병	(잠시 골똘) 여기는 내 가게고, 나는 세프니까?

수저를 내려놓고서 준병을 한참 동안 바라보는. 그 시선이 꺼림칙하게 느껴지는 준병.

준병	뭘 그렇게 느끼하게 봐.
제하	너 혹시… (골똘) 아, 아니다. 아니야 맘 잡고 사는 애한테…
준병	형… 나 아직 완전히 잡고 살고 있진 않아. 왜, 뭔데.
제하	…나 부탁 하나만 하자.
준병	(잘못 들었나) 형이? 나한테? 부탁을? 형… 죽어?

#17. 병원. 정효 연구실 안. 낮.
논문 보고 있는 정효. 문을 열고 빼꼼, 다음이다.

다음	(얼굴 내밀고 괜히 노크) 환자 왔어요.
정효	(눈길도 안 주고) …
다음	(들어와 소파에 앉고) 아빠. 리딩이라고 알아? 연습하는 거야. 영화에 출연하는 배우들이 전부 모여서… 시나리오를 읽고, 연기하고, 연습하고. 눈빛도 섞고, 말도 섞고.

정효, 여전히 대답 없다.

다음	그게 바로 내일인데, 무지 긴장되고… 또 설레고…
정효	…좋니?
다음	…(한참 보고) 죽을 만큼 좋아.
정효	(그 말에 마음 아파보고) 밥은 잘 먹어?
다음	미안해…
정효	미안한 건 알아?
다음	알거든?
정효	아는 놈이 이런 위험천만한 짓을 벌여?
다음	나두 무서워… 수십 명이 모여 나만 보고 있는 현장에서 발작이 찾아올까 봐… 내가 모든 걸 망치고 결국 나도 망가질까 봐… 그래서 최선을 다할 거야. 약도 잘 먹고, 틈만 나면 검사 받구.
정효	(가슴 아파 보고…) 아빠는 너 그렇게 되도록 안 돼. 네가 못 그만두겠으면…
다음	아빠…!
정효	너 네 목숨 우습게 생각하는 거야. 그리고 난 내 딸 사지로 내몰 생각 없어.
다음	…
정효	지금 준비 중인 임상, 희망을 걸어볼 만해. 다음아, 조금만 더 버티면…
다음	… 정말 나를 위한 방법이 맞아?
정효	(말문이 막힌다)
다음	버티다… 지금껏 그래왔던 것처럼 실패하면?
정효	그렇게 안 만들어.
다음	나, 아빠 실망하는 거 더 이상 보고 싶지 않아.
정효	다음아.

247

Episode 4

다음	아빠… 난 죽어가고 있어. 아빠는 그걸 자꾸 부정해. 그럴 때마다 내가 얼마나… 조급하고… 아픈지 알아?
정효	… (한숨) 일단… 정밀검사는 해보자.
다음	…알겠어… 아빠…

외면하고 싶은 현실에 말을 잇지 못하는 두 사람.

#18. 병원. 안. 낮.

CT, MRI. 각종 검진을 받고 있는 다음. 지치고 피곤한 얼굴.

#19. 민석 진료실. 안. 낮.

CT 보던 민석.

민석	너한테 시간이 얼마 안 남은 만큼… 교수님한테도 시간이 얼마 안 남았다는 거 알지?
다음	(…그렇겠구나) …그런 얘기는 가급적 웃으면서 해달라니까.
민석	촬영이 한 3개월쯤 되나?
다음	…네.
민석	약을 더 써볼 거야. 좀 멍한 느낌이 쎈 대신, 바깥 생활하기에는 더 적합할 것 같아서.
다음	(걱정) 멍해져요? 그럼 안되는데…
민석	오해 사기 십상이지. 나도 방법을 좀 더 생각해 볼게.
다음	(무슨 말인가 싶고)
민석	너는 무슨 애가, 해도 덜컥 주인공을…

248

(괜히 미소) 니가 나오는 영화, 극장에서
봐야지. 그게 한 달이든 일 년이든… 버텨서
살아보자.

다음   (울컥) 감사합니다…

#20. 정릉 집. 밤.

시나리오를 내려놓는 제하. 놓인 시나리오 옆으로 은애의
이름이 적힌 〈하얀 사랑〉 초고가 가지런히 놓여있고. 생각이
쉽게 정리가 되지 않는 듯, 한숨을 길게 내뱉는 제하.
그때, 승원에게서 오는 알림들로 계속해서 울리는 핸드폰.
그중 링크를 클릭해 열면,
다음의 주연 기사 캡처된 커뮤니티 사이트 글 밑으로 수백
개의 댓글이 달려있다.

승원 카톡   [니 말이 맞았네]
            [구시대적인 신비주의 마케팅이라고, 어그로
            제대로 끌었다]
            [사람들 궁금해서 미침]

상단에 뜨는 알림들을 연이어 없애가며 기사를 보는 제하.
마냥 좋아해야 하는 건지, 혼란스럽다.

#21. 교영의 집. 안. 낮.

다음날. 일사불란하게 움직이는 교영. 화장대에 화장품들이
마치 샵에 세팅되듯 분주하고, 각종 롤, 고데기, 헤어 제품들.   249
이어서 행거까지 끌고 방에 들어오는 미선. 스팀다리미로
원피스 다리고, 젖은 머리, 팩 붙인 다음이 어리둥절 화장대에
앉아 있다.

교영	리딩이면 배우며 스탭이며 전부 모이는 자린데 내 새끼 기 죽으면 안 돼!
다음	기 안 죽어… 나 지금 완전 기 살았는데…
교영	엄마, 엄마가 머리해줘 내가 화장할게.
다음	(못 미덥고…) 내가… 할게…
미선	다음아 이모가 젊었을 때 미용실에서 한 달 일했었어~
다음	몇 년 전에요…?
미선	한 20년 됐나, 신권 받기 전이니까…
다음	(입만 웃는 미소 장착) 잘 부탁드립니다 그럼! (눈 질끈)

CUT TO.
괜찮게 세팅된 다음. 미선은 부엌에서 김에 밥 싸고 있고
(어릴 적 먹던 맨밥에 조미김만 얹은 느낌) 살짝 열린 방문,
방 안에서 교영이 다음의 메이크업을 마무리해 주고 있다.
교영, 옆에 놓인 파우치에서 선스틱을 꺼내는데,

다음	또 발라?
교영	마무리가 제일 중요해요, 배우님.
다음	(뚜껑 열어보며) 뭐가 이렇게 귀엽냐.
교영	(가까이 다가가 다음의 얼굴에 발라주는) 어때, 하나도 안 끈적거리지?
다음	(거울 보며) 응, 보송보송해.

250

손에 든 제품 뚜껑 열고 스스로도 목에 발라본다.

교영	수시로 발라 (주머니에 쏙 넣어주는) 자주

	발라줘야 자외선 차단이 잘 된대~
다음	아이참, 고맙습니다, 선생님~
교영	(브로우를 갖다 대며) 네네, 가만 계세요. 눈썹 그릴 거니까.
다음	아, 맞다. 나 질문.
교영	(집중한 채로) 말씀하세요~
다음	너 고딩 때 여기 옥상에서 키스했었잖아. 기억나지?
교영	(엄마 들을까 깜놀) 뭐래 조용히 해 우리 집 좁아서 다 들려.
미선(E)	낭만 있다 야~
교영	아니거든~~ (다음에게) 그건 키스도 아니었거든? 입술 박치기지.
다음	입술 박치기든 북 치기든 키스는 키스잖아.
교영	(브로우 내려놓고) 아우 애가 왜 이래. 뭐, 그래서 뭐!

다음, INS. 제하―서영의 키스 장면 다시 떠올리고.

다음	좋아서 했어? 아님 뭐가 뭔지도 모르는데 그냥 막 했어?
교영	(형용할 수 없는 어이없음) 스물다섯에 키스가 뭐냐고 묻는 거지 지금? 건축학개론 찍냐? 내가 납득이야? 어떻게, 알려줘?
다음	(서운) 뭘 또 그렇게 한심하게 쳐다봐… 아니. 아무 감정 없이도 키스를 할 수 있나 싶어서…
교영	…남자는 없는데 키스는 하고 싶고… 아니지,

251

Episode 4

비빌 언덕이 있으니까 호기심이 생겼나?
키스하고 싶은 남자가 생겼어?

다음   (당황) 아니이… 저기 그… 시나리오에 있어.
키스하는 게…

교영   (소름) 첫 키스를 연기로 해야 되는 거야? 그
전에 어떻게 좀 안 되나?

미선(E)   밥 먹고 가 다음이~

#22. 교영의 집. 현관 앞. 안. 낮.

다음   잘 다녀올게요!

교영   (눈물 글썽) 물가에 내놓은 애 같냐 왜.

다음   (갑자기 번뜩)

INS. 3부 62씬.

다음, 심장이 막 뛴다. 갑자기 제하 손을 자신의 목덜미에
갖다 댄다. 다음의 떨림이 느껴져 제하 또한 묘한 설렘이
느껴지고.

다음   **느껴져요? 숨이 멈출 것 같아요. 막 뛰어서. 와
손까지 떨려.**

제하   **(손 빼고, 당황하고)**

다음   (교영의 손을 경동맥에 갖다 놓고) 이거…
어떻게 생각해?

교영   (벙찌고) 내가 한의사야? 왜 맥을 짚어.

다음   아니, 여자가 남자한테 여기 뛰는 거
만져보라는 거. 어때?

미선   어우 야. 야시꾸리하다.

252

다음	에!?! 그런 의도 아닌데요!?
교영	(다음 손을 잡고 자기 목을 쓸고) 야, 이게,
	이게! 대놓고 플러팅 하는 폭스 모먼트지.
	그런 의도가 아니다? 99.99 개뻥이야.
다음	(덜컹) 허어어? 프… 플러팅? 미치겠네…

전화가 울리고, [이제하 감독님]

다음	(괜히 깜짝) 네! 이다음 전화 받았습니다~
제하(E)	선물 하나 보냈어요. 집 앞으로.
다음	(화색) 선물요?!

#23. 교영의 집 앞. 밖. 낮.

집 앞에 주차된 유별나게 번쩍이는 흰색 밴 차량. 차문을
열고 내리는 준병. 꼴이 가관. 조금 많이 껴 보이는 블랙
수트. 흰 장갑. 그 모습을 보고 눈을 꿈뻑 꿈뻑 얼어있는
다음. 뒤에서 팔짱 끼고 수상하게 째려보는 교영과 교영모.

다음	뭘… 보내신 거예요?
제하(E)	어 개 맞아요. 당분간 다음 씨 매니저로 일할
	거예요. 영화 딱 개봉할 때까지만. 이제는
	준병이 통해서 다녀요. 오늘도 준병이 통해서
	오고. 이따 봐요.(통화종료)
다음	(준병에게 다가가며) 아, 안녕하세요.
	선물이세요?
준병	(넉살) 하하하. 선물 같은 남자. 임준병입니다.
교영	(미선에게) 미치겠다…
준병	(꾸벅) 잘 부탁드려요! 감독님한테 들으셨죠?

253

Episode 4

오늘부터 영화 끝날 때까지 제가 책임집니다. 배우님! 매니저 임준병입니다!

다음   진짜 제 매니저를 해주신다구요…? 그럼 식당은요?

준병   뭐 일종의 안식년…을 갖기로 했어요. 하하 새로운 도전도 하고요. 배우님의 영화 촬영, 열심히 돕겠습니다!

다음   정말 괜찮으세요? 제 매니저 하셔도…?

준병   제 첫 배우님이세요! 타세요! 첫 스케줄인데 늦으면 안 되니까!

어쩔 줄 몰라 준병이 열어주는 밴에 타는 다음.

준병   (문 닫고, 꾸벅) 걱정 마세요. 제가 군대는 UDT 아시죠? UDT 출신이구 이거 참 내 입으로… 대학은 경호학과 나왔어요. 별명은 정릉 인간병기고요. 그리고…

교영   네네네… 운전 조심히 네… 늦겠다. 가세요~

준병, 차에 타고 출발.

교영   엄마… 사람을 첫인상만 보고 판단하는 거… 그거 되게 안 좋은 거지?

미선   어어… 인간병기래잖아… 듬직… 하네…

254

#24. 달리는 밴. 안. 낮.

어색하게 앉아 있는 다음.

준병   목 안 마르세요? 거기 옆에 아이스박스
        열어보세요.

다음 박스 열어보면 물, 에너지 드링크, 차, 커피, 가시오가피
달인 물까지 있다.

준병   뭘 좋아할지 몰라 다 깔아봤습니다.
        히터는 건조할까 봐 안 켰는데 추우시면
        얘기하시구요… 배우님! 그 가시오가피는
        제가 직접 따서 말리고 달여 온 거예요.
        잡숴보세요~
다음   말씀… 편하게 해주세요…
준병   방금 처음 봤는데 말을 어떻게 편하게…아
        처음은 아니지 참.
다음   지금 모든 게 다 불편해서 제발 말씀이라도
        편하게 해주셔야 제가 괜찮을 것 같아요…
준병   어우 배우님 불편하시면 안 되는데. 내가…
        불편…하니…?
다음   (이제야 웃고) 이제 좀 낫네요. 편해졌어요.

창밖을 보면서 긴장되는지 손을 막 주무른다…

다음   근데요 매니저님… 원래 영화감독이 매니저
        없는 배우한테 이렇게까지 신경을 써주는
        건가요?   255
준병   (긁적) 글쎄요… 저도 처음이고… 그리고
        아는 영화감독도 제하 형 한 명뿐이라…
        아우 왜 이렇게 떨리지… 그 안에 보면

Episode 4

청심환 있는데 저 하나만 좀 주실래요? 주…
주겠니?

다음   어어…! 네네! (꺼내서 까서 손에 올려주고)

준병   이제하가 생전 뭐 부탁하는 사람이 아닌데.

다음   ?

준병   부탁을 하더라고요, 아니, 하더라고.

다음   그래서 감독님 부탁 들어주신 거예요?

준병   (털어 넣고) 내 꿈이었거든. 무비스타의
매니저!

다음   (웃고) 무비스타요? 어쩌죠… 저는… 아직
무비스타가 아닌…

준병   아니? 다음 씨는 나의 첫 배우이자 나의 첫
무비스타야!

다음   (준병의 말에 괜히 뭉클)

#25. 제작사. 밖. 낮.

제작사 건물 전경. 끊임없이 배우들의 밴이 밀려 들어온다.
기자들, 연신 사진 찍고. 그 사이에 노희태도 섞여 있다.
기자들이 밴에서 내리는 서영에게 몰릴 때,
다음이 탄 밴은 지하로 들어간다.

#26. 리딩 연습실. 안. 낮.

제작부 스태프들, 연출부들 부산스럽게 움직인다.
문을 열고, 리딩 회의실 책상 위에 음료와 디저트를
세팅하고, 의자들 줄을 맞추고, 역할이 적힌 이름표를 앞에
세워두고, 금세 사람들이 들어차고, 스태프들 여기저기
모여서 떠들고, 제일 먼저 들어서는 건 원로배우 현철.
안경집에서 안경을 꺼내 쓰고, 너덜해진 시나리오를 잡고

256

다시 펼쳐 보고 있고, 다른 배우들도 하나둘 들어온다.

다음과 준병도 리딩 연습실 안으로 들어오고, 다음, 세팅된
리딩장을 보며 가슴이 벅차오르는, 준병이 한 바퀴를 쭉
돌다 다음 이름표를 발견하고, 나와서 다음에게 다가간다.
다음은 캠코더를 꺼내 리딩장 안을 카메라에 담는데, 제하를
발견하고서 담는다.

멀끔한 모습의 제하를 보고 자기도 모르게 심장이 쿵,
그때 캠코더 프레임 속 제하에게 서영이 다가와 인사하자,
제하가 별다른 내색 없이 맞아준다. 그 투 샷을 보자 그
둘의 키스하던 모습이 순간순간 떠오르고. 괜히 캠코더를
닫아버리는 다음.

> 준병　　이름표가 저기 있네. (가방에서 바리바리)
> 　　　　이건 필통. 여기 안에 배우들 보면 막 뭐
> 　　　　적고 형광펜으로 긋고 하더라구. 이거랑~ 물,
> 　　　　이거 챙기고, 목캔디도 챙기고~ 혹시 몰라서
> 　　　　방석도…

고맙게 받아 드는 다음, 멀리서 그런 둘을 주시하며 보고
있는 제하, 준병이 지나치는 스태프들에게 잘 부탁드린다며
목캔디까지 건네자 제하가 다가가 준병을 저지하는.

> 제하　　잠깐 나와. (나가버리는)　　　　　　　257
> 준병　　(머쓱) 형이 아니, 감독님이 불러서. 얘기 좀
> 　　　　하고 올게!
> 다음　　혹시 감독님한테… 저에 대해서… 다른

Episode 4

얘기는 못 들으셨어요?

준병   (웃고) 당연히 들었지.

다음   (긴장) 무슨 얘기요…?

준병   (과하게 큰 소리) 엄청난 경쟁률을 뚫고
배역을 따낸 연기 천재다!

준병의 큰 소리에 복도에 있던 사람들 일제히 집중. 난감한
다음. 준병, 아무 일 없다는 듯이 나가고. 다음, 뻘쭘한 채
배우들, 스태프들에게 무한 꾸벅 인사. 다음, 현철의 앞으로
가 꾸벅 인사한다.

다음   (씩씩하게) 선생님! 안녕하세요. 규원 역 맡은
이다음입니다!

현철   반가워요. 내 딸이구나? 잘 부탁해요 딸~

다음   잘 부탁드립니다!

다음 웃고, 현철 옆에 앉아 한숨 돌리고 대본을 꺼내는데,
현철의 시나리오처럼 너덜너덜해진 다음의 대본. 현철, 그런
다음의 대본 보고 조용히 미소 짓는다.
그때, 누군가 다음의 어깨를 툭툭. 돌아보면… 재인이다. 웃고
있던 표정이 묘하게 굳어가는 다음.

#27. 제작사. 밖. 낮.
에어컨 실외기 소리가 돌아가는 건물 야외. 나란히 선
제하와 준병.

제하   누가 너더러 진짜 매니저 하래?

준병   (순진) 그럼 매니저를 가짜로 하라고?

제하   (한숨) 어, 가짜로 해. 가뜩이나 신인
       배우가 얼굴 숨긴다고 기자나 엔터 애들
       막 달려드는 거, 아무도 다가오지 못하게
       막아 달랬지, 진짜 매니저를 하란 소리가
       아니잖아.
준병   (별거 아닌 듯) 그건 걱정 마. 내가 옆에
       붙어있음 아무도 못 건들지! 난 또 뭐라고~
       아~ 형은 진짜 마음씨 좀 곱게 먹어!
       옛날부터 못돼 처 먹어가지고!
제하   (어휴. 고개 절레절레)

#28. 리딩 연습실. 안. 낮.

웃음은 지었으나 당혹스러움이 묻어있는 다음의 표정.

재인   (훑어보며) 진짜 이다음이네?
다음   (당황) 어, 재인아! 반갑다. 여기서 보네.
재인   (반갑지 않고) 갑자기 휴학하고 사라졌다가…
       어떻게 이렇게 나타나? 뜬금없이.
       주인공으로.

사라졌다는 재인의 말에 주위 시선을 의식하고 둘러대는 다음.

다음   공부… 했어.
재인   무슨 공부를 무인도라도 들어가서 했니?
       애들도 너랑 연락이 안 된다던데? 그러고서   259
       갑자기 뚝 떨어져서 주연으로 캐스팅된 게…
       (눈치 보고) 되게 신기하다 정말…

재인의 말에 앉아 있던 배우들이 일제히 힐끗 다음을
쳐다보고, 당황스러운 다음.

정우가 현철에게 꾸벅 인사하며 다음에게 다가오고,

> 정우   다음 씨, (다음을 보고 웃으며) 오늘 힘 좀
>   줬네요. 재인 씨도 반가워.
>
> 다음   아, 네 선배님 안녕하세요!
>
> 재인   어머 선배님 안녕하세요…

그 모습을 보고 물러서 자기 자리로 돌아가는 재인. 그때, 문
열고 저벅저벅 들어오는 제하. 다음과 눈이 마주치자 이내
피하고서 자신의 자리로 곧장 가는.

#29. 리딩 연습실 앞 복도. 낮.

커피든 채 함께 걸어오는 승원과 서영.

> 승원   나는 서영 씨만 믿고 가는 거야. 내가 누굴
>   믿어? 이제하를 믿어? 아니면 생짜 신인을
>   믿어?
>
> 서영   좀 믿으세요.
>
> 승원   !? 아니 내 말뜻은
>
> 서영   사람 안 믿어서 여기까지 올라오신 건 되게
>   리스펙하는데요. 이 영화만큼은 그 두 사람
>   좀 믿어보는 게 어때요?
>
> 승원   (좀 짜증…) 서영 씨도 나중에 제작 한번
>   해봐. 그래야 내 맘 안다. 나 너무 외로워.
>
> 서영   (달래며) 나두 외로워요. 인간은 다
>   외롭거든요?

260

#30. 리딩 연습실 안. 낮.

모두 착석. 배우들 한 명씩 일어나 배역 소개를 하고,

      정우   현상 역 맡은 김정우입니다.

열렬히 박수치다 차례가 온 다음. 떨리는 맘으로
일어나려는데, 옆에서 주연 차례에 익숙해 왔던 서영이 먼저
일어나려다 서로 멈칫. 서영이 미안한 표정을 짓고 다음이
괜찮다는 표정으로 일어서는…

      다음   처음 뵙겠습니다. 규원 역 맡은
                    이다음입니다.
      서영   정화 역 맡은 채서영입니다.
      제하   (일어서서 고개 숙여 인사하고) 감독
                    이제하입니다. (현철 보고) 여기 믿음직한
                    베테랑 배우부터 신인 배우까지 많은
                    분들이 함께 해주셨는데요. 감사합니다.
                    촬영 끝까지. 무탈하게. 누구도 다치지
                    않고 아프지 않게. (다음 보고) 최선을
                    다하겠습니다…

제하 앉고, 그런 제하가 괜히 멋있는 다음.

CUT TO.
시작된 리딩. 다음이 긴장한 눈빛이 역력한 채로 주위를   261
둘러보고 있는.
제하가 지문을 읽고 있고, 다음의 첫 대사가 바로 이어져야
하는데

Episode 4

제하	그때, 규원이 현상을 발견한다.
다음	(큰 소리로) 안녕하세요! 혹시!! 찾으시는 책이 있으세요?!!

다소 큰 음성으로 대사를 읊는 다음. 모두가 의아하게 쳐다보는…

제하	현상은 두 발자국 옆에 있을 거예요. 길 건너가 아니라…
다음	아 저기 계신 분들까지 들려야 할 것 같아서… 발성을 써야 할 것 같았어요. 죄송합니다.
제하	우리 모두 마음은 정말 고마운데…(일동 웃음) 평상시 톤으로 해주시면 좋을 것 같아요. 다시 가겠습니다.

CUT TO.
리딩에 몰두 중인 배우들.

현철	아직도 기다리니? 규원아… 기다리지 말자… 기대하지 말자…

현철 연기에 눈시울이 붉어져 티슈로 눈물 닦는 다음.
멀찍이 떨어져 있는 준병. 옆에 앉은 사람에게 떠든다. 그
262   사람은 유홍,

준병	이야… 원작에서 주인공이었던 배우가 30년 만에 리메이크작에 출연. 이거 되게 의미

	있는 캐스팅이다, 그쵸?
유홍	(연기에 몰입되어 있다가) 네… 저런 연기는… 세월이 만들어주는 건가?… (!?) 근데, 누구세요?
준병	아 이다음 배우 매니접니다!
유홍	(숙 가까이 다가와 귓속말) 쉿!
준병	(떨린다…!) 누구세요?
유홍	조감독이에요.
준병	어어우. 어, 네네. 조용. 네 조감독님!

CUT TO.
테스트 촬영했던 씬을 서로 눈을 맞추며 연기하는 서영과 다음.

다음	현상 씨 있는 곳 알죠? 나 알려줘요.
서영	알려주면? 그 꼴로 올라가 질질 짜면서 뭐, 매달리게?
제하	규원, 순간적으로 정화의 뺨을 때리고. 정화, 어이가 없다.
서영	(손을 올렸다가 내리는 시늉) 아니다. 불쌍한 애한테 내가 뭐하는 짓인지.
제하	정화, 그대로 집을 나가버리고. 남겨진 규원 자기 몸 냄새를 맡아본다. 다음 씬 넘어갈게요.

서영이 대사를 끝내고 제하를 보며 웃자, 제하도 만족한 듯 263
고갤 끄덕이고.
주고받는 눈빛을 읽고 자신에겐 액션이 없어 괜히 서운한
다음…

Episode 4

제하	79씬. 호스피스 병동. 규원이 휠체어를 타고…

CUT TO.

다음	(덜덜 떠는 손으로 대본 넘기고) 내가 아픈 게 지긋지긋하지? 지겹… (말 엉키고) 죄송합니다. (제하 눈치 보고)
제하	괜찮아요 계속하세요.
다음	지겹… 지겹지 아주? 그럼 가. 꺼지… 하… 죄송합니다.
제하	(시계 보고) 이 씬 넘어갈게요. (펜으로 체크)

대사가 잘 안 붙는 듯 속상한 다음.

#31. 리딩 연습실 복도. 낮.
리딩 끝나고, 사람들 쏟아져 나가는 와중에, 나오는 다음을
서영이 붙잡고,

서영	오늘 잘했어.
다음	(속상한 상태) 아니에요, 선배님… 더 잘해야 하는데…
서영	(약간 건성) 그 정도면 잘했어요.
다음	(약간 기죽는다) …감사합니다.
서영	근데, 다음 씨. 그날, 봤어 혹시?
다음	네?? 어떤…
서영	…

INS. 제하에게 입 맞출 때 잠깐 열렸던 문 사이로 다음을 봤던
서영.

264

서영	못 봤으면 됐구. 못 본 척해주는 거면 더 고맙구. 정 궁금하면…
다음	(빠르게) 안 궁금합니다!
서영	(뭔가 묘하게 기분이 나쁘다) 응. 다행이네.

꾸벅 인사하고 앞에 기다리고 있는 준병에게 가는 다음.
그런 다음을 평소와 다른 눈빛으로 보는 서영.
그리곤 뒤에서 나타난 재인, 서영에게 붙고,

재인	선배니이이이임.
서영	응 조심히 가구 촬영 때…
재인	그때까지 어떻게 기다려요. 저랑 커피 마셔요. 가요 가요!

#32. 리딩 연습실 안. 낮.
리딩이 끝나고서 정리 중인 현철, 하나둘씩 인사하며 나가자
친절하게 받아주고.
제하가 다가오자 역시 반갑게 맞아주는.

제하	늘 너무 고생 많으셨습니다. (잠깐 주위를 보고) 아저씨.
현철	(넣었던 시나리오를 도로 꺼내며) 고생 많았겠어.
제하	고생은요… 몸은 어떠세요? 항암은 다 끝나신 거죠?
현철	언제 아팠냐는 듯이 감쪽같아. 오래 살고 보니 이감독 덕분에 이 작품을 다시 만나게 되네.

265

Episode 4

제하	많이 도와주세요.
현철	이두영 감독 생각이 많이 나네. 꼭 닮은 아들이 〈하얀 사랑〉을 다시 만든단 걸 알면 얼마나 좋아하실지.
제하	…
현철	(제하 손잡고) 고맙다.
제하	제가 감사하죠. 꼭 아저씨가 해주셨으면 했어요.
현철	영광이야. 근데… 너는 괜찮니?
제하	…네?
현철	(대본에 잠깐 시선 주다 제하 보며) 아니, 아니다. 먼저 들어갈게.
제하	…네. 촬영 때 뵈어요.

현철, 일어나 가다 말고,

현철	제하야.
제하	(본다)
현철	스스로를 너무 가혹하게 밀어붙이기만 하면 안 돼.
제하	…
현철	이두영은 이두영. 이제하는 이제하. 진짜 간다.

나가는 현철 보고 생각이 많아지는 제하.

266

#33. 승원 제작사 건물 앞. 낮.
많았던 기자들과 차량들 다 가고 없는 한적한 모습.

텅 빈 리딩장에 문이 살짝 열리고 빼꼼히 보이는 다음.

다시 들어와 혼자 남아 시나리오를 보고 또 본다. 중얼중얼

읽어보고. 얼마쯤 지나고,

정우가 다가와 옆자리에 앉는다.

정우	한참 찾았는데, 어디 갔었어요?
다음	(당황) 매니저님이 저 기다릴까 봐 차에서 쉬시라고 말씀드리고 왔어요.
정우	(턱 괴고 흐뭇하게 보며) 잘하던데?
다음	연습을… 한다고 했는데… 긴장을 했어요…
정우	아까 여기 앉은 사람들 전부 베테랑에 기라성 같은 선배들인데 긴장을 안 하는 게 이상하죠.
다음	(여전히 풀 죽고) 너무 못했어요.
정우	못한 거예요 안 한 거예요?
다음	네?
정우	내 눈에는 그렇게 보여서요. 잘하고 싶어서. 너무 잘하고 싶어서 대사 한마디가 걸리는 걸 대충 거짓으로 하기 싫어서 못 했던 것 같더라고.
다음	…
정우	맞췄네.
다음	제가 처음이라 분석이 부족했나봐요…
정우	내가 도와줄게요.
다음	…??
정우	우리는 지금부터 사랑도 하고 미워도 하고 후회도 해야 되는 사인데, 서로 도와야지.

267

Episode 4

다음 씨도 나 많이 도와줘요. 합도 많이
맞춰보고.

다음   감사합니다…!

정우   근데 우리 얘기를 좀 더 많이 하면 좋을 것
같아.

제하   (OL) 웬만하면 얘기 많이 안 했으면
좋겠어요.

문 앞에서 삐딱하게 기대 있는 제하.

정우   (당황해서 일어서고) 아, 감독님 스타일 잘
알죠. (다음 보고) 저도 신인일 때 감독님
오디션 봤거든요. (한쪽 눈 찡그리며)
조연으로 참여했었지만.

제하   너무 훈련되고 연습된 감정보다는 현장에서
만들어지는 호흡이 좋아서요.

정우   무슨 말씀이신지 알겠어요. 그럼 가볼게요.

정우 묘하게 싸늘해진 얼굴로 나가고,

다음   (짐 챙겨 일어서는)

제하   어딜 일어나요.

다음   !?

268   CUT TO.

제하 다음 나란히 앉아, 시나리오 보고.

다음   또 이것도요. 숨이 헐떡일 정도로 쇼크가 온

상탠데 눈물 한 방울만 예쁘게 흘릴 수 없죠.
비명을 지르다 목이 쉬어도 모자랄 판에…

제하   (메모하고) 그래, 이건 고쳐야겠다. 93씬.
　　　다시 해볼래요?

다음   …내가 아픈 게 지겹…지?

제하   왜 그렇게 하는 거예요? 왜 자꾸 끝을 흐려.

다음   …이해가 안 돼서?

제하   (자세 고쳐 앉고) 어떤 게?

다음   아픈 것보다 못 보는 것 때문에 괴로워서
　　　죽을 것 같은 사람인데… '대수롭지
　　　않게'라는 이 지문… 이해를 못 하겠어요.

제하   규원이가 현상이를 왜 사랑해야 되죠?
　　　사랑할 이유가 없는데. 여긴 대수롭지
　　　않게가 맞아요. (다음이 반응 보고) 남잔
　　　영원히 옆에 있을 것처럼 떠들어대다가
　　　결국 배신했고, 규원이는 아픈 몸으로 혼자
　　　남겨졌어.

다음   (OL) 하나도 안 리얼해요.

제하   ?!

다음   진짜 사는 얘기 같지 않다구요… 그냥
　　　다 차갑고 나쁘기만 해요… 리얼리티가
　　　필요하다면서요… 정말 이게 리얼한 거
　　　맞아요?

제하   저번에도 말했지만, 표면적으로는 멜로지만
　　　이 영화에 사랑 같은 건 필요 없다고.

269

다음   사랑에 필요가 왜 나오는질 모르겠네.

둘 사이에 흐르는 정적.

Episode 4

제하	… 세상엔 그런 꽃밭만 있는 건 아니에요.
다음	…꽃밭…이요?
제하	허울 좋게 사랑 타령하다 뒤통수 맞고 끝까지 외로워해야만 했던 사람들도 있으니까.

다음, 제하에게 뭔가 사연이 있다는 건 알고 있지만, 이 정도일 줄은 몰랐다.
왠지 모르게 가슴이 아픈 다음.

#35. 카페 안. 낮.
심드렁한 서영 앞에 두고 신난 재인

재인	뭐 연기 곧잘 한다고 학교에서 좀 유명하긴 했었는데, 학교니까~ 그 안에서 잘해 봤자 뭐…
서영	(지루하고) 그렇구나 나도 시간이 더 있으면 재인이 대학 생활 얘기를 좀 더 들어주고 싶은데…
재인	걔가 지금 5년 동안 실종? 증발? 암튼 뭐 사라졌다가 갑자기 나타난 거라니까요? 이상하지 않아요? 갑자기 주연을 꿰찬다는 게… 아버지가 한국대병원 유명한 의사랬나? 집도 좀 산다던데.

270

재인의 말에 처음으로 흥미를 보이는 서영.

서영	잠깐만, 아버지가 어느 병원 의사라고?

#36. 교영의 집 안. 밤.

침대에 누워 자려다 뒤척이는 다음. 그러다 일어나 가방 안에서 캠코더를 꺼내 녹화된 영상을 돌려본다. 사람들에게 인사하는 모습. 연기하는 모습… 그중에 제하가 다음을 뚫어지게 쳐다보는 장면에서 일시 정지를 하고, 다시 뒤로 돌려 몇 번을 돌려보는 다음. 그때, 전화가 오고. 자고 있는 교영을 한 번 살피고 조용히 받는 다음.

다음	여보세요?
제하(E)	아까 얘기 못 한 게 있어서
다음	(한숨) 지금 11시거든요? 이 시간까지 혼내는 건 너무하죠…
제하(E)	누가 혼을 낸다 그래요. 연습은 약속된 리딩에서만 해요.
다음	네?
제하(E)	따로 보지 말라고요. 서영이 빼곤. 아무랑도.
다음	저는 정우 선배님이랑 붙는 씬이 제일 많은데 어떻게…
제하(E)	그러다 아픈 거 정우 씨한테도 들키면?
다음	아, 네…
제하(E)	잘 자요.

뚝 끊기고, 서운하다.

#37. 제작사 회의실. 안. 낮.

제하와 촬영 조명 스태프들 모여 회의.

제하	스테디캠은 박승연 기사님 어떠세요?

Episode 4

철민	… 이감독, 모르는구나?
제하	네?
철민	박기사님. 2년 전에 돌아가셨잖아.
	암 재발해서.
제하	아…
철민	이감독이 너무 오래 꽁꽁 숨어있었어.
유흥	(제하 슬쩍 보고 눈치 빠르게) 아, 원래
	중요한 사람은 가끔 일하는 거예요.
철민	(아차) 어, 어, 그렇지. 하하.

제하, 5년 동안 많은 게 변했다.

#(추가씬) 안동시청 본관. 밖. 낮.
현관 밑으로 승원과 주무관으로 보이는 남자가 업무 애기를
주고받으며 나오는.
주무관의 안내에 따라 함께 이동하는 승원.

#(추가씬) 월영교. 밖. 낮.
안동의 월영교. 승원과 주무관이 월영교 한가운데를 걷고
있다.
승원, 핸드폰 카메라로 이곳저곳을 찍기 바쁘고.

승원	이야…! 장관이네요 진짜.
주무관	평일이라 그렇지, 주말에는 관광객들로
	북적북적해요.
승원	제가 회사 들어가는 대로 감독님이랑 상의해
	보고 연락드릴게요. 아 그런데. 주무관님.
주무관	?

272

승원   지원 금액은… 네고의 여지가 있을까요?

순간 흐르는 정적.

승원   하하. 직업병이에요, 직업병. 주판 두들기는
          게 제 일이라.
주무관   하하… 네네. 이해합니다…

#38. 녹음실. 낮. (다른 날)
유홍이 음향감독과 후반작업 스케줄을 논의하고 있고, 잠시
앉아 숨을 돌리는 제하. 목이 타 책상 앞에 놓인 음료수들
중에서 고르려는데, 포도주스와 커피 중에서. 포도주스를
고르는.

#39. 삼척 바닷가 서점 터. 낮. (다른 날)
규원의 서점 오픈 세트 작업장. 작업자들 부지런히 작업
중이고, 뒤편에 서서 미술감독과 제하가 서서 얘기 중인.
제하, 잠깐 집중하지 못하고 상념에 빠져있는.

미술감독   그래도 서점 자리를 빨리 찾아서 다행이에요.
          일정 맞춰 공사 마무리할 수 있을 것 같아요.
          (제하 멍때리고) 저… 감독님?
제하   네네. 좋은데요. 시간이 없는 건 알지만… 잘
          부탁드립니다.

273

CUT TO.
공사 중이던 미술팀 스태프들이 모두 빠져나간 고요한
서점 자리. 제하, 주변을 빙빙 걷는다. 긴 생각을 하는 만큼

Episode 4

끊임없이 배회하다… 서점 앞마당에 앉아 바다를 바라본다.
정말 다시 영화를 찍을 수 있는 걸까? 마음이 복잡한 표정.

#40. 교영의 집 앞 거리 일각. 낮.
고대표 차가 멈춰서고, 고대표 내려서 트렁크에 갖가지
쇼핑백 잔뜩 들고 트렁크 내리면,
앞에 준병이 서 있다.

INS. 제하가 준병에게 고대표 사진이 있는 포털 화면 보여주면서
"특히 이 사람 조심해" 하고, 끄덕이는 준병.

고대표	누구?
준병	(선글라스 벗고) 임준병입니다.
고대표	아, 이다음 씨 매니저요? 회사 없다고 들었는데?
준병	회사는 없는데 매니저는 있습니다.
고대표	사촌오빠? 친척이에요? 가족끼리 일 같이 하는 거 아닌데~ 다음 씨 집에 있죠?
준병	(막아서고) 네.
고대표	(이 새끼 봐라?) 비켜줄래요?
준병	우리 배우님 지금 컨디션 조절 중이라서.
고대표	(쇼핑백 들썩) 이거 다 컨디션 조절에 필요한 것들인데? 쓸데없이 알짱거리지 말고 비켜줄 거 아니면 들어줄래요?
준병	못 들어가요.
고대표	(대문 앞에서 벨 누르려고 버둥) 비키라니까.
준병	(경호 짬으로) 안 됩니다.
고대표	나 고대표예요.

274

준병	난 임준병입니다.
고대표	아 진짜 뭐야 이 사람?

그때, 대문을 열고 나오는 다음.

다음	안녕하세요!
고대표	(반갑고) 다음 씨! 와, 진짜 너무 반갑다. 나 좀 들어가도 되죠?

#41. 교영의 집 안 거실. 안. 낮.

미선과 교영, 준병은 부엌 테이블에 앉아 있고, 소파에
어색하게 앉아 있는 다음과 고대표를 힐끗힐끗 훔쳐본다.
소파 테이블 옆에 놓여있는 각종 건강식품과 고급 간식.
그리고 의문의 쇼핑백.

고대표	(쇼핑백에서 꺼내 올려두는 대량의 종이 뭉치) 보여줄 게 있어서요.
다음	(놀라고…) 이게 다 뭐예요?
고대표	(미소 짓고) 다음 씨 거.
다음	(보면, 시나리오다)
고대표	이번 작품 끝나면 다음 씨가 검토해야 될 다음 영화 시나리오.
다음	저번에도 말씀드렸다시피…
고대표	뭘 하고 싶어 할지 몰라서 다 가져왔어요. 우리가 아직 서로를 모르잖아. 내가 다음 씨한테는 이 정도 정성은 보여야지.
다음	마음만 감사히 받겠습니다.
고대표	내가 다음 씨 채서영처럼 만들어 줄게요.

275

Episode 4

	아니, 그보다 더 탑으로 만들 수 있어요.
다음	저는 지금 매니저님이면 충분해요.
고대표	다음 씨. 여배우 혼자 이 지저분한 바닥 버티기 힘들어. 나처럼 경험 있는 사람한테 도움도 받고 그래야 연기에만 집중할 수 있어요.
다음	말씀은 감사합니다만, 저는 정말 괜찮습니다.
고대표	(답답) 이유는? 이유가 없잖아요.
다음	(난감)
준병	(헛기침 크게) 거 되게 질척거리네.
고대표	(짜증 나 준병 돌아보면)
준병	이 꿀떡이… 되게 질척거리네요.
교영	떡이 하도 오래된 거라 맛이 갔나 보다.

CUT TO.

고대표가 가고, 거실 테이블에 잔뜩 올려진 시나리오를 뒤적이는 교영.

다음은 가려는 준병을 현관 앞에서 배웅하고.

준병	고대표 그 사람. 디게 끈질기다. 괜찮아?
다음	그럼요. 들어가세요.

준병, 나가고. 교영의 뒤적이던 시나리오 빼앗아 덮어두는 다음.

276

교영	별의별 장르가 다 있네. 감독도 작가도 다 유명하다 야.
다음	관심 없어.

교영	진짜 없어?
다음	있어도 할 수 없잖아…
교영	(아차 싶고, 맘 아프고) 미안, 괜히 내가 들떠서…
다음	(가방 챙기고) 나 어디 좀 갔다 올게.
교영	어딜 가?
다음	음… 꼭 한 번 만나보고 싶은 사람이 있어서.

#42. 아트시네마 사무실. 낮.

〈하얀 사랑〉 포스터가 걸린 사무실. 명훈이 연락처가 적힌
종이를 만지작거리다…
누군가에게 전화를 건다.

#43. 달리는 도로. 제하 차 안. 낮

명훈에게서 전화가 온다. 전화를 받는다.

제하	네, 사장님. 아, 알아보셨어요?

#44. 진여의 도예 작업실 안. 낮.

누군가 작업실의 벨을 누르고, 몸을 일으킨 진여, 인터폰
쪽으로 가는데 연이어 벨이 계속 울리고, 인터폰을 보는
진여. 밖에 서 있는 사람은 제하다. 문 열어주는 진여.
들어오는 제하.

제하	약속 없이 찾아와서 죄송합니다.
진여	… 들어와요.
제하	(꼼짝 않고 서서) 〈하얀 사랑〉 시나리오, 아버지가 쓴 거 아니죠?

277

Episode 4

진여	(돌아선 채 살짝 굳고)…읽어 봤어요?
제하	알고 계셨던 거죠?
진여	(대답 없이 잠시 고민하다)… 일단 앉아요…
제하	왜 이제 와서 나한테 이러시는 건데요?

안쪽 가림막 커튼이 쳐진 부엌 쪽에서 깨지는 소리 들리고,
진여 들어가는, 다음을 데리고 나오는데 손이 베어 있고,
제하 다음을 보자마자 놀란다. 다음도 마찬가지…

진여	약이 어디 있을 텐데.

진여가 부엌으로 들어가고,

제하	(하…) 이다음 씨가, 왜 여기 있어요?
다음	원작이 있으니까… 인사도 드리고 싶었고… 꼭 한 번 만나 뵙고 싶어서…

그대로 돌아서 나가버리는 제하. 쫓아 나가는 다음.

#45. 진여의 도예 작업실 밖 거리 일각. 낮.
가는 제하 붙잡는 다음.

다음	감독님…
제하	놔요…
다음	(놓고) 네.
제하	(돌아서 다음 보고) 하필 이다음 씨가 왜 여기 있냐고…
다음	감독님 왜 그래요? 선생님한테 왜 그렇게

278

	무례해요.
제하	다 들었잖아요. 나에 대해 검색해 봤다며. 거기 친절하게 다 쓰여져 있을 텐데. (분에 못 참고) 도대체 왜 남의 말은 엿듣고…!
다음	겨우 커튼 한 장 쳐져 있었어요. 들리는 걸 어떡해요!
제하	…
다음	사과 안 하고 가실 거예요?
제하	정확히는 사과를 안 받고 가는 거야.

가버리는 제하, 다음, 가는 제하를 노려보다 뒤돌아 다시
진여의 집으로 돌아가려는데…
안 되겠는지 다시 돌아가 다음을 붙잡는 제하.

다음	!?
제하	가지 마요.
다음	급하게 나와서 인사는 드리고…
제하	경우 없게 만들어서 미안한데, 나는 다음 씨가 거기 안 갔으면 좋겠어요.

#46. 제하 차 안. 낮.
운전하는 제하. 조수석에 탄 다음. 차 안에서 어색한 공기의
흐름만.
다음, 가방 안 약상자에서 반창고 꺼내 베인 자신의
손가락에 붙인다.
흘끗 보는 제하. 온갖 약들이 다 들어있는 다음의 약상자.

279

#47. 교영의 집 근처 골목길 일각. 제하 차 안. 밤.

서는 제하의 차. 여전히 어색한 침묵.

제하	(머리 아파 이마 짚고) 미치겠네…
다음	제가 뭘 들은 건지 저 잘 몰라요. 그러니까 막 미치려고 하지 마시고…
제하	나도 다음 씨 비밀 하나 알고 있으니까. 이다음 씨도 내 비밀, 지켜줄래요?
다음	…? 비밀이요?
제하	김진여 씨가 뭔가 아는 것 같아요.
다음	선생님이 뭘… 알고 있어요?
제하	이두영 감독이 쓴 〈하얀 사랑〉. 그거, 그 사람이 안 쓴 것 같거든.
다음	(충격) …네?
제하	이게 무슨 감정인지 모르겠네. 쪽팔리고… 화도 나고…
다음	…
제하	그래서 내가 이 영화를 만드는 거예요. 하얀 사랑 진짜 주인 찾아주려고. 가능하면 최대한 많은 사람들이 알 수 있게. 그래서 그럴싸한 영화로 완성하고 싶은 거예요.
다음	(가방에서 진통제 한 알을 떼어 건네주는)
제하	(받아 든 채 가만 보면)
다음	우리 뇌는 마음이 아플 때 몸이 아픈 것과 똑같이 느낀대요.
제하	(다음 보고, 무슨 뜻?)
다음	오늘 이거 꼭 먹어요 감독님. 갈게요. 아, 따뜻한 물도 마시고. 꼭 푹 자야 돼요.

280

제하   (아무 말 못 하고, 보면)

다음, 차에서 내린다. 남겨진 제하. 다음이 주고 간 약을
만지작…

#48. 교영의 집 거실. 밤.
캄캄한 거실에 태블릿 불빛만. 다음, 태블릿으로 무언가 읽고
있다.
[이두영과 김진여의 세기의 스캔들] 제목의 블로그 글.
쭉 스크롤하며 읽는데, 생각이 많아 보이는 다음의 표정.

#49. 정릉 집. 밤.
스탠드 불빛만 작게 켜 있는 방. 제하, (1부 38씬에서 보던)
두영과 은애의 사진들을 보고 있다. 질린다는 듯 상자에
넣고 탁 닫아버린다. 골치가 아픈 듯, 다음이 준 진통제를
꺼내 물도 없이 꿀꺽 삼켜버린다.

#(추가씬) 제작사 회의실. 안. 낮.
다음날. 제하, 서점 도면 펼쳐놓고 회의 준비 중인데, 승원의
옆에 앉더니 슥 종이를 건넨다. '로케이션 추천 제안서'이
크게 적혀있고, 월영교 관련 세세한 사항들이 쓰여 있다.

제하   이게 뭐야?
승원   장소가 좋던데 심지어 제작비 지원도
        한다네?   281
제하   제작비가 부족한 건 아닐 테고.
승원   제작비야 늘 부족하지.
제하   강원도에서 찍는 영화야. 좋고 나쁘고를

Episode 4

떠나서 불필요한 동선 만들고 싶지 않아,
회차도 늘어날 거고.

승원   이상하네.

제하   ?

승원   (의미심장하게 보며) 회차가 느는 건
제작자인 내가 걱정할 일인데. 뭐, 일단
알았어. 대신 감독님이 제작비 아껴주는
거다.

승원, 나가고, 유홍과 미술감독, 스태프들이 들어온다.

유홍   감독님. 일찍 오셨네요!

제하   어.

미술감독   항상 제일 빨리 오신다니까. 미안하게.

승원이 나간 쪽을 계속 바라보는 제하.

#50. 고사장. 안. 낮.

다른 날, 아이패드에 돼지 사진이 걸려 있는 고사상이
차려져 있다. 스태프들은 삼삼오오 모여 있고, 승원이
주도하에 제하를 비롯한 스태프들 배우들 나와 절하고,
준병, 신난 표정으로 핸드폰으로 여기저기 찍고 있고,
고대표, 멀리서 서영과 다음을 유심히 번갈아 본다.
한상무도 멀찍이 서서 바라보고 있는.

CUT TO.

단체 사진 찍는 〈하얀 사랑〉팀. 전반적으로 화기애애한
분위기.

282

CUT TO.
제하, 다음, 서영, 정우 주연배우와 감독 함께 시나리오를
들고 사진 찍고.
모여 달라는 포토의 말에 다음이 제하 옆으로 붙는다.
묘하게 차가운 제하에게 서운함을 느끼는 다음.

#51. 고사장. 안. 낮.
스태프들과 장난치며 대화 나누는 다음의 해맑은 모습을
멀리서 지켜보는 제하.
심각한 제하와 해맑은 다음을 번갈아 보는 서영. 그런 서영을
보는 정우.
서영의 시선을 따라가면 제하가 있다. 그 시선을 본 정우,
제하에게 다가가서

정우   원래 파토 낸 사람이 약속 잡는 거예요.

제하   (보고) 앞으로 자주 볼 텐데요. 조만간 한 번…

정우   오늘 모일까요? 만회할 기회를 드릴게요.

제하   촬영 직전이라 준비할게…

정우   (OL) 서영 선배랑 다음 씨한테는 감독님이
          모이자고 한 걸로 할게요. (가는)

제하   (작게 한숨)

#52 고사장. 안. 낮.
멀찍이 떨어져 제하 무리를 보고 있는 한상무와 승원.

283

한상무   보내준 건 잘 봤어요. 마음에 들어. 마케팅을
          신비주의로 밀고 간다는 컨셉도 낡았지만
          적절해. (보며) 누구 생각이야?

Episode 4

승원	(뻔뻔하게 웃으며) 저 말고 또 누가 있겠습니까.
한상무	다음 이야기가 기대되네.
승원	계속 만족하실 만한 (강조) 스.토.리.가 나올 겁니다.
한상무	(웃음) 잘 해봐요. (제하 쪽으로 시선) 부디 저 사람들 데리고. 끝까지.

묘한 표정으로 제하, 다음을 보는 승원과 한상무.

#53. 정우의 집. 안. 밤.

모던한 가구와 고급 빈티지가 어우러진 깔끔하고 넓은 정우의 집. 음식과 술이 테이블 가득. 네 사람, 서로 어색하게 앉아있다. 정우가 와인을 제하에게 건네려는데,

| 서영 | 감독님 술 안 마셔요. |

정우의 미소 띤 얼굴에서 찰나의 정색이 스쳐 가고,

정우	(거두고) 술 안 마시는 감독님 흔치 않은데.
서영	술 취해서 사리 분별 못 하는 게 한심하대나 뭐래나. (아차) 왜, 같이 영화 찍을 때 그랬었잖아. 기억 안 나?
정우	그땐, 감독님이 너무 어려워서 주변에도 못 갔죠.
제하	(물 한 모금)
정우	(다음에게 와인을 건네고)
제하	다음 씨도 술 안 마셔요.

284

정우	저번부터 느낀 건데 둘이 되게 친한가 봐요. 서로 아는 게 많아 보인달까.

서영, 자연스레 제하로 시선 향하고.

제하	아뇨,
다음	(OL) 친해요! 아무것도 없는 저를 캐스팅해 주신 감독님인데, 친해지려고 제가 엄청 들이대죠! 신인의 패기로!
정우	나는 다음 씨처럼 신인일 때 감독님한테 말 한마디 못 붙여봤는데. 지금은 농담도 괜찮죠?
제하	그럼요. 얼마든지.

CUT TO. 식사가 끝난 테이블. 정우, 살짝 취기 올라있고.

정우	근데, 감독님. 규원이 너무 불쌍하지 않아요? 젊고 아름다운 나이에 사랑하는 사람과 헤어지고 죽어야만 한다는 게.
다음	…
제하	(다음이 신경 쓰여 흘긋 본 후) 사람은 언젠가 다 죽어요. 살아 있는 시간을 의미 있게 보낸다면 불쌍한 것만은 아니라고 생각해요. 영원할 것 같은 사랑도 결국 다 옅어지잖아요.

285

서영이 제하를 쳐다보지만, 제하는 마주치지 않고.

Episode 4

정우   (그런 서영을 보며 씁쓸하게) 감독님 같은
       사람이 사랑을 하면 어떤 모습일까 갑자기
       궁금해지네. (와인 들이키는)

서영   (정우 노려보고) 와인 다른 건 없어? 좀
       떫은데?

정우   (일어서며) 글쎄, 최근에 단 걸 누가 다
       먹어버려서. (와인 꺼내다가 멈칫) 다음
       씨는 정말 안 마셔요?

다음   (마셔보고 싶다…) 네…

서영   …어디 아파?

다음, 제하   …??!

서영   혹시… 어디 아픈 데가 있나 해서. 한 잔
       정도는 괜찮을 텐데.

급속하게 굳는 제하의 얼굴. 그때, 정우가 새 와인을 갖고
돌아오는.

정우   (앉으며) 아, 다음 씨는 원작 봤어요?

다음   그럼요. 전 열 번 보면 열 번 다 울어요.

정우   나랑 똑같은 사람이 있었네. 나도 그래요.
       맨날 울어. 정말 명작이에요.

제하   (명작이라는 정우의 말에 옅은 인상을
       쓰고) …

서영   (제하 눈치 보고) 둘이 잘 맞네. 감독님
       어때요? 두 사람 투 샷.

제하   (슥 보고) 잘 어울리네요.

어색하게 웃는 다음과 대비되게 처음으로 표정이 굳는 정우.

잠깐의 정적. 그리고 말을 꺼내는 정우.

　　　　정우　　　　서영 선배랑 저, 사실 만나고 있어요.

일순간 얼어붙는 분위기. 다음의 웃음도 멈추고. 서영,
정색하고.
제하, 수저를 내려놓고 냅킨으로 입가를 닦는.

　　　　다음　　　　아… 와! 축하…드려…요…
　　　　제하　　　　축하할 일이네. (담배 보이며) 잠깐 바람 쐐도
　　　　　　　　　　되죠?
　　　　정우　　　　아, 테라스로 가세요.

담배를 챙겨 일어나 테라스로 향하는 제하. 서영, 정우를
째려보고는 제하를 따라 나선다.
정우, 제하를 따라 나가는 서영을 불쾌한 표정으로 보다,
표정 싹 바꿔서 다음 쪽으로 고개 돌린다.

　　　　정우　　　　(웃으며) 갑자기 분위기가… 싸해졌네?
　　　　다음　　　　(어색하게 웃는다)

#54. 정우의 집. 테라스. 밖. 밤.
서영, 통창 미닫이를 닫고, 화분 뒤에 놓인 재떨이를
자연스레 꺼내 놓는다.

　　　　제하　　　　(무심하게) 언제부터야?
　　　　서영　　　　(개의치 않고) 이혼하고 바로.
　　　　제하　　　　이다음 아프냐 소리 물어본 의도가 뭐야?

서영	한창인 스물다섯에 술 한 방울 안 마시는 게 이상하잖아. 그거 물어봤다고 의도씩이나 갖다 붙이는 건 더 이상해지는데?
제하	(한참 보고서)…병원. 같이 갔었다며?
서영	…숨길 줄 알았는데. 의외네 다음 씨. (약간 날이 서있다) 감독님한텐 뭐든 다 말하나 봐.
제하	그때 몸이 좀 안 좋았대. 빈혈도 좀 있는 편이고. 뭐 네가 신경 쓸 일은 아니야.
서영	(쎄하고… 다음을 보며) 이다음 씨, 많이 아끼나봐?
제하	(통창 너머 정우와 이야기하고 있는 다음을 보며) 필요한 거야. 그게 전부야.

담배에 불도 붙이지 않고 자기 할 말만 하고 들어가는 제하.
그런 제하가 서운한 서영.

서영	(하늘 보곤) …비가 오려나 보네.

#55. 제하 차 안. 밤.
오는 길. 침묵하는 제하가 신경 쓰이는 다음. 교영 집 앞에 차가 멈춰서고,

제하	조심히 들어가요.
다음	감독님.
제하	응?
다음	사랑하지도 않는데, 정확히는 사랑이 뭔지, 이게 사랑인지 아닌지도 모르겠는데 키스가 돼요? 현상이가 규원이한테 그러잖아요.

288

제하	그래. 이해 안 되는 거 따로 다 적어봐요. 내가 설명해줄게. 전부 이해되진 않을 거예요. 다음 씨가 정말 규원이는 아니니까. 좋은 질문이고 될 수 있으면 나를 많이 이용해요.
다음	감독님은… 어때요?
제하	뭐가요?
다음	…사랑하지도 않는데 키스할 수 있어요?
제하	(봤구나!) …아니. 못하죠.
다음	(제하의 미세한 표정 변화를 확인하고)
제하	(운전대 잡고) 뭘 그렇게 유심히 본대. 다 왔어요. 들어가요.

다음 내리고 제하, 그런 다음 잠시 보다 출발. 다음의
콧잔등에 떨어지는 작은 빗방울… 금세 환해지는 표정의
다음, 돌아서려다 그대로 어디론가 향해 걸어가는…

#56. 정우 집 다이닝 룸. 안. 밤.
베란다 너머 쏟아지는 비. 술자리를 치우는 서영.

서영	그냥 이제하를 한 대 치지 그래?
정우	비가 많이 와. 자고 가.
서영	기자들도 부르지 그랬어. (테이블 짚고) 네 상대역이 있는 자리에서, 그것도 3개월을 마주 봐야 할 감독 앉혀놓고, 상식이 없는 거야? 예의도 없어?
정우	어차피 알게 될 건데. 상관없잖아. 일은 일이고.

289

Episode 4

서영	그게 일에 방해가 된다고. 내 눈빛 하나하나 신경 쓰고 의미 부여해 가며 스스로 괴롭힐 게 뻔해. 안 그래?
정우	자꾸 이제하를 보니까.
서영	?
정우	네가 계속 이제하를 본다구.

정우의 말에, 말문이 막히는 서영.
다가가 안는 정우.

정우	일부러 그랬어. 내 기분 상하는 거 알아달라고.
서영	내가 이 영화 한다고 했을 때, 그때 얘기 끝난 거 아니었어?
정우	아니었나 봐. 아니네. 미안. 근데 자꾸 화가 나. 내가 다 잘못했어. 안 그럴게.

빗줄기가 점점 거세어지는 창밖을 보며… 차갑게 굳어진
서영의 표정에서.

#57. 거리 일각. 밖. 밤.
우산을 쓴 채 비 오는 거리를 설레는 듯 빠르게 어딘가로
걸어가는 다음. 조금씩 차오르는 숨을 심호흡하듯 내쉬며.

290 #### #58. 제하의 오피스텔 안. 밤.
샤워하고 나온 제하, 책상에 앉아 극 중 주인공들의 키스씬
콘티를 유심히 보는, 비가 폭포수처럼 쏟아진다. 그때 울리는
초인종. 올 사람이 없는데, 제하 일어나 현관문을 열면,

다음이 서 있다.

제하	(놀라서) 뭐예요. 여긴 어떻게 알고 찾아왔어?
다음	(숨을 고르며) 후우우… 감독님… 친구가… 제 매니저예요… (진정되고서) 모르셨구나?
제하	(걱정되고) 괜찮아? 무슨 일 있어요?
다음	(제하 손 덥석 잡아 현관문 밖으로 끌고) 잠깐 나가요.

다음 손에 이끌려 나가는 제하.

#59. 제하의 오피스텔 정원. 밖. 밤.
비가 쏟아지는 바깥. 오피스텔 건물 안에서 비를 쳐다보고 있는 둘.

제하	(다음의 젖은 머리칼 보고 속상하고) 무슨 짓이야. 왜 비를 맞고 다녀… 제 정신이야?
다음	(웃고) 바로 씻으면 괜찮아요. 진짜 괜찮다니까요? 한 번만요.
제하	감기라도 걸리면 어떻게 되는지 몰라요?
다음	(덥석 끌고 빗속으로) 너무 좋지 않아요?
제하	(뒷걸음질 치는 다음 손목 낚아채고) 그만해요!
다음	(아프고…) 알았어요…
제하	(손 놓고) 미안해요.
다음	(혼자서 뒷걸음질 치며 빗속으로) 이런 마음이었구나…

291

Episode 4

제하	??
다음	지금 감독님처럼 겁에 질려있는 나한테 우리 엄마가 비 맞는 법을 알려줬거든요.
제하	…치사하게 엄마 얘기를 하냐.
다음	감독님이 절대 안 할 것 같다고 생각하긴 했는데. 진짜 대쪽 같네. 이렇게 좋은데. (슬슬 뒷걸음질)

제하 들고 있던 우산을 펴 들고 다음에게 다가간다.
다음에게 씌워주고,

제하	집에서부터 비 맞고 온 거예요?
다음	아니요? 우산 쓰고 왔어요. 앞에서 한 십 초 맞은 거예요. 설마 제가 뭐 한 시간 동안 비 쫄딱 맞았을까 봐요?
제하	데려다 줄게. 그만 가요.
다음	콘크리트 같애. 사람인데. 잠깐만 잊자구요, 부담감 같은 건. 딱 1분만요. 믿어 봐요. 진짜 좋으니까.
제하	(어쩌자고 해맑은 건지) …안 좋기만 해.

들고 있던 우산 내려 접고 비 맞는 제하.
신나서 뛰어다니는 다음. 웃는 다음을 보고 따라 웃음이
나는 제하.

292

제하	1분 끝. (다음 손잡고 건물 안으로)
다음	… (손 안 놓는 제하에 당황) 되게 짧다. 아쉽게… 그걸 또 칼같이 세네…

빗방울이 다음의 머리칼을 타고 톡…톡…톡… 떨어지고,
제하의 턱선을 따라 떨어지고… 어색해진 분위기에 다음이
시선을 피하다, 눈이 마주치고. 그렇게 시간이 멈춘 듯
시선이 멈추고… 침묵을 깨는 다음,

> 다음   아무래도 억울해서 안 되겠어요.
>
> 제하   ?
>
> 다음   씬 넘버30. 둘은 가벼운 키스를 한다.

다음, 제하를 끌어당겨 입 맞춘다. 바로 떼고, 뒷걸음질 치는
다음…

> 제하   …
>
> 다음   이용하라면서요.

다시 제하에게 한발 다가서면…!
제하가 다음을 끌어당겨 키스한다. 갑작스러운 제하의
행동에 너무나 놀라지만,
그것도 잠시 이내 더 깊어지는 **키스에서… 엔딩.**

293

Episode 4

Episode 5

다시 병원에 입원한 다음은 탈출을 감행한다.

도망치던 다음은 엘리베이터에서 누군가를 만나고 얼어버리는데…

#1. 과거. 한강 둔치. 차 안. 낮.

4부 3씬과 연결.

비 오는 차 안. 제하에게 천천히 다가가는 서영.

제하, 서영이 다가오자 당황스럽고, 시선이 흩어지며
마주치지 못하고.

서영도 미세한 제하의 반응을 느끼곤 잠시 멈췄다가 짧고
가벼운 입맞춤을 한다.

얼어있는 제하. 서영과 눈이 마주치자 머쓱하게 슬쩍 웃고.

그 찰나의 반응이 섭섭한 서영은 멋쩍게 웃으며 책을 다시
제하에게 쥐여준다.

#2. 과거. 이두영의 장례식장 안. 낮.

장례식장 안, 상주로 있는 제하.

혼이 빠진 것처럼 힘없이 벽에 기대어 앉고서, 두영의 영정
사진을 뚫어져라 쳐다본다.

무언가 할 말이 있는 사람처럼, 영정 속 두영이 대답이라도
해주길 바라는 사람처럼…

#3. 과거. 이두영의 장례식장 야외 흡연장. 낮.

바깥에선 거센 비바람이 불고 있고.

제하, 담배에 불을 붙이려는데 길 건너에 검은색 우산을 쓴
채 서 있는 진여가 보인다.

INS. **어린 제하가 본 TV 속 젊은 두영과 진여의 스캔들 뉴스**

INS. **은애의 장례식장에서 진여의 멱살을 잡는 일행들을 말리는**
      두영의 뒷모습…

들고 있던 담배를 부러뜨린다. 미동도 없이 노려보는 제하.

Episode 5

그때, 뒤따라 나온 서영이 제하의 손을 살며시 잡아준다.

제하(NA) **두려웠다. 어떤 면도 닮고 싶지 않았던 그 사람과 내가 겹쳐지는 면이 있다는 게.**

포개진 서영의 손을 가만 보다 자신의 손을 빼는 제하⋯

#4. 과거. 서영의 소속사 비상계단. 낮.
2부 40씬 이어서.

　　제하　　(고대표 보고) 저희 친한 건 맞아요. 그런데
　　　　　　선 넘은 적 없습니다. 죄송합니다. 제가 서영
　　　　　　씨한테 오해할 만한 행동을 했다면 그건
　　　　　　사과할게요.

고대표 방을 나와 복도를 걷는 제하를 쫓아와 비상구 문을
열고 끌고 들어가는 서영.

　　서영　　이렇게 간다고? 이래 놓고⋯ 갈 거야?
　　　　　　(침착하게) 내가 생각이 짧았어. 제하 씨
　　　　　　생각 못 했어. 내가 부담으로 느껴져? 그래서
　　　　　　그래?
　　제하　　(무겁고, 한참 있다) 서영아. 우리 영화,
　　　　　　끝났어.
296　서영　　(뜻을 모르겠고) 무슨 말이야?
　　제하　　내가 널 이용한 거라고. 영화 찍는 동안 네가
　　　　　　나한테 보여준 마음 이용했어. 너 착각하게
　　　　　　만들었고. 난 이제 그걸 되돌려 놓고 싶어.

제하(NA) 증명해야 했다. 나는 그 사람과 다르다고.
아버지의 선택과 나의 선택은 언제나 다를
것이라고.

제하의 말에 숨이 턱 막히는 서영. 참았던 눈물이 터진다.
그런 서영을 바라보는 제하의 눈은 흔들림이 없다.

– 타이틀, 〈우리영화〉 –

#5. 제하의 오피스텔 정원. 밖. 밤.
4부 엔딩과 연결.
다음을 끌어당긴 제하, 다음이 안긴 채 떨리는 손으로
제하의 팔을 살짝 잡는다.
점점 진해지고, 그러다 눈을 슬며시 뜨는 제하.
누가 컷- 이라고 사인을 준 것처럼 입을 떼는 제하.
어색하게 몸이 떨어지는 둘. 꿈에서 깬 듯 몽롱한 다음의
순진한 얼굴을 본다.
제하, 현실 감각이 돌아온다. 눈빛이 묘하게 싸늘하고.

제하   (떨어진 우산 집어 들어 씌워주고)
다음   (입술만 만지작⋯)
제하   ⋯됐어요?
다음   (당혹) !?
제하   연습치고는 괜찮았는데, 왼쪽 어깨가 좀
떨리는 경향이 있네. 막상 촬영 들어가면 더   297
떨릴 텐데⋯ 앵글에서는 다 티가 날 거예요.
마치 들썩이는 것처럼.

Episode 5

예상치 못했던 제하의 말에 눈빛이 흔들리는 다음.

> 다음   (뭘 기대한 건지 서운해 괜히) 무슨, 내가
> 어깨를 뭘 어쨌다고…
>
> 제하   이용을 이런 식으로 하는 건 곤란해요. 난
> 배우가 아니잖아.
>
> 다음   (말문이 막히고)…그쵸. (괜히) 별로 도움이
> 안 되는 것 같네.
>
> 제하   미안해요. 별거 없어서.
>
> 다음   (앞질러 가며 스치면서 제하 어깨 툭툭)
> 그래도 나쁘진 않았어요.
>
> 제하   !?

출구를 힘차게 열고 내려가는 다음,
제하, 그런 다음의 뒷모습을 보다 돌아선다.

#6. 제하의 오피스텔 앞. 밖. 밤.
오피스텔 현관을 나와 입구 앞에 기대어 놓은 우산을 집어
든 채로…
내리는 비를 한참 동안 쳐다보는 다음. 제하의 태도에
허탈하고 혼란스럽다.

#7. 제하의 오피스텔. 안. 밤.
창밖을 바라보고 있는 제하. 한참 동안 서 있던 다음의
우산을 바라보고 있는.
우산이 어디론가 움직이고, 제하의 시선에서 사라지자
마침내 손으로 얼굴을 쓸어내리는…
무미건조했던 정원에서와는 반대로 긴장이 풀리고

혼란스러운 제하의 얼굴.

#8. 비가 그치고 햇살이 나는 도심 풍경. 낮.

#9. 제작사 승원의 사무실. 안. 낮.
승원, 각종 예산표, 견적서, 보도 자료 등 살펴보다가,
보류된 다음의 화보 촬영 계획안 보고 있다. 사진 속 다음을
뚫어지게 쳐다보는데…
문이 벌컥 열리며 고대표 들어온다.

승원	어우, 대표님. 아침부터 눈이 반짝반짝하신 게…
고대표	(단도직입) 나 이다음 씨랑 계약 좀 하게 해줘요.
승원	우리 고대표님. 역시 서론이 없네. 하하…
고대표	(끊고) 매니저 한 사람 붙어 있드라? 누구예요? 가족은 아니던데.
승원	아~ 어~ 이감독 아는 동생이에요.
고대표	이감독이 붙었구나? 뭐라고 했길래 나랑 계약을 안 한대요?
승원	그거…까진 모르죠 나두? 다음 씨가 안 한대? 왜?
고대표	그냥 철벽이더라구. 그러니까 더 갖고 싶어졌어. 그래서 좀 물어보려고. 가족관계부터 이력, 학력, 병력까지. 싹 다.
승원	우리야 오디션 지원서 딸랑 한 장 들고 있는 게 단데. 그렇게까지 궁금하시면 심부름센터엘 가보셔야지.

299

Episode 5

고대표	혹시 알아요? 다음 작품에 이다음 회사가 우릴지? (일어서며 지그시 보고) 우리 옛날처럼 서로 돕고 살아야죠. 나 너무 계약하고 싶어요. 이다음 씨랑. 부대표님이 도와줄 수 있을 것 같은데.
승원	저… 고대표님. 내가 대표님 생각해서 드리는 말씀인데, 이다음…씨랑은 계약 안 하는 게 좋으실 거예요.
고대표	(짜증) 부대표까지 왜 그래?
승원	말했잖아요. 고대표님 생각해서 하는 말이라고… 나라면 굳이 안 할 것 같아서…
고대표	부대표, 이감독 편인 거 잊고 있었네. 됐어요. 방법이야 많으니까.

고대표, 확 나가버리고, 승원, 생각이 많은 표정. 다시 사진 속 다음을 본다.

#10. 교영의 집 안. 낮.
씻고 나와 화장대 앞에서 출근할 준비를 하는 교영.
거울로 침대에 누워 잠이 든 다음을 확인하고,

교영	야 이다음! 언제까지 자. 일어나. 나 곧 출근해. 깨워달라며.

300 다음의 반응이 없자 의아하게 돌아서 다가가 흔들어
깨워보지만, 의식이 없다.
이마에 손을 짚는다. 열이 끓고.

교영	(겁에 질려) 다음아…!!! 야 이다음!!! 어떡해…
	엄마…!!!

#11. 한국대병원. 병실 안. 낮.

침대에 링거 맞고 잠들어 있는 다음. 예전에 다음이
입원해있던 병실.
민석이 상태 살피고, 교영과 미선이 옆에서 걱정스럽게 보고
있다.

교영	사실… 어제 다음이가 비를 좀 맞았어요…
민석	그러니까. 갑자기 이 사달이 왜 났나 했다.
	열나면 어떻게 되는지 잘 아는 녀석이…
미선	아유… 우리 전부 깜짝 놀라서… 건강한
	사람도 비 맞고 오면 골골대는데 하물며
	우리 다음이는… (교영이 등짝 때리고) 너는
	뭐했어 애가 이 지경이 되도록!
교영	(울먹이고) 우산은 항상 들고 다닌단
	말이야…
민석	한 시간만 더 재우고 깨워서 밥 좀 먹여주고.
교영	네… 선생님. 아저씨한테는…

그때, 병실로 급하게 정효가 들어온다.
다들 물러서고. 정효, 다음의 상태 살피고.

민석	죄송합니다. 제게도 책임이 있어요. 다음이가
	마음먹은…
정효	입원 시키자.
교영	아저씨…

Episode 5

정효   (말 자르고) 여기까지야. 다음이, 이제는 이
                병원 밖으로 못 나간다.

민석   (더는 힘들겠단 생각)

다음 핸드폰 벨이 울리고, 화면에 **[이제하 감독님]**을 보는
정효.

정효   (생각이 많은 표정) 감독이란 사람 연락처
                넘겨줘. 지금 당장.

정효, 입고 있던 가운을 병실 의자에 벗어 던지고 병실을
나가버리는.
그런 정효를 급하게 따라가는 민석… 다음, 감은 눈이 살짝
떨린다. 듣고 있었다.

#12. 한국대병원 병동 인포. 안. 낮.
급하게 나가는 정효를 따라가는 민석. 정효, 인포에 있는
간호사1에게.

정효   1205호 이다음 환자 외출 금지입니다.
                나가려고 하면 바로 콜 해주세요.

간호사1 (심상치 않은 분위기에 눈치 보며) 어, 네네…

민석   잠깐만요, 교수님. 일단 진정하시고.

정효   내려가는 동안 확인할 테니까 그 감독 번호
                당장 보내.

302

정효, 황급히 떠나고. 민석, 난처한 표정.

#13. 미술팀 사무실. 안. 낮.

미술팀이 준비 중인 사무실. 벽 곳곳에 공간 컨셉과 소품
디자인들이 이미지들로 붙어있는 걸로 보아 꽤 진척이 되고
있는 걸로 보이고.
잠시 쉬고 있는 제하, 핸드폰을 열어 다음과의 채팅방을
확인해 보지만, 마지막 카톡인 **[어디예요?]**를 계속해서 읽지
않고 있는 다음.
제하, 걱정된다. 유홍 눈치를 살피고…
제하, 일어나 사람들 없는 곳으로 가, 준병에게 전화 건다.

      제하   (조용히) 준병아. 부탁이 있는데…

#14. 교영의 집 앞. 낮 / 미술팀 사무실. 낮. (교차)

교영 집 앞에서 핸드폰을 귀에 댄 채 안을 열심히 살피는
준병.

      준병   (초인종을 누르며) 집 앞에 왔는데, 아무도
                    없어.
      제하   네 전화도 계속 안 받아?
      준병   어. 어제 무슨 일 있었어?
      제하   (괜히 찔려서) 일은 무슨. 시나리오 뭐
                    물어볼게 있다고 와서 금방 갔어.

말을 흐리던 제하, 그때 울리는 통화 대기음. 모르는 번호.

303

      제하   잠깐만. (통화 대기 받고) 여보세요?

놀라는 표정의 제하.

Episode 5

#15. 병원 인포 앞. 낮.

대기석에 앉아있는 서영. 모자와 선글라스를 쓰고 있다.
핸드폰으로 한국대병원 진료과 홈페이지에 일일이 들어가
교수들을 확인하는.

INS. 재인   **아버지가 한국대병원 유명한 의사랬나?**

서치하던 서영, 사진 속 민석의 얼굴을 알아본다.
병원 안내판에서 신경외과 김민석, 511호 찾아내고.

#16. 민석의 교수실. 낮.

다음의 자료 보고 있던 민석, 한숨 쉬고 커피 한 모금
마시려는데,
노크 소리, 문이 벌컥 열리고 서영이 들어온다.

    서영   (선글라스 벗고 앉으며) 안녕하세요. 교수님.
    민석   (사레 걸려 켁켁) 네, 또 뵙네요.

민석, 다음의 자료를 다른 자료로 덮는다. 서영, 그런 민석을
유심히 본다.

    서영   이제하 감독님한테 말씀 많이 들었어요.
              우리 영화 자문이시라고.
    민석   네… 근데 자문이 필요하신 역할은 아닌 걸로
              아는데…
    서영   이다음 씨, 어디가 아픈 거예요?
    민석   (당황스럽고) 네?
    서영   제가 돌려 말하는 성격이 못 돼요. 이다음

304

	씨 아프잖아요. 어디가 아픈 건지, 또 얼마나 아픈 건지 알고 싶어요.
민석	(침착) 환자 개인정보를 제가 말씀드릴 순 없죠. 이 멘트 영화에서도 많이 나오는 건데?
서영	영화에서는 보통 뒤로 알아내죠. 근데 그건 영화에서나. 현실에서는 제가 이렇게 여쭤봐야죠.
민석	그걸 왜 궁금해 하시는 건지…
서영	수많은 사람들이 알게 돼서. 곤란해지는 것보다, 저 혼자 알고 있는 게 낫지 않겠어요?
민석	채서영 씨가 알면 뭐가 다른가요?
서영	(침착) 다음 씨는 영화를 찍어야하고, 회사도 없고 아는 사람도 없이 혼자서 영화를 끌어가야하는 위치에 있어요. 전 도와주고 싶은 거구요.
민석	그렇다고 해도 제가 말씀드릴 수 있는 건 없습니다. 나가주시죠.

서영, 별일 아니라는 듯 목례하고 돌아서 선글라스를 끼고 나간다. 민석, 안도의 한숨.

#17. 한국대병원 병실 안. 낮.
다음, 눈을 뜨고. 몸을 일으켜 침대에서 일어나려는데, 때마침 들어오는 교영.
단호하게 걸어와 일어서 있는 다음을 다시 침대에 앉힌다.　　305

교영	(싸늘하게) 어디 가게.
다음	알잖아. (병실 둘러보며) 나 여기 있고 싶지

않아.

교영   너 안 괜찮아. 못 가! 어딜 가!

다음   (당황) 교영아… 나 가야 돼… 감독님도
              기다리고…

교영   그 감독님, 아저씨가 만나러 갔어.

다음   그러니까, 나도 가야 한다구 교영아…

진동 소리가 들리고. 교영, 바로 무음으로 돌려버리고서
이어 말하는.

교영   야, 넌 너만 생각하냐?

다음   나 영화 찍어야 되는 거 네가 제일 잘
              알잖아… 너도 좋아했잖아…

교영   좋지! 좋았지! 그러면 쓰러지지 말았어야지!

다음   교영아…

교영   아씨… 봐봐 친구가 좋아하는 거 한다는데
              이딴 소리나 하는 게 말이 되냐고! 나
              무서워… 너 갑자기 어떻게 될까 봐
              무섭다고… 오늘만 해도 네가 깨워도 안
              일어났을 때 얼마나 무서웠는지 알아?
              (주저앉아 울고)

다음   (같이 주저앉아 교영을 안고) 미안해…
              무섭게 해서… 미안해… 근데 교영아… 나 좀
              봐봐. 나 달라져있지 않아?

306

교영   (안타깝다)

다음   (단호하게) 나한테는 영화를 한다는 게
              너무 소중해. 나만 생각한다고 욕해도…
              난 규원이가 될 수 있어서 너무 행복해…

	미안해… 교영아.
교영	(밀어내며) 네가 뭐가 미안해… 그게 왜 미안해… (눈물 닦고) 바보 같은 게…
다음	(보며 애써 웃고) 나 좀 도와주라.
교영	(고민하다)… 너 그렇게 웃지 마.

잠깐의 정적이 이어지고. 다음의 애틋한 시선에 차마 눈을 못 마주치겠는 교영.
다시 울리는 핸드폰을 들고서 일어나 다음을 뒤로한 채 나간다.

교영	(전화 계속 울리고, 짜증나고) 실장님! 저 오늘 반차예요!!

병실 문밖으로 나가는 교영. 다음, 교영이 문 닫고 나간 곳을 바라보다, 결국 다시 돌아오게 된 병실 곳곳을 쓸쓸한 눈빛으로 둘러본다.
병실 의자에 걸린 정효의 가운이 보이고… 생각에 잠기는.

#18. 아트시네마 극장. 안. 낮.
극장에서 정효를 맞이하는 제하.

제하	조용히 뵙기에 마땅한 곳이 없어서…
정효	조용하고 좋네요. 밖에서 나눌 얘기도 아니니… 예의가 아닌 줄 압니다만, 김민석 선생에게 연락처를 받았습니다.
제하	괜찮습니다. 하실 말씀이란 게…
정효	다음이가 리딩…이라는 걸 하기 전에…

307

Episode 5

	저한테 그러더군요… 죽을 만큼 좋다고…
	그 애 입에서 그런 표현이 나왔다는 건…
	그 연기라는 게… 정말 하고 싶었던 거겠죠.
제하	네… 잘하고 있습니다.
정효	다음이의 상태를 알고선 감독님도 생각이
	많으셨겠죠… 사람들에게는 비밀로 하신다고
	들었습니다.
제하	네… 이다음 씨를 위해서 촬영이 끝날 때까지
	숨길 생각입니다.
정효	(제하에게 시선, 차갑게) 정말 내 딸을
	위한다면 아픈 걸 숨길 게 아니라 치료를
	받게 해 하루라도 더 살게 하는 게 상식
	아닙니까.
제하	저는 이다음 배우의 뜻을 존중하려고
	합니다. 컨디션은 배우와 최대한 잘
	상의해가며 최선을 다하겠습니다.
정효	영화라는 걸 끝까지 찍을 컨디션이 아니에요.
	일상생활도 버거운 아이입니다.
제하	배우의 의지가 확고합니다. 촬영 스케줄을
	이다음 씨에게 맞춰 최대한 일찍 끝내려고
	하고 있…
정효	촬영을 하다가 애가 발작이라도 하면요?
	밥이든 약이든 때 한 번 잘못 놓치면 끝인
	아이예요! 영화 촬영이 사람 목숨보다
	대단합니까?
제하	(듣고)
정효	시한부 환자에게 시한부 연기를 시키는 게.
	재밌습니까? 그런 게 영화입니까?

308

제하　　　…

정효　　　내 딸의 생사가 달려있는데 고작 최선을
　　　　　다하겠다는 말은 무책임한 말입니다.
　　　　　(일어서고)

일어서서 가버리는 정효.
제하, 빈 스크린만을 쳐다본다.

#19. 한국대병원 엘리베이터. 안. 낮.
병원 엘리베이터에 타는 서영. 1층을 누르려다가,

INS. 민석의 교수실.

- 서영, 민석이 다음의 자료를 숨길 때, 차트에 있던 **이다음,**
  1205란 숫자를 봤다. 생각이 많은 표정으로 12층 버튼을
  누르는 서영을 두고, 문이 닫힌다.

#20. 한국대병원 병실 안. 낮.
17씬 이어서. 정효의 가운을 바라보고, 굳게 닫힌 문을
바라보는 다음. 생각에 잠긴다.

#21. 다음의 회상. 한국대병원 병실 + 장례식장. 낮.
환자복을 입은 다음과 민정(1부 장례식장에서 죽었던)
나란히 의자에 앉아 창밖을 보며 광합성 하고 있다.

민정　　　(햇빛에 손을 뻗어 보다) 다음아. 선택해 봐.
다음　　　뭘?
민정　　　하나는, 저 밖으로 나가서 꿈만 꾸고 있던

것들을 실컷 해보고 죽는 거야. 그 다음
하나는, 여기. 이곳에서 오래 살아있는
거야. 대신 아무것도 할 수 있는 게 없겠지.
비참하고.

다음   … (갑자기 풀이 죽어) 어렵다.

민정   어려워? 난 쉬운데.

다음   …

그때, 문이 열리고 들어오는 승희.

승희   다음아. 교수님이 찾으시는데?

다음   앗. 깜빡했다. 언니, 다음에 얘기해!

빠르게 걸어 나가는 다음. 그런 다음을 돌아보며 미소 짓는
민정.
그리고 민정의 웃는 얼굴이 1부 58씬 영정 사진으로.
절을 한 채 모은 손 등 위로 눈물이 톡 톡 떨어지는 다음과…
측은하게 바라보는 승희의 모습.

#22. 다시 현재, 한국대병원 복도. 낮.
닫힌 문이 열린다. 다음이다.
후줄근하게 묶은 머리, 환자복은 사복으로 갈아입고.
마스크를 쓰고. 의사 가운에 적힌 〈이정효 교수〉 이름을
가리기 위해 펜을 꽂고, 영락없는 바쁜 전공의 모습을
하고선, 핸드폰으로 한쪽 얼굴을 가린 채, 고개를 숙이고
바쁘게 걸어 나온다.

310

다음(NA) 병원에 있으면서 하루에도 몇 번씩 상상했어.

이곳을 나가면… 난 어떤 삶을 살고 있을까.

조금 떨어진 곳에서 통화하는 교영과 눈이 마주친다.
서로 눈이 마주쳤지만, 교영이 고개를 돌려 계속 통화를
이어나가자 자신 역시 시선을 깔고서 무작정 걷는 다음…
통화 중인 교영. 걱정되는 얼굴로 다음이 사라진 곳을
쳐다본다.

> 미선(E)　　다음인 좀 괜찮냐니까! 아까부터 무슨
> 　　　　　뚱딴지 같은 소리만 늘어놓고 있어!
> 교영　　　(작게 한숨) 미선 실장님. 제가 이따가 다
> 　　　　　말씀 드릴게요. 끊어.

#23. 한국대병원 엘리베이터 앞 복도. 낮.
엘리베이터 앞에 선 다음.
버튼을 누르고 주위에 아무도 없는 걸 확인하고 나서야
작게나마 내쉬는 안도의 한숨.

> **다음(NA)　영화 속 주인공, 운명적인 사랑, 끝내 찾아오는
> 해피엔딩? 진짜 삶은 다 병원 밖에 있는 것
> 같았어.**

그때, 엘리베이터가 도착하고 문이 열리면, 서영이 서있다.
서영의 옆으로 사람들 우르르 내리고, 그 사이로 엘리베이터
구석에 마스크를 쓴 중년의 여성(승희)이 보이고. 다음과 311
서영, 서로를 마주 보고 놀라서 얼어붙는다. 그때, 다음의
뒤로 뒤늦게 온 간호사1(12씬 동일인물)이 먼저 탑승하고
다음도 정신을 차리고 고개를 푹 숙인 채 엘리베이터에 탄다.

#24. 한국대병원 로비. 낮.

빠른 걸음으로 들어오는 정효, 엘리베이터 버튼을 누르고서
쳐다보면,
12층에서 하나씩 내려오는 숫자…

#25. 한국대병원 엘리베이터 안. / 한국대병원 로비. (교차)

12층에서 내려가는 엘리베이터. 다음에게는 숨이 막힐 것
같은 공간… 그때,

> 간호사1   아, 네 선생님. 이다음 환자요? 네? 병실에
>   없어요?! 좀 전까지 분명히…

간호사1의 입에서 나온 다음의 이름을 듣고서 반응하는
다음과 서영, 승희…
다음이 없다는 말에 고개를 든 간호사1의 시선이
엘리베이터 내부 유리를 통해 흩어지자,
긴장하는 다음… 그때 서영이 다음에게 붙으며 머리카락을
정돈해주며.

> 서영   규원아.
> 다음   (놀라서, 뒤돌아보고) 어? 으, 응…?
> 서영   또 며칠 밤을 샌 거야. 너 오늘도 당직이랬지?
>   동생이랑 밥 한번 같이 먹기 힘들다.
>   배고프지?
> 다음   (목소리 내면 안 된다, 끄덕끄덕)
> 서영   네가 사. 그럼… 샌드위치 어때?

두 사람의 자연스러운 즉흥 연기가 이어지자.

312

다시 고개를 돌려 조용히 전화를 받는 간호사1, 급하게
중간층을 누르며

　　　간호사1　　제가 다시 올라가볼게요, 네…

간호사1이 내린 채로 엘리베이터 문이 다시 닫히자,
서영이 지하주차장 층수를 누르고,

　　　서영　　샌드위치면… 차 타고 포레스틴 갈까?
　　　다음　　(끄덕끄덕)

CUT TO.
엘리베이터 앞에서 핸드폰을 확인하는 정효. 멈춰있던 숫자
3에서, 2, 1… 문이 열리고.

CUT TO.
다음과 서영이 탄 엘리베이터의 문이 열리면, 고개를 숙인
정효가 서있다…! 잠깐의 정적에 다음이 얼어붙으며 다급히
한 발짝 뒤로 물러서 서영 뒤로 숨고. 정효, 고개를 들어
엘리베이터 안을 보려는데, 때마침 승희가 문 앞으로 가
시야를 막아주며 엘리베이터에서 내린다. 그때, 슬쩍 뒤를
보는 승희. 마스크를 내리고서 다음과 눈을 마주친다. 다음,
승희를 알아본다. 승희가 정효에게 인사를 건네면 정효,
표정이 살짝 굳고서 목례하는.

313

　　　승희　　오랜만이에요. 교수님.

엘리베이터 문이 닫히자, 정효를 그대로 지나쳐 가는 승희…

Episode 5

정효, 승희의 뒷모습을 보는.

#26. 한국대병원 엘리베이터 안. 낮.
둘만 남은 엘리베이터 안. 내려가기까지 어색한 정적만
흐르고.
두 사람 말없이 서있다. 그 위로…

> **다음(NA)** **그렇게 나온 바깥세상은 결코 만만치 않더라.**
> **그래도… 포기하고 싶지 않아.**

#27. 한국대병원 병실 안. 낮.
병실 문을 열고 들어오는 정효. 깔끔하게 정리된 침대 위
흔적.
그 위에 놓인 메모 한 장. 앞선 다음의 나레이션이 정갈한
필체로 쓰여 있다.

> **다음(NA)** **아빠, 우리한테 남은 시간을 나에게 좀**
> **맡겨줄래? 내 결말은 내가 만들고 싶어.**

정효, 다음의 편지를 본다. 쓸쓸한 모습의 정효.

#28. 병원 주차장. 낮.
차에 탄 다음과 서영. 다음, 이제야 안심한 듯, 마스크를
내리고.

314

> 서영   어디로 데려다 줄까요?
> 다음   (어색한 웃음) 지금… 제가 편히 갈 곳이
>   없네요. 염치없지만 가까운 호텔로

부탁드려도 될까요?

서영	(잠시 생각하다) 그 몸으로 혼자 호텔? 어디든 편한 곳이면 되는 거죠? 알아서 갈 테니 편히 있어요.
다음	(기운이 없다) 감사합니다… (눈을 감는다)

말없이 다음을 한 번 살피고는 에어컨을 조절하고 손에
대보며 온도 체크하고,
출발하는 서영.

#29. 정릉 집 앞. 석양.
제하의 차, 집 앞에 서고.
잠시 생각에 잠겨 있던 제하, 차에서 내려 집으로 들어간다.

#30. 서영의 집 안. 밤.
넓고 세련된 서영의 집 거실 한가운데 소파에 덩그러니 앉아
있는 다음.
다음이 지낼 방문을 닫고 나오는 서영. 기척 소리에 엉거주춤
일어나 어찌할 바를 모르고.

서영	(살짝 웃고) 일어나지 마. 편하게 앉아 있어.
다음	(천천히 앉고) 네…
서영	방은 여기 쓰면 돼. 좀 들어가 쉴래? 아니면 뭐 좀 먹을래? 아, 아무거나 먹으면 안 되려나?

315

어색한 건지 긴장한 건지 서영이 다음이 앉아 있는 소파
쪽으로 가려다가 말고,

부엌으로 가려다 말고 우왕좌왕. 긴장한 다음도 서영을 보며 불편하고.

다음	저 때문에 불편하시죠…
서영	(부산스런 움직임 멈추고, 억지미소)
다음	(벌떡 일어나) 저 들어가 있을게요! 선배님 집인데 편하게 계셔야죠!
서영	(무언가 말 꺼내려다 멈추고) …일단 쉬자 다음 씨. 좀 자.
다음	(눈치 보며 총총 들어가다 다시 돌아와 서영 앞에서) 선배님!
서영	응?
다음	(꾸벅) …감사합니다.
서영	(안쓰러운) 얼굴이 많이 안 좋다.
다음	(얼굴 살짝 쓸어 만지며) 괜찮은데… 그래 보여요? 저 정말 괜찮은데…
서영	혹시 알레르기 있는 음식 있어? 새우라든지.
다음	(손 사래) 다 잘 먹어요!
서영	(웃고) 그래요.

고맙게 보는 다음.

#31. 서영의 집. 게스트 룸 안. 밤.

문 열고 들어와 침대맡에 앉아 앞을 보는데, 벽면 아래에 〈청소〉 포스터가 세워져 있어 포스터 속 서영과 아래 감독 이제하란 글귀를 눈으로 훑던 다음, 핸드폰을 꺼내 전원을 켜면, 아빠에게 온 부재중 전화 5통. 이제하 감독님에게 온 부재중 15통, 하루 종일 쌓인 제하의 문자와 더불어 교영과

316

준병 등 수없이 쌓여 있고… 입술만 만지작거리다 교영에게
전화하고.

> 다음   응 교영아, 나 서영 선배네 와 있어.
> 교영(E) 어디로 간다고 문자라도 남겨놓지.
> 다음   미안해.
> 교영(E) 안전한 데 있으니까 됐어. 엄마 들었지? 이거
>   스피커 통화야.
> 미선(E) 다음아 아빠한테는 이모가 잘 얘기했지만
>   너 그래도 그럼 안 되는 거 알지. 당장
>   죄송하다고 연락드리고 오늘만 거기서 자구
>   낼 병원으로 곧장 가.
> 다음   이모 걱정 끼쳐서 죄송해요. 연락할게.
>   교영아. (사이) 고마워…

끊고, 제하에게 전화를 건다.

#32. 정릉 집. 밤.
제하, 단정히 정리된 은애의 방 침대를 보고 있다.

INS. **죽기 얼마 전 병색이 완연한 표정으로 침대에 누워있는**
   은애의 모습.

INS. 정효   **시한부 환자에게 시한부 연기를 시키는 게**
            재밌습니까? 그런 게 영화입니까?

317

제하, 다음의 번호를 핸드폰에 띄워 놓고 계속 만지작.
그때, 다음에게 전화가 걸려온다. 제하, 다급하게 받는다.

Episode 5

제하	왜 연락이 안 됐어요. 어디에요?
다음	죄송해요. 전화 받을 상황이 아니어서 못 받았는데… 걱정 많이 하셨죠…
제하	무슨 상황인데요.
다음	(망설이다, 결심하고) 병원에 있었어요. 병원에 있었는데… 계속 병원에 있게 될까봐 도망 나왔어요.
제하	어디냐구요.
다음	…저는… 서영 선배님 집에 있어요. 병원에서 마주쳤는데 제가 도와달라고 부탁했어요.
제하	어디라고?

잠깐의 정적.
거실에서 다음을 부르는 서영의 목소리가 들리고.

다음	혹시 제가 내일 설명드려도 될까요? 다 얘기할게요. 일단 걱정하지 마세요. 저 아프지 않아요.
제하	거기서 기다려요.
다음	네?

제하, 아무거나 걸치고 차 키를 들고 나간다.

#33. 서영의 집 안. 밤.

318 주방. 다음 앞에 죽 그릇이 깨끗이 비워있다.
빈 그릇 앞에 물 마시는 다음. 맞은편 서영의 죽은 그대로.

다음	저만 너무 맛있게 먹었나 봐요. 선배님은 왜

	안 드세요…?
서영	나 쌀은 안 먹은 지 3년 넘었어.
다음	(놀랍고) 아…

이어지는 정적, 어색함이 감돌고,

| 다음 | … 선배님은 병원에 무슨 일로 오셨어요? |

서영 약통을 꺼내 신경 안정제를 비롯한 영양제 네다섯 알을
먹는다.

| 서영 | 정신과에서 처방받은 약. 스트레스도 불안도
많거든. |
| 다음 | 아… 많이 안 좋으세요? |
| 서영 | (태연하게) 응. 다닌 지 꽤 됐어. 근데, 거기서
다음 씨를 보게 될 줄은 몰랐네. 저번에도
그렇고… 이제는, 얘기해줄 수 있어? |
| 다음 | 아, 그게… |
| 서영 | 마음의 준비가 되면 말해 달라고 해놓곤,
그게 잘 안 되네. 걱정돼서 그래. 도대체 무슨
일이었던 거야? |
| 다음 | (곤란한)… |
| 서영 | 이제는 얘기해줄 수 있는 거 아니야? 다음
씨 도대체 어떻게 안 좋은 거야? 그때
화장실에서 분명… |
| 다음 | 정말, 가끔 그럴 때가 있어요. 걱정하실
만큼은 아니에요… |
| 서영 | 그러기엔 내가 너무 봐버렸는데? 다음 씨 |

319

Episode 5

심각했어.

다음   …

서영   나도 뭘 알아야 도와줄 수 있을 것 같아서
그래.

답답하기만 한 서영이 다음에게 더 채근하려는 그때,
서영에게 전화가 오고, 보면, 제하다. 앞에 다음을 한 번
의식하곤 일어서고,

서영   미안, 잠시 전화 좀.

식탁에서 일어서 몇 발자국 나가 거실 가운데서 전화를 받고,

서영   무슨 일?

제하(E)   집에 곧 도착해.

서영   감독님이 우리 집엔… 왜? 미안한데 지금은
좀 곤란한데.

제하(E)   이다음 씨, 데려갈게.

서영   다음 씨가 우리 집에 있는 건 어떻게 알았어?

제하(E)   이다음 씨가 그러던데, 거기 있다고.

서영   (돌아서 다음을 보고) 근데 감독님이 왜
다음 씨를 데리러 와?

서영의 통화소리에서 이름이 들리자 놀라는 다음. 서영을
320   본다.

#34. 도로 일각. 제하의 차 안. 밤.
표정의 변화 없이. 무미건조하게 말을 뱉는 제하.

제하   내가 채서영 씨한테 일일이 설명할 이유는
          없는 것 같은데.

#35. 서영의 집 안. 밤.
제하의 말을 듣고 핸드폰을 귀에 댄 채 뒤에 앉아있는
다음을 돌아보는 서영. 다음도 무슨 상황인 건지 혼란스런
얼굴로 서영을 보고, 다음을 보는 서영의 눈빛이 심하게
흔들리는.

#36. 서영의 집 안. 밤.
거실에 어색하게 멀찍이 거리를 두고 앉아 있는 서영과 다음.
딩동- 고요한 집 안에 벨소리가 울리고, 제하, 문이 열리면
눈앞에 서영과 다음이 서 있다. 두 여자를 마주한 제하,
다음만 뚫어지게 쳐다본다.

     서영   (흔들리는 눈으로 제하 보고) 들어와요.

서영 옆에 서 있는 불안한 얼굴의 다음과 시선이 마주치자,

     제하   가요.
     다음   (어색한 기류 눈치 채고 양쪽 눈치 본다)
     서영   이렇게 나가면 분위기 이상해지는 거야.
               감독님. 최소한의 설명이라도 해주고
               가야되는 거 아냐? (다음 보고) 아까처럼
               지금도 도와줘야 하는 상황이야?   321
     다음   (곤란하고) 선배님 그게…
     제하   (차 키 주며) 내려가서 차에 타 있어요. 금방
               내려갈게요.

Episode 5

다음	감독님…
제하	(다음 보고 올라오는 감정 누르며) 가 있어요.

다음, 서영에게 고개 숙여 인사하고 현관을 빠져나간다. 문이
닫히고. 정적.

제하	갈게.
서영	뭐야? 아무런 설명도 없이? 나 자극해 지금?
제하	…
서영	뭘 숨기는 건데? 이렇게 된 이상 모른 척 못 해. 설명하고 가.
제하	너는 왜 그 병원에 있었고, 어떻게 이다음을 만났고, 무슨 이유로 데려온 건데?
서영	(알던 사람이 아니다, 마음이 덜컥 내려앉는다) 다음 씨 일에 이렇게까지 열 올리는 거. 이해가 안 된다. 내가 본 게 있으니까 알고 싶었어. 둘 다 나한테 숨기는 거 있잖아.
제하	넌 몰라도 되는 일이야.
서영	(울컥) 왜 자꾸만 이상하게 굴어? 왜 이렇게… 예측이 안 돼?
제하	(보고)
서영	제하 씨랑 같이 일할 생각에 설레고 긴장되고, 솔직히 옛날로 돌아간 것만 같아서 자꾸 충동적으로 행동하게 돼. 근데 제하 씨는 내가 알던 사람이 아닌 것처럼. 처음 보는 모습만 보여주잖아. 왜 그러는 거냐고. 이유가 뭐냐고.

322

제하	(모질게) 네 뜻대로, 네가 예측 가능한
	행동만 해야 하는 사람은 내가 아니니까.
	그건, 널 사랑해주는 사람한테 기대해야
	되는 거야. 내가 아니고.

제하 돌아서 나가고, 문이 닫히면, 현관 센서 등이 꺼지고,
남겨진 서영.
복잡하고 착잡한 얼굴.

#37. 서영 집 주차장. 제하의 차 안. 밤.

조수석에 타서 불안한 얼굴을 하고 있는 다음,
곧바로 제하가 차문을 열고 운전석에 타고. 순간의 정적.

다음	(일부러 밝게) 아, 왜 자꾸 서영 선배님과
	마주치는 거지. 운명인가?
제하	아팠다면서요. 괜찮아요?
다음	괜찮아요. 저 안 괜찮으면 안 괜찮다고
	말해요. 그런 거 안 숨겨요. 걱정 마세요.
제하	(한숨) 병원으로 갈게요.
다음	거긴 절대 못 가요!
제하	(화 참고 있던 게 터진다) 감당도 못할 일에
	왜 객기를 부리지? 곧 촬영이에요. 이다음 씨
	상태 나빠지면 칠팔십 명 전부 올 스탑이야.
	아무리 경험 없는 신인이래도 기본적인 프로
	의식 하나 없는 사람이 주인공 할 자격이
	있다고 생각해요?
다음	(간절하다) 지금 병원 들어가면, 저 거기서
	누워만 있다가 죽어요. 제 현실이 그래요.

323

이렇게 감독님한테 혼나고 욕먹어도 세상
밖에 나와 있는 게 백 번 천 번 나아요. 더
화내세요! 더 들을게요! 어떻게 무릎이라도
꿇을까요? 좀 봐주세요!

제하	(당당함에 어이가 없고)
다음	(앞 보고 꿋꿋하게) 네. 저 돌았어요. 완전하게.
제하	(할 말을 잃고 시동은 거는데…) 다음 씨 친구 집으로 갈게요.
다음	오늘은 들어가면 안 돼요.
제하	…(보고 한숨) 그럼 어디.
다음	…감독님이 제일 가기 싫은 곳.
제하	무슨 소리예요?
다음	나한테 병원 같은 곳. 그런데 없어요?

#38. 제하 정릉 집 앞 일각. 차 안. 밤.

차에서 내리는 제하와 다음. 제하가 뚜벅뚜벅 걸어가
무심하게 대문 열쇠로 문 따는데,

다음	여기가… 가기 싫은 곳이에요?
제하	응. 근데 저번부터 왜, 맛없는 거, 싫어하는 곳 그런 걸 궁금해해요?
다음	궁금해서요. 감독님이 좋아하는 것도 싫어하는 것도 다.
제하	(알 수가 없는 여자다)

324

#39. 제하 정릉 집 안. 밤.

현관 열고 들어서 불을 켜는 제하. 불을 켜도 환하지 않은.

오래되어 먼지 가득한 퀘퀘한 집에서…

제하   (소파 가리키고) 여기 앉아 있어요.

다음   (조심스럽게 앉으며) 여긴 어디예요? 사람
               사는 집 같지가 않은데.

제하   어렸을 때 내가 살던 집.

다음   (헉, 수습하며) 관리가 안 된 지 좀 오래된
               감은 있어도, 되게 아늑하고 좋은데요?
               앤틱하고. 그리고 뭔가, 감독님이랑 어울려요.

제하   (냉소) 어울리긴…

다음   근데, 여길 왜 싫어해요?

제하   (말 돌리며 방 열어 미리 보고) 이 방 쓰면
               돼요. 화장실은 저쪽이고, 오늘은 일단
               여기서 자요. 그다음은… 생각해 보죠.

다음   (제하 팔 옷깃 잡고) 어디 가요?

제하   (보면) 난 내 집이 있으니까.

다음   게스트 하우스도 아니고. 설명만 하고 가는
               게 어딨어요…

제하   …

#40. 정릉 집 주방. 밤.

제하, 마실 거라도 내보려고 하는데, 아무것도 없다.
서로, 어색하게 한참을 쳐다보는 두 사람. 제하, 어색함을 깨고,

제하   아버지한테 여기 있다고 연락했어요?   325

다음   …

제하   하세요. 이다음 씨 어린애 아니잖아.

다음   …

제하	… 아버지가 반대하시죠. 영화 찍는 거.
다음	… 아빠… 만나셨구나.
제하	무조건 아버지 말을 다 따르라곤 안 할게요. 나도 아버지란 사람 말을 따른 적이 없으니까.
다음	(아버지와 무슨 일일까 궁금하다) 감독님 아버지도 감독님 영화를 반대하셨어요?
제하	글쎄요… 적어도 〈하얀 사랑〉 만드는 건 반대했을 거에요.
다음	물어봐도 돼요? 그때 감독님이 했던 말. 〈하얀 사랑〉… 아버지가 쓴 것 같지 않다던…
제하	(보고, 시선 피하고) 다른 얘기하죠.
다음	(뭔지는 모르지만, 안쓰럽고) 솔직히 방법을 모르겠어요. 아빠가 어떤 마음인지 잘 알지만… 아빠 말대로만 살 수는 없어요.
제하	하지만 다음 씨 아버지는 다음 씨 병을 가장 잘 아는 의사잖아요.
다음	그게 무서워요. 의사라서 더욱 받아들이질 못하세요.
제하	(뭔지 알겠지만 말을 아낀다) …
다음	… 다른 얘기하죠!
제하	(시간 보고, 늦었다) 갈게요.
다음	(다급) 어… 감독님!
제하	왜요.
다음	미안해요, 죄송합니다. (고개 숙여 사과하는)
제하	?? 뭐가.
다음	제가… 감독님한테 그… (입술을 가리키며) 저기 그거요. 일방적이었으니까…

326

제하	누가 키스했다고 사과를 이렇게까지 정중하게 해.
다음	(어색한 미소) 너무 아무렇지 않은 척 막 그러면 더 이상해 보이잖아요…
제하	(피식) 사과 안 해도 돼요. 그렇게 따짐 내가 미안하지. 아무리 연습이래도 키스 상대가 좋아하지도 않는 사람이니.
다음	(좋아하지도 않는 사람? 그런가?) …
제하	오늘 사과 얼마나 했어요?
다음	(손가락으로 세어보는, 다섯 손가락 접고)
제하	계속 그렇게 미안해하면서 영화 찍을 수 있겠어요?
다음	(아무 말 못 하고)
제하	그 손가락 다시 다 펴요.
다음	(천천히 다섯 손가락 다시 펴고)
제하	미안해하는 마음, 모르는 거 아닌데, 너무 그렇게 사과하지 마요. 이다음 씨가 원하는 거, 정말 하고 싶었던 거 하려면 그런 마음들은 어느 정도 감수해야 돼요.
다음	(울컥하는)
제하	다 할 수 있는 시한부라면서. 이다음 씨는 다 할 수 있는 사람이잖아. 그렇게 쭈그러들지 말라구.
다음	(찡하고 올라오는 감정. 막 눈물이 나려는데)

327

제하 일어나 다음 곁으로 성큼 다가오고, 다음 그런 제하를 똑바로 쳐다보고,

제하   그리고, 이 집 물건 아무것도 건들지 마요.
        아무것도.

제하, 집 키를 다음에게 건네주고. 눈물이 쏙 들어간 다음이
끄덕인다.
제하가 나가자 다음, 집 안을 한번 보고 공기를 느껴본다.

다음   감독님이 어렸을 때 살던 집…

이상하게 마음이… 두근거린다.

#41. 정릉 집 앞 밖. 밤.
대문을 나온 제하. 마찬가지다. 마음이… 이상하다.
무언가 생각난 듯 차를 두고 걸어간다.

#42. 정릉 집 근처 슈퍼.
제하, 봉투에 생필품(생수, 포도주스, 김스깡 등) 먹을 걸
담는다.

#43. 정릉 집 앞 밖. 밤.
장을 본 봉투를 들고 대문 앞에 걸어두면서 대문이 안전한지
흔들어 확인까지 마치는데.

INS. 4부 엔딩 두 사람의 키스 장면

제하   …

잠시 생각에 잠기다 다음에게 문자를 친다.

우리영화 대본집

[근처에 할머니 밥상 맛있어요. 필요한 거 대문 앞에 있구요.]

다음의 '오케이' 이모티콘 답장 온다. 차에 타 출발하는 제하.

#44. 정릉 집 안. 낮. 몽타주.

다음날. 아침 햇살이 쏟아지는 거실. 거실 테이블 위에
제하가 사다 준 생필품, 간단한 음식들이 있고. 맨발로
거실 바닥을 내딛는데, 먼지가 발에 묻고, 이제야 환한
집 안 내부를 둘러보니 너무 지저분하다. 치울 거 없나
두리번거리다 제하가 한 말 떠오르고.

　　　제하(E)　　　이 집 물건 아무것도 건들지 마요.

CUT TO.

거실 한가운데 가부좌 틀고 앉아 명상하듯 눈을 감고선
심호흡하다 실눈 뜨고 제각각 꽂혀있는 책, 말라 비틀어져
있는 화분, 수북이 쌓인 창틀 먼지가 눈에 거슬리지만.

　　　제하(E)　　　아무것도.

CUT TO.

못 참겠는 다음이 까치발로 뒷짐 지고 진열장을 찬찬히
구경하는데,
어렸을 적 제하의 모습이 담긴 사진 액자들을 보고.

　　　다음　　　뭐야. 왜 귀여워?　　　　　　　329

그러다 엎어져 있는 액자를 보고, 들어 올려 보고 싶은 마음
굴뚝같아 손을 뻗었다가…

Episode 5

제하(E)   만지지 마요.

뻗은 손에서 멈춰 고민하는 다음.

#45. 병원 내 대형 강의실. 안. 낮.
의학 학회가 한창 진행 중인… 여러 인원들이 참여한 가운데,
정효와 민석이 한 테이블에 앉아 있고. 어두운 분위기의
대형 스크린에는 '제대혈 줄기세포를 이용한 임상 연구
세미나'라고 적혀있다. 정효. 차례가 되어 올라가 발표하는데,
굳은 표정과 침울한 목소리로 이어나가는…

        정효   아시다시피 미토콘드리아 동력부족증후군,
                    불균형증후군은 발병 이후 점점 더 발작의
                    횟수가 잦아지고, 끝내 사망에 이르는
                    병입니다. 최근에는 줄기세포를 이용한 임상
                    연구의 방향 역시 재생된 인체 조직들로 이
                    횟수를 줄이는데 주안점을 두었으나, 최근
                    일련의 임상들이 거듭된 실패로… 사실상…

무미건조하게 이어 나가던 발표를 잠시 중단하는 정효.
그런 정효를 걱정스럽게 쳐다보고 있는 민석…

        정효   (다시 한번) 사실상의…

330   끝내 말을 끝까지 이어 나가지 못하고… 자리에서 내려와
        그대로 세미나실을 나가는 정효.
        갑작스런 퇴장에 웅성거리는 현장… 진행자가 무대 위로
        급하게 올라와 상황을 정리하고

#46. 메이크업 샵 안. 낮.

메이크업 받는 서영.

INS. 제하의 말이 머릿속을 맴돈다.

> 제하(E)   **내가 채서영 씨한테 일일이 설명할 이유는 없는**
> **것 같은데.**

생각이 많아지는 서영.

#47. 메이크업 샵 앞 거리 일각. 낮.

서영이 세팅된 차림으로 샵을 나와 밴 문을 열면, 고대표가
앉아 있다.

> 서영   같이 가게요? 차 있잖아요.
> 고대표   이거 내 찬데 같이 좀 타면 안 돼?
> 서영   (타고, 문 세게 닫고 떨떠름한) 한 차 타기
>   불편하니까 그렇죠.
> 고대표   (쳐다도 안 보고) 시간 없어.

#48. 도로 일각. 차 안. 낮.

막히는 도로, 어색한 분위기.

> 고대표   박감독 준비 중인 작품, 주연 다시 찾는대.
> 서영   그래서요?
> 고대표   그거 하자.   331
> 서영   (하아) 미팅 있다는 게… 그거였어요?
> 고대표   복귀작으로 박감독이랑 같이 해서 성적
>   좋았고, 이혼 이슈도 다 묻었잖아.

서영	대표님, 우리 〈하얀 사랑〉 계약서 도장 찍지 않았어?
고대표	분량도 얼마 안 되는 〈하얀 사랑〉, 네 분량 몰아 찍으면 되지. 크레딧도 특별출연으로 가자.
서영	정화 역에 집중하고 싶어요.
고대표	작품 하나 더 한다고 집중 못하는 배우 아니잖아.
서영	(노려보고) 내가 왜 정화를 하고 싶은지 안 궁금해요?
고대표	내가 모르겠니? 그래서 싫어. 난 정화가 너무 너 같아서 싫어.
서영	(하아)
고대표	(부드럽게) 넌 술 마시지 마.
서영	술도 마시지 말고 버티라고요?
고대표	(보고) 병원에서 연락 왔어. 약이 능사가 아니래.
서영	(한숨) 그러든가요 그럼.
고대표	미리부터 경솔하게 한다 안 한다 단정 짓지 말고, 가서 작품 얘기 들어보고 결정하자.
서영	(화나는 것 참고 뭔가 생각이 있다) 멀미나. 나중에 얘기해요.
고대표	그럼, 가는 거다. 민희야, 밟아. 길 막히기 전에.

332

#49. 술집 일각. 밖. 낮.

운전석에 앉아 대기 중인 민희에게 전화가 걸려오고, 받으면 정우다.

| 민희 | 네 선배님. 지금 대표님이랑 서영 선배님 들어갔어요. 길게는 안 걸릴 것 같아요. 술도 안 드신대서… |

그때, 불쑥 튀어나온 서영이 문을 열어 가방에서 숙취 해소제를 하나 꺼내,
쭉 짜 마시고 문 닫고 술집으로 다시 돌아가고, 그 모습을 멍하게 보는 민희.

| 민희 | 술 좀 드실 것도 같네요… |

#50. 플라워샵 일각. 밖. 낮.
꽃바구니 포장을 보면서 통화 중인 정우,

| 정우 | 그럼 시간 맞겠다. 서영 씨 내가 데리러 갈게요. (끊으려다 아차) 아 맞다. 컨디션은요? 분위기는요? 그래요? 먼저 들어가세요. 제가 잘 얘기할게요. |

끊고, 기분 좋게 포장된 바구니를 들고 나가는 정우.

#51. 제작사 회의실 안. 낮.
펜대를 돌리며 생각에 잠긴 제하. 그러다 문자로 다음에게.
[밥은 먹었어요?]

333

유홍	감독님!
철민	감독님 피곤하신가 보다. 여기까지 할까요?
제하	주인공들의 시선을 좇는 씬이 많다보니

Episode 5

	아무래도 촬영감독님이 힘들 것 같아요.
철민	멀티가 잘 되시는구나… 세트가 아니라서 직접 가서 공간을 봐야겠어요.
유홍	네네 답사 일정에 체크해놓을게요.
제하	(골똘) 시간이 좀 부족한가?
유홍	이럴 줄 예상은 했어요. 그래서! 준비도 해놨구요. 아직 미정인 장소들만 직접 가서 정해주시면 시간은 충분해요.
제하	어 대충 마음은 정해놨어. 가서 확인만 해보려고.

제하, 한숨 돌리며 핸드폰을 확인하는데, 다음에게선 여전히
답장이 없고…
그때, 승원 들어오며,

승원	(털썩 앉으며) 아우. 〈질투의 조건〉 제작사 대표 하소연 들어주다가 늦었네.
유홍	그거 크랭크인 이번 주 아닌가?
승원	난리 났어 거기.
철민	뭐야? 왜요?
승원	말도 마. 거기 스캔들 터졌어.
제하	(승원 보면)
승원	(제하 보며) 감독이랑 배우랑.
철민	거기 정인 감독이 오디션만 6개월 보고 신인 뽑지 않았나?
유홍	뭐… 사귀는 게 난리 날 정도예요? 그런 케이스 널렸는데.
승원	얌전하게 사귀면 되는데. 양다리였던 거야. 여자 배우 투톱 물이잖아.

334

유홍	(경악) 에?

#52. 제작사 테라스 밖. 낮.

제하, 다음에게 전화하지만 신호만 갈 뿐 받질 않고. 끊고서
콘티를 살피는.
테라스 밖으로 나와 빤히 보는 승원.

제하	(전화 끊고) 무슨 말이 듣고 싶어서 빤히 보고 있어?
승원	형한테 싸가지 없이.
제하	할 말 없음 가구.
승원	우리 영화에선 그런 일 있어서도 안 되지만 없을 거야 그치?
제하	그런 일이 뭔데.
승원	어리석은 선택이 불러오는 파국?
제하	(보던 콘티 덮고 승원 보고) 뭐?
승원	(제하 보고) 내 영화에서는 없어야 돼. 그런 일. (묘하게 웃으며)
제하	(시선 돌리고) 없을 거야. 쓸데없는 걱정 하지마.
승원	정인 감독 꼴 나면 수습 힘들다. 오케이?
제하	형… 한가해?

승원, 픽 웃으며 제하의 어깨를 툭툭 치고 나가고, 제하,
마음이 복잡하다.   335

#53. 술집 안. 낮.

한상 차려진 술상. 윤피디, 박감독, 고대표, 서영 앉아 있는.

Episode 5

고대표	(박감독 술 따르며) 이쯤 되면 우리 박감독님 뮤즈는 서영이지.
서영	(고대표 손에 든 술 빼앗아 자기 잔에 따르고 원샷)
일동	(당혹)
서영	(세게 내려놓고) 목이 말라서. 근데 이거 뭐예요? 독하네.
박감독	오늘 분위기 괜찮은데? 내가 서영 씨 시원시원해서 좋아해.
고대표	시나리오 좋고, 캐릭터 완전히 예술이지 뭐. 우리 박감독님 영환데, 볼 것도 없이 무조건 서영이가 해야지.
윤피디	그쵸. 특히 서영 씨 나이대에 배우들 전성기가 워낙에 짧은데, 공백 생김 안 되죠.
고대표	(웃으면서) 피디님. 말 이상하게 하신다아~ 우리 서영이 전성기 이제 시작이에요.
윤피디	(당황) 아니, 그런 말이 아니…
서영	(OL) 시원한 거 좋아하시니 시원하게 말할게요. (술 원샷) 연기하는 건 나잖아. 대표님도 감독님도 피디님도 아니고 나잖아. 시나리오는 구경도 못 한 영화에 딴 배우가 감독님 지랄 맞다고 펑크 낸 자릴 왜 내가 메꿔야 되는지. 도무지 이해가 가질 않네? 그 지랄 분명 나한테도 할 게 뻔한데, 그쵸?
박감독, 윤피디	(당혹)
고대표	(나지막이 차갑게) 그만해.
서영	(무서우리만치 차분) 순서가… 안 맞잖아.

336

내가 먼저야. 내 마음이 먼저라고… (슬프게,
고대표 보고)

서영, 술 따라서 다시 원샷 하고. 휘청이며 일어나는 서영.

> 서영   나한테 더 할 말이 있어요? 그럼 뒤에서
>   하세요.

나가고. 싸해진 자리… 따라 나가는 고대표.

#54. 술집 안 복도. 낮.

휘청거리는 서영을 뒤따라가 거칠게 잡아 돌려세우는 고대표.

> 고대표   넌 미친년이야.
> 서영   내가 미친년이면… 대표님은… 나쁜 년이에요.
> 고대표   네 현실을 좀 파악해. 너 이혼녀에 곧 30대
>   중반이야. 어떻게 자리 잡은 주인공인데,
>   다시 내려가?
> 서영   이혼녀, 주인공에 급급한 30대 여배우. 나랑
>   가장 가깝다고 생각한 사람이 날 그렇게
>   생각하고 있었구나.
> 고대표   나락 갈래 이대로?
> 서영   주인공 안 하면 나락이에요?
> 고대표   현실을 말하는 거야. 내 꼴 날래? 단
>   한 번이라도 주저앉으면… 기회는 쉽게 안 와.   337
> 서영   (안쓰럽지만) 대표님 맘 모르는 거 아닌데.
>   하… 박감독 툭하면 촬영 직전에 시나리오
>   바꿔서 여배우 벗겨야만 속이 시원한

인간인 거 몰라? 나 그거 때문에 아직까지 약 먹어. 그런 인간 작품을 또 하라고. 너무 하잖아요… 나도 사람이야…

고대표　신경 쓰지마. 결과만 생각해!!

서영　어떻게 신경을 안 써. 신경이 다 터질 것 같은데…!!!!

그때, 복도로 사람이 지나가자 서영 얼굴 안 보이게 벽으로 몸 돌려세우는 고대표.
사람들 지나가고,

고대표　(작게) 나라고 저 싸가지 없는 새끼들 비위 좋아서 맞추겠니? 들어가. 들어가서 사과해.

서영　(끊어내고) 나 이러려고 왔어. 박감독, 다시는 내 얘기 못 꺼내게. 그놈의 주인공, 대표님 말 잘 듣는 다른 사람 찾아서 만들어. 난 빼줘.

나가는 서영을 바라보는 고대표. 어딘가에 전화를 건다.

고대표　이다음에 대한 거 다 알아봐. 심부름센터를 붙이든 기자를 붙이든 우리 배우로 데려올 수 있게 모든 정보 싹 다 끌어와.

#55. 술집 주차장 일각. 밖. 낮.

338　술집을 나오자마자 돌아선 골목 벽을 짚고 그대로 쏟아내는 서영.
차에서 보고 있던 정우가 놀라 뛰어나와 등을 두들겨 주고,

서영	아퍼… 그만 두들겨.
정우	(서영 얼굴 닦아주고) 많이 마셨어?
서영	(주저앉고) 좀 마셨어… 나도 마시기 싫었는데… 싫어도 할 건 해야지.
정우	(주변 의식하며) 일단, 차로 가자.
서영	(일어나고) 나 우리 대표님이랑 완전히 틀어졌고. 앞으로 또 무슨 얘길 들으며 살아야 될지 나도…
정우	(끊고) 그만 말해. 가자.
서영	나 장난 아니었는데, 안 궁금해?
정우	(서영 안고) 난 네가 지금 더 토하고 싶은지 자고 싶은지 그게 더 궁금해.
서영	갈래…

정우, 서영 부축해 차에 태운다.

#56. 도로 일각. 제하 차 안. 저녁.

운전 중인 제하. 다음에게 전화를 걸지만 여전히 받질 않고…

제하	왜 전활 안 받아…

#57. 정릉 집 안. 저녁.

다급하게 현관을 열고 들어오는 제하. 뭔가 깨끗해진 집.
그때 화장실에서 걸레를 들고 나오는 다음에게 다가가
거칠게 빼앗는 제하.

339

제하	이렇게 자꾸 약속 안 지킬 겁니까.
다음	반만 안 지켰어요.

Episode 5

제하, 둘러보는데 물건들 다 그대로다.

다음	(걸레 다시 탁 뺏으며) 아~무것도 안 건드리며 먼지만 닦느라 힘들었어요.
제하	누가 이다음 씨한테 청소하라고 그랬냐구요. 전화는 왜 안 받는데요. 신경 쓰이잖아.
다음	(신경? 괜히 기분 좋고) 청소하느라 못 들었나 봐요. (괜히 장난스레) 그럼 뭐 다시 어지를까요? 환자가 먼지 마시면 퍽도 좋겠다.
제하	이럴 때만 환자지.
다음	(민망, 다음 핸드폰에서 알람이 울리고) 아, 밥!
제하	낮에는 뭐 먹었어요?
다음	할머니 밥상. 진짜 맛있더라구요.
제하	…잘했네. 핸드폰 줘 봐요. 잠금 풀어서.
다음	(뜻 모를, 주면)
제하	(다음이 폰 보고 자기 알람에도 맞춰놓는, 돌려주고) 여기요.
다음	뭐하시는 거예요?
제하	신경 쓰이니까요. 더블체크 차원에서.
다음	(두근. 뭐지? 왜 계속 신경 써주지?)
제하	옷 입어요. 밥 먹게. 할머니 밥상 또 가도 돼요?
다음	일주일 내내 먹을 수 있어요.
제하	(피식)

340

#58. '할머니 밥상' 식당 안. 밤.

창가 쪽 자리에 마주 앉은 다음과 제하.

제하   (물 따라주고, 수저 놔주고) 이거 먹고 친구
                집으로 돌아가요.

다음   (보고, 왠지 아쉽다) 그죠. 돌아가야죠.

제하   먹어요.

다음   (한입 크게 먹고, 꿀떡 삼키고) 안 가면 안
                돼요?

제하   안 돼요.

다음   네…

제하   (시계보고) 이따 다음 씨 데려다 주고
                강원도로 넘어가요.

다음   에? 여행 가요?

제하   (픽 웃고) 여행? 팔자 좋게 여행은. 장소
                헌팅이요.

다음   (눈 반짝) 헌팅? 그거 저도 데려가주시면 안
                돼요?

제하   왜죠?

다음   (눈 초롱초롱) 강원도면 규원이가 사는
                곳이잖아요. 더 알고 싶어요. 규원이에
                대해서.

제하   (생각에 잠긴다)

다음   (직진) 데려가주실 거예요?

제하   (단호) 안 되죠.

다음   (에이) 그죠. 헌팅 가보고 싶었는데… 오늘
                여러 번 까이네…

제하   깔 수밖에 없는 것만 물어보니까. 이다음

341

Episode 5

씨, 부탁인데 정말 이 영화를 같이 만들고
싶으면 좀 영리하게 굴어줄래요?

다음   ···?

제하   까먹었어요? 이다음 씨가 어떤 사람인지.
평범한 배우가 아니잖아요.

다음   네?

제하   (냉정하게) 그거 잊지 말아요.

다음   (속상하지만 틀린 말 하나 없고, 볼 가득
밥 밀어 놓고, 울컥하고, 삼키고) 이거 먹고
갈게요.

속상한 표정의 다음을 바라보는 제하. 그 역시 마음이
편하지 못하고···

#59. 서영 집 안. 거실. 밤.

정우가 장에서 흰 박스티를 찾고 있고,
소파에서 TV를 공허하게 시선으로 바라보고 있는 서영.

정우   (뒤적이며) 네가 힘들면 안 하는 게 맞지···
(찾고서 잠깐 멈칫) 근데··· 솔직히 〈하얀
사랑〉 같은 영화에서 조연하는 것보다
박감독 영화래도 주연 맡는 게 현실적으론
더 괜찮은 선택 아닐까?

서영   더 나은··· 선택. 현실···

342   정우   (다가와 옷을 건네며) 네 생각해서 하는
얘기야. 냉정하게 생각해봐. 요즘 같은
분위기에···

서영   진짜 냉정하게 생각했음 나 너 안 만났어.

	같잖은 충고는 이 정도만 해.
정우	(덜컹하고) 난 그런 뜻이 아니라…
서영	(OL) 김혜진이랑 광고 찍었다며 엊그제.
정우	(당황) 어? 어… 찍었지. 금방 끝났어, 한두 시간도 안 돼서… (횡설수설) 옷, 안 갈아입을 거야? 갑갑하니까 속이 더 안 좋지. 난 네가 이거 입고 있을 때가 제일 예쁘더라…
서영	(티셔츠를 만지작거리며) 좋았어?
정우	(어색하게 미소 짓고) 뭔데, 질투해?
서영	어리고 잘나가잖아. 걔 만나지 왜 날 만나?
정우	바보같이 구네. 기분 좋게.
서영	그냥, 해봤어. 너 기분 좋으라고.

정우, 서영의 기분을 계속해서 살피면서도 서영의 질투에
괜스레 기분이 좋고…
서영, 정우에게 안긴 채 제하를 떠올린다.

INS. 제하(E)   **네 뜻대로, 네가 예측 가능한 행동만 해야 하는
사람은 내가 아니니까. 그건, 널 사랑해주는
사람한테 기대해야 되는 거야. 내가 아니고.**

정우를 더 꽉 끌어안아 보는 서영.
정우, 기분이 좋지만, 서영, 별다른 감정이 들지 않는 표정.

#60. 교영의 집 방 안. 밤.   343
잠든 교영의 옆에 누워 있는 다음.

INS. – 서영과 제하의 입맞춤.

Episode 5

– 4부 55씬. 사랑하지도 않는데 키스할 수 있어요? 아뇨, 못 하죠.
– 다음을 끌어당기며 키스하던 제하.
– "이다음 씨는 다 할 수 있는 사람이잖아. 그렇게 쭈그러들지 말라구요."
– "부탁인데 정말 이 영화를 같이 만들고 싶으면 좀 영리하게 굴어줄래요?

지나온 기억 조각들을 떠올리며 도대체 무슨 마음인 건지 혼란스러운 다음.

#61. 약국 안. 밤.
약국으로 들어온 제하.

제하   두통약 하나 주세요.

#62. 제하의 오피스텔 안. 밤.
늦은 밤. 책상에 앉아 노트북으로 다음의 병명을 검색하고 여러 논문 자료들과 병세에 대한 내용들을 살펴본다. 그중 열에 취약하다는 내용을 스크롤 읽는다.

INS. 4부, 비 맞으며 입 맞추던 다음과 제하, 내리던 비.

비 맞고선 아팠던 거구나. 생각보다 사소한 일이 아니구나. 철렁하는.
약국에서 사 온 두통약을 보다가… 한 알 삼키고서, 생각이 많은 표정의 제하.

#63. 풍광 좋은 강원도의 모습에서 해가 떠오른다.

#64. 삼척. 호스피스 병원 앞. 낮.

스태프들 미리 와 있고, 제하 차 주차하고 유홍과 내린다.

> 유홍   어우 좋은데요.
> 로케실장 들어가시죠.

#65. 삼척. 시골 호스피스 병원 안. 낮.

샷시가 마음에 안 드는 제하. 샷시를 손으로 만져보고 있고
그 뒤로 스태프들 회의하고,

INS. **3부 63씬.**

> **다음(E)**   **이 유리창 하나 사이로 삶이 이렇게나 다를 수**
> **있구나…**
> **다음(E)**   **그리고 저 바깥에 사람이 한 명 있는 거예요.**
> **영화 속 규원이가 세상을 내려다볼 때, 세상에**
> **속해 있는 어떤 사람이 지나가다 문득, 건물을**
> **올려다보고 규원이를 향해 웃어주는 거죠.**

제하, 창밖 밑을 내려다본다. 규원(다음)이 제하를 향해 손을
흔들며 웃어준다.

> 제하   이거 다 뜯어내고 햇빛이 쫙 들게 다 바꿔야
> 될 것 같은데
> 철민   (잡아당기며) 어우… 협의가 될려나 모르겠네.
> 유홍   로케실장님!
> 로케실장 (뒤에서 담당자랑 얘기하다) 왜요!

345

Episode 5

제하	… 이런 방범창은 어울리지 않아요.

일제히 침묵, 사색이 된 로케실장 뛰어오고, 손으로 다급하게
엑스자 계속.

로케실장	그건 안 돼요.
제하	그럼 여긴 아니에요.
로케실장	하… 미치겠네… 진짜…
유홍	(눈치 보고 로케실장 데리고 나가며) 에이 뭐 이런 걸로 미쳐요 프로가. 딴 데 또 있잖아요~ 보따리 좀 풀어봐 봐요 아끼지 말구~

제하, 방범창 너머 아무도 없는 아래를 본다. 왠지 쓸쓸한 느낌.

#66. 삼척 바닷가 마을 일각. 주차장. 밤.

차에서 쉬고 있는 제하. 유홍이 다가와 유리창 똑똑똑.

제하	(창문 내리고) 응.
유홍	감독님 전화 무음 해 놓으셨어요?
제하	아, 알람이 자꾸 울려서.
유홍	좀 푸세요. 전화 좀 받으시구요. (키 주고) 서점 키에요. 저희 내려가서 술 마실 건데, 당연히 안 드시겠죠?
제하	응. 난 작업할 게 있어서, 서점도 둘러보고.
유홍	밤인데요? 내일 보시죠. 왜,
제하	밤에는 안 찍냐. 혼자 좀 둘러볼게. 가봐. 과음하지 말고.
유홍	오예. 감독님 안 오면 나야 좋지. 눈치 안 보고.

| 제하 | (웃고) 원래 안 보잖아. |
| 유홍 | 갈게요. 그럼! 무음 좀 푸시구요! |

유홍, 가고. 무음 푸는 제하.

#67. 삼척 바닷가 마을 서점. 밖. 밤.

공사가 마무리된 서점 오픈 세트. 제하 천천히 걸어와 주변을
살펴보며 걷고.

| 다음 | 어서 오세요. 이규원 책방입니다. |

서점 옆 가로등 밑에, 다음이 서 있다.

제하	(놀라서) 이다음 씨?
다음	찾으시는 책이라도 있으세요?
제하	(다가가서, 보고) 뭐해요. 여기서? 어떻게
	왔어요?
다음	(그제야 몸에 힘을 풀고서) 차 타고요.

#68. 삼척 횟집 안. 밤.

테이블 위에는 이미 술병들이 가득 쌓여있고, 촬영감독,
조명감독, 로케이션 매니저, 미술감독, 제작부 등 스태프들
한가운데 껴서 야무지게 쌈을 싸 먹는 준병. 신기하게
쳐다보는 유홍.

347

유홍	감독님이랑 친하다면서 내팽개치고 여기서
	이러고 계셔도 돼요?
준병	하하. 알아서 먹겠죠.

Episode 5

유홍	감독님은 술 안 드시던데.
준병	(소맥 말고) 저도 그 형이랑은 안 마셔요. 어떻게… 한 잔?
유홍	(현란한 손놀림에 감탄) 오… 근데 여긴 왜 오셨어요? 보통 헌팅에 배우는 안 오는데…
준병	아… 촬영도 얼마 안 남았는데, 배역에 집중하려면 촬영 장소도 미리 와서 보는 게 다 도움이 된대요! (소맥잔 건네고)
유홍	(마시며, 의아하게) 누가요?
준병	…

#69. 삼척 바닷가 마을 서점. 밖. 밤.

다음	약 잘 챙겨왔고, 오기 전에 병원에서 검사 결과도 듣고 왔고, 의사 선생님 허락도 받았고.
제하	(무섭게 본다)
다음	(점점 목소리 작아지며) 제가 여기서 마라톤 뛸 것도 아니고, 힘쓸 것도 아니잖아요. (허리춤 걷어 올리고) 감기 걸리지 말라고 핫팩도 두둑하게. 이랬는데 아프다? 그럼 영화 찍을 자격 없는 거잖아요.
제하	(가만 보다, 피식 웃으며) 다행히 준비는 잘 했네.

348   은근슬쩍 따라 웃는 다음.

다음	촬영 전에 꼭 와보고 싶었어요. 이 동네에서만 규원이 쭉 살아왔던 거잖아요.

규원이의 서점을 직접 보면, 규원이가 느끼는
고립감, 외로움, 그런 게 더 잘 느껴질 것
같아서요.

제하   …

다음   규원이한테 서점, 나한테는 병원,
규원이한테는 현상이가 나한테는… (제하를
보고, 말을 차마 잇지 못하고)

제하   (내 얘기를 하는 것 같아, 시선을 피하고)

다음   나랑 규원이는 많이 닮아 있잖아요. 내가
느꼈던 대책 없는 외로움과 고립감, 그때
다가온 한 줄기 희망.

INS.   제하를 마주한 기억들을 떠올리는 다음.

     – 1부 62씬. 제하에게 악수를 청하는 다음과 손을 잡는 제하.

     – 3부 41씬. 병원 창 너머로 다음을 향해 손 흔드는 제하.

     – 3부 62씬. 다음에게 달려오는 제하, 그런 제하를 와락
       안는 다음.

     다음   (제하를 보다가) 내가 그걸 사랑이라고
해석해도 될까. 답을 좀 찾고 싶어서 왔어요.
감독님은 자꾸 아니라고 하니까.

     제하   (정곡을 찔린 듯한 움찔)…여기까지
왔으니까… 안에도 들어가 볼래요?

제하의 물음에 환한 웃음으로 답하는 다음.   349

#70. 삼척 횟집 안. 밤.
68씬 이어서.

Episode 5

유홍	감독님이 알려줬구나. (준병보다 더 현란한 스킬로 소맥을 마는)
준병	(취기에 유홍 보고 심쿵) 그러니까! 물어보지도 않았는데. 혼자 줄줄. 매니저로서 배우에게 도움이 된다는데 안 올 수 없죠! 근데 오길 잘했네요. 조감독님도 보고.
철민	(술 마시다, 얘네 뭐하냐 싶고) 아 연초 땡긴다. (나간다)
유홍	(괜히, 당황스러워, 입막음하려 술 권하고) 이거나 드세요!

준병, 쿵 테이블에 머리를 박고 코를 곤다.

유홍	뭐야, 술 왜 이렇게 약해.

#71. 삼척 바닷가 마을 서점 안. 밤.
어둑한 분위기의 서점 내부. 앞이 제대로 보이질 않아
조심스럽게 들어오는 제하와 다음.

다음	너무 캄캄한데요.
제하	잠깐 기다려요.

고요한 공간, 각자 긴장감에 뚝딱거리고. 제하가 작은 조명을
켜자, 환하게 밝진 않지만, 금세 아늑해지는 분위기.

다음	(둘러보고, 감탄) 와.
제하	(같이 둘러보고) 미술팀이 애썼어요.

다음	(손으로 책장을 만져보며) 규원이 부럽다.
	아니지. 안 부럽지. 내가 규원이니까.
제하	앉아요.
다음	(앉고) 참 신기해, 감독님이 알려주진 않았을
	텐데, 그죠? 매니저님이 어떻게 알고 데려다
	주셨을까? (웃고)
제하	(무시) 안 추워요?
다음	괜찮아요. 핫팩…
제하	난 추워요.

제하, 말 돌리며 서점 한편에 있는 난로 쪽으로 다가가
켜보려고 만져보는.
다음, 그런 제하의 뒷모습이 좋고.

다음	사람이 살다보면 말 따로 행동 따로 일 때가
	있죠.
제하	(불을 붙이며) 그래서. 규원이가 사는 곳을
	보니 뭔가 느껴져요?
다음	아. (가방에서 시나리오 턱 꺼내고, 착착
	넘기다 멈추고, 붙어 있는 포스트잇을 떼서
	다가와 보여주는)

다음의 메모.
'이게 사랑인지 아닌지 궁금해요?
그건 자기 자신이 제일 잘 알아요.
온몸의 세포가 알아요. 그게 사랑이라는 걸'

351

제하 앉아서 메모를 읽어보고, 다음은 뒤돌아서 다시 서점

내부를 둘러보는.

제하	(다음을 보고) 뭔데요. 이 감상적인 신파는.
다음	(천천히 걸으며) 시나리오를 읽다가 생각나서요. 근데 그 생각이 안 없어져서요. 현상이가 키스한다고 되어 있잖아요. 규원이가 먼저 하면 안 돼요?
제하	왜요?
다음	해보니까 알겠더라구요. 규원이는 현상이와 그냥 키스하지 않아요. 아니까 하는 거예요.
제하	알긴 뭘 알아요. 이때 둘의 감정은 그냥 충동적인 거예요. 처음 만난 지 일주일이에요. 사랑이 아니에요.
다음	규원이는 알려주고 싶을 것 같아요. 이 남자한테. 사랑 같은 거, 희망 같은 거 부질없다고 생각하는 이 남자한테, (제하를 보고) 봐. 느껴지지? 시작된 거야. 하고.
제하	(울림이 느껴진다, 다음을 보는)

다음, 자신의 키보다 높은 책장 상단에 배치된 책 한 권을 발견한다.
『나도 일주일 만에 건강해질 수 있다』. 배치된 책 위로 다른 서적들이 꽤 쌓여있어 자칫하면 무너질 법한 꽤 위험한 형태. 다음, 옆에 있던 발판을 당겨와 올라설 준비하는.

352

다음	(손을 뻗고) 일주일은 사랑에 빠지기에 차고 넘치는 시간이에요.
제하	일주일은 사랑을 부숴버리기에도 차고 넘쳐요.

발판에 짝발로 올라 아슬아슬하게 손을 뻗는 다음,
뒤에서 다가온 제하가 대신 손을 뻗어 책을 뽑아 주고,
다음이 뒤돌면, 둘이 거리가 너무 가깝다.

다음 (심장이 요동치고) …!

제하, 천천히 떨어지지만, 여전히 가깝게 붙어있는 둘.

다음 나… 비밀이 하나 더 있어요.
제하 (보면) 비밀?
다음 저… 감독님 병원에서 처음 본 거 아니에요.
제하 알아요. 편의점에서 봤잖아요.
다음 아니, 아니. 그거보다 더 전에.
제하 …
다음 (발판에서 내려오며) 5년 전에 감독님 영화
     오디션 1차에 붙었어요. 청소… 서영 선배가
     했던…
제하 (놀라고)
다음 (뒤돌아 책장 쪽을 보며) 기억 못 하시겠죠.
     사람이 얼마나 많았는데… 2차도 못 갔고…
     근데 난 기억하죠. 감독님 이름. 이제하.
제하 (몰랐다)
다음 (책장을 훑으며 담백하게) 그래서… 민석
     선생님 책상에 놓여 있는 기획안에 감독님
     이름 발견하고… 그 이름을 봤을 때… 가슴이 353
     엄청 뛰더라구요. 엄청 계획하고 되게
     의도적으로 내가 감독님을 찾아간 거예요.
     어디서 그런 용기가 생겼는지는 모르겠어요.

Episode 5

	웃기죠. 내 주제에. 어쩌자고, 할 수 있는
	것도 없는 게. 곧 죽을 게.
제하	할 수 있는 게 왜 없어요. 이다음 씨는 다 할
	수 있는 사람이라니까.
다음	(고맙고, 울컥하는)
제하	되게 시시한 비밀이네.
다음	그럼 더 쎈 걸로 얘기해줄까요?
제하	(보고)
다음	(돌아서 제하 보며) 내가… 그런 사람인데…
	감독님 좋아하면 이상하죠?
제하	!!

제하, 자신의 눈을 똑바로 보고 얘기하고 있지만
심하게 떨리는 다음의 눈을 가만 본다.
어쩌자고 이러는 걸까. 네 말대로 넌 곧 죽을 앤데. 어쩌자고.
그런데, 제하의 마음은 요동치고 있다.
아늑한 서점의 작은 빛들 속에 흔들리는 두 사람.
그런 둘에게서… 엔딩.

354

Episode 6

다음의 고백을 거절한 제하. 술렁이는 마음을 애써 숨기는
다음과 제하 앞에, 다음의 첫사랑 은호가 나타난다.

#1. 과거. 반포대교 아래. 저녁.

5년 전.

노을이 지고 있는 한강 교량. 강에는 노을빛 윤슬들이
비치고.

다리 아래 잠수교에는 한 남녀가 있다. 다음, 한강을
바라보고 있고 그 옆엔,

학교 선배 은호가 다음을 옆으로 보고 있는.

은호	오디션은, 어떻게 됐어?
다음	(시선은 계속 한강에) 안 갔어. 다음에, 내가 준비가 되면 그때 하고 싶어졌거든.
은호	(놀라지만 물어보지 않고)⋯ 넌 가끔 이상하게 굴 때가 있어. (다음 따라 한강 쪽으로 몸을 돌리며) ⋯난 그게 좋더라. (반응 없자 다시) 응?
다음	⋯
은호	(다음의 표정을 확인하고) 오늘은 꼭 말하고 싶었어. 우리, 사귈까?
다음	⋯
은호	(다음의 표정을 확인하고) 표정만 봐도 알겠다. 갑작스러웠음 미안. 그래도 오늘은 꼭 한 번 말해봐야겠다 싶어서.
다음	아니, 선배. 고마워.
은호	어⋯ 어?
다음	고백해줘서⋯ 고맙다고. 근데, 왜 하필 오늘이야.
은호	응? 아, 내가 눈치가 없었다. 너 오늘⋯
다음	선배가 아니고, 나한테. 나한테 아무런

356

여지가 없어. 미안해.

은호   그게 무슨 뜻이야?

다음, 울컥 올라오는 마음을 누른다.
꿈꿔왔던 오디션도, 기다렸던 은호의 고백도 다 스스로
놓아야 한다.

다음   (천천히 보며) 선배, 잘 지내.

은호   아… 이다음 정말 너무하네. 뭐, 다신 안
                보게? 촌스럽게…

다음   나도 잘 지낼게.

다음을 물끄러미 쳐다보고 있는 은호. 돌아서는 다음.
간신히 참아왔던 마음이 무너진다.

다음(NA)   내 주제에, 어쩌자고. 할 수 있는 것도 없는 게.
곧 죽을 게.

#2. 삼척 바닷가 마을 서점 안. 밤.
5부 71씬 이어서.

제하   할 수 있는 게 왜 없어요. 이다음 씨는 다 할
                수 있는 사람이라니까.

다음, 고맙고… 울컥한 표정.   357

다음(NA)   내 주제에… 곧 죽을 게… 무슨 고백.

Episode 6

이내, 다짐하듯 마음을 먹고 돌아서 제하 보며.

> 다음   내가… 그런 사람인데…
> **다음(NA) 미친년.**
> 다음   감독님 좋아하면 이상하죠?
> 제하   !!
> **다음(NA) 당연히 이상하지.**

제하, 떨리는 다음의 눈을 가만 본다. 그때 들리는 핸드폰
알람 소리.
다음의 핸드폰뿐만 아니라, 제하의 핸드폰도 함께 울린다.
제하가 핸드폰을 들면, **[이다음 저녁 식사]** 라고 뜬 것을
확인하고.
다음, 파르르 떨리는 눈을 질끈 감는다. 이 와중에 먹어야
한다니.

> 다음   하필 이 타이밍에. 나 정말 이상한
>   사람이에요.

– 타이틀, 〈우리영화〉 –

#3. 편의점 안. 밤.
컵라면을 먹고 있는 다음을 물끄러미 바라보는 제하.
입에 욱여넣는 다음이 애처롭다.

358

> 제하   (포도주스 건네며) 안 이상해요.
> 다음   (말없이 보고, 다시 먹는)
> 제하   이다음 씨 안 이상해요.

다음	(보는)
제하	그러니까 천천히 먹어요.

다음, 끄덕이고 괜히 슬로모션으로 젓가락질을 한다.
제하, 픽 웃고 이내 생각 많은 얼굴로 다음을 본다.

#4. 숙소 근처 일각. 밤.
숙소 앞에 다다른 둘.

제하	먼저 들어가요. 프론트에서 키 받고.
다음	감독님.
제하	(보면)
다음	저 아까… 알람 울릴 때. 정말 도망치고 싶었어요. 고백한 남자 앞에서 꾸역꾸역 라면 먹고 싶지도 않았구요. 뛰쳐나가고 싶다. 그 생각밖에 안 들었어요. 근데 감독님도 진짜 센스 없더라. 그냥 좀 가주지. 나 못 뛰어가는 거 알면서.
제하	이다음 씨.
다음	네?
제하	이것까지도 이다음 씨 계획이에요? 배짱이고?
다음	(무슨 말… 아!, 절레절레) 이건… 애드립이었어요.

359

제하, 픽, 웃다 다시 복잡해지는데 다음이 제하의 운동화를
물끄러미 보다가 주저앉아 한 쪽 운동화 끈을 잡아당겨
풀어버린다. 제하, 움찔하는데.

Episode 6

다음	짝짝이 거 되게 신경 쓰이네. 이거 하나만 묶어주고 갈게요.

한쪽 끈을 묶고, 일어서는 다음, 제하, 고민스럽지만 말해야 한다.

제하	나도… 솔직하게 말해도 돼요?
다음	(거절이구나. 떨면서도 아무렇지 않게) 그럼요.
제하	나는… 이 영화를 만들고 세상에 보여줄 때 즈음엔 이다음 씨가 죽을 수도 있다는 가정을 했어요. 그리고… 그 이전에… 이다음 씨가 죽을 수도 있다는 생각도 했어요.
다음	… 이상하지 않아요…
제하	… (잠시 침묵. 다시 마음을 다잡고) 그 죽음이… 노이즈 마케팅이 될 수 있겠다는… 영화의 성공으로 이어질 수 있겠다는 계산도 했어요. 5년 만에 영화를 만들 수 있는 기회가 생겼지만 나 엄청 막막했어요. 그때 나타난 이다음 씨가, 내 조바심을 채워줄 영화의 마지막 조각이라고 생각했습니다.
다음	(충격이지만 티내지 않는다) …
제하	비난해도 달게 받을게요. 하지만… 우리는 같이 영화를 만드는 관계예요. 넘을 수 없는 선이라는 게 존재합니다. 잠시 지나가는 감정… 좋을 수도 있어요. 그렇지만 나는… 그 감정 때문에 영화를 망치고 싶지 않습니다.
다음	(필사적으로 눈물을 참으며)… 고맙습니다…

360

솔직하게 말씀해주셔서.

다음, 흐르는 눈물을 들킬까 급하게 숙소 안으로 들어간다.
들어가는 다음을 보는 제하의 뒷모습.

#5. 다음의 숙소 안. 밤.
급하게 문을 닫고 들어온 다음. 참았던 눈물이 끝도 없이
흘러내린다.
눈물을 닦고 책상에 앉아 연기 노트를 쓰고, 시나리오를
뒤적이며 읽는 다음.
아무리 집중하려고 애써도 자꾸만 비집고 들어오는 아픔.
가만히 있는데도 자꾸 호흡이 엉킨다.

#6. 제하의 숙소 안. 밤.
문을 열고 들어온 제하. 문이 닫히고. 잠깐의 멍.
화장실로 들어가 세면대에 물을 틀고 가벼운 세수를 한다.
무슨 말을 듣고, 무슨 말을 한 건지… 거울 속에 상기되어있는
자신을 본다.
…미쳤구나 싶은.

#7. 삼척 바닷가. 아침.
파도소리와 함께 떠오르는 해가 수평선을 비추고.

#8. 해변 일각. 아침.
제하, 카메라에 달린 7인치 모니터로 앵글을 확인하고 있고.   361
옆에서 무언가 아쉬운 표정의 철민, 제하에게 양해를 구하고
뒤돌아 해변 끝에 주차된 차를 향해 뿔난 표정으로 뛰어갔다
오는…

Episode 6

그 사이 혼자 남겨진 제하, 다시 수평선을 바라보며,

INS. **4씬에서 자신의 말을 듣고 눈물을 애써 참던 다음의 표정…**

그때, 철민이 돌아와 차에서 챙겨 온 필터를 카메라 렌즈에
달며 늘어지게 하품하고.

제하	잠을 제대로 못 주무셨나 봐요.
철민	말도 마요 진짜. 내가 새벽에 진짜 그 생고생을…
제하	(철민을 의아하게 보고)…?

제하가 쳐다보자 철민, 턱으로 차 쪽을 가리키는데,
촬영 조수로 보였던 스태프가 목발을 짚고 있다.
비에 홀딱 젖은 강아지 같은 불쌍한 표정을 지은 채로…

철민	우리 팀 퍼스트 임호섭이. 새벽에 택시 불러서 응급실 데려다가… 어휴. 큰 골절은 아닌데, 첫 촬영부터 보름 정도는 치료받을 것 같아요.
제하	어쩌다가요?
철민	내 말이, 술은 다 같이 떡이 되도록 마셔놓고… 왜 꼭 저 혼자 계단에서 넘어지냐고…
제하	걱정이네요.
철민	걱정은 무슨, 보름 메꿔줄 퍼스트는 구하면 돼요.
제하	그건 걱정 안 되고, 저 친구요. 촬영팀은

362

몸이 재산인데.

철민   (피식 웃고) 여전하네요. (혼잣말) 묘하게
        따뜻해…

#9. 제작사 사옥. 승원의 사무실 안. 아침.

승원, 자리에서 모니터로 무언가를 보고 있다. 5화에서
언급되었던 〈질투의 조건〉 관련 기사들… [뜻하지 않은
바이럴? 스캔들이 불러일으킨 대박…], [〈질투의 조건〉 개봉 열흘
전 예매 1위!]

#10. 제작사 사옥. 사무실 안. 아침.

자신의 방을 나오는 승원, 직원들에게.

승원   딱 두 장만 올리자. 골라놨으니까 확인해서
        기사 내. 노희태 기자한테 얘기해놨어.

#11. 해변가 식당 앞. 낮.

해변가 근처에 위치한 해장국 식당. 식사 중인 스태프들.
늦게 도착한 제하와 철민 일행이 다가오면 입구에서 유홍이
나오고.

유홍   오셨어요? 스탭들은 안에서 다 식사
        중이에요.
제하   (평소와 같이 싹싹한 유홍의 모습에)
        쌩쌩하네.   363
유홍   촬영팀에서 이슈가… 죄송합니다.
철민   에이. 그렇게 따짐 내가 죄인이죠.
제하   괜찮습니다.

Episode 6

철민 일행 들어가고. 제하, 식당 내부를 꼼꼼히 훑어보는.

> 유홍　　이다음 씨는 따로 드신대요. 그 매니저 분은 아마…
>
> 제하　　(웃음) 오후에나 일어날 것 같던데? 네가 그랬다며.
>
> 유홍　　무슨! 신나게 소맥 말더니 혼자 픽 가버린 거예요!
>
> 제하　　홍아, 근방에 대학병원 있다고 했지?
> 　　　　차로 얼마나 걸리는지 체크 좀 해 줄래?
> 　　　　시간대별로.
>
> 유홍　　병원이요? 병원은 왜…
>
> 제하　　(뭐라 둘러댈까 싶고)
>
> 유홍　　아! 촬영팀 다친 것 때문에 그러시죠?
> 　　　　촬영하다 누가 또 다칠까 봐?
>
> 제하　　(그거 좋겠다) 어어. 좀 알아봐줘.

그때 울리는 제하의 핸드폰 알람, (다음의 식사 시간임을 알려주는)
그걸 보는 제하, 옅은 한숨을 내쉬고.

> 제하　　하…

#12. 해변 일각. 낮.

364

> 다음　　하아아아아아…

해변 벤치에 누워 있는 다음. 입 안 가득 빵을 욱여넣고 씹는 와중에, 크게 한숨 쉬고.

한 손으론 캠코더를 들고서 LCD를 자신에게 돌려놓은 채로
촬영 중인.

> 다음   (다 씹지 않아 웅얼거리는) 이다음. 너 진짜
>   어쩌자고 그랬냐…
>
> 제하   우리 영화 대사는 아닌 것 같고.
>
> 다음   아 깜짝아.

어느새 다음의 벤치 뒤에 와있는 제하.
다음, 깜짝 놀라며 자세를 일으키고.

> 다음   (다급히, 말 돌리며) 어, 어제는 잘 주무셨죠?
>   저는 생각보다 너무 너무 잘 잤지 뭐예요.
>   (팔을 돌리며) 왜 이렇게 개운해? (말 돌릴
>   게 없을까) 오늘…은 어디어디 돌아보시는
>   거예요? 어제 본 데는 다 픽스인가요? 서점은
>   그런 것 같고. 요양병원은요? 집 안은 세트로
>   가나요? 아님 온 김에 여기서 찾아보시나?
>
> 제하   (안쓰럽고, 빵을 보며) 이걸로 식사가 돼요?
>
> 다음   빵을… 좋아해요.
>
> 제하   (잠시 본다) …
>
> 다음   (긴장)… 왜…요?
>
> 제하   (덤덤) 가요. 밥 먹으러.

#13. 해변가 식당 안. 낮.   365

제하, 다음. 서로 마주 보며 앉아 있고. 둘 앞에 가지런히
놓이는 음식.
다음, 여전히 제하 앞에서 쭈뼛쭈뼛거리며 눈치를 살피고.

Episode 6

제하, 자기 밥을 덜어 다음 밥에 더 얹는다.

제하	먹어요. 맛있게.
다음	(괜히 합장하고) 그럼… 잘 먹겠습니다. 맛있게 드세요.

옆에서 핸드폰을 보던 유홍, 무언가를 보고 눈이 커지고.

유홍	감독님. 기사 떴는데요?
제하	뜬금없이. 무슨 기사?

유홍, 기사를 제하에게 보여준다. **[이두영 감독의 〈하얀 사랑〉 리메이크 영화, 신인 정체 공개], [이제하 감독의 신작 〈하얀 사랑〉 1000 대 1 신인 이다음 공개]** 등의 기사.
다음이 제작사 사옥에서 연습하고 있던 모습이 도촬 형식으로 찍혀있는 사진.
제하와 함께 대본 리딩을 하고 있는 투 샷도 함께. 그걸 보는 제하의 표정이 굳어지고,
그런 제하를 보고 다음도 걱정스레 보고.

철민	(기사 보고) 다음 씨 마음의 준비 됐어요?
다음	(영문을 몰라) 네?
미술감독	(다음에게 사진 보여주며) 두 사람 다 사진 잘 나왔네. 근데 이왕이면 다음 씨는 프로필 사진 예쁜 걸로 좀 올려주지.
다음	(당황)
유홍	어우. 이제 다음 씨 평온한 생활은 끝이네요.
제하	잠깐만.

366

제하, 승원에게 전화를 걸며 가게 문을 나선다.
다음, 나가는 제하를 걱정스럽게 바라본다.

#14. 해변가 식당 앞. 낮. / 승원의 사무실 안. 낮. (교차)
승원과 통화 중인 제하.

> 제하   (화를 내며) 무슨 짓이야?
> 승원   왜, 내가 일이 있어서 못 가봤네. 문제없지?
>   지금이라도 내려갈까 하는데.
> 제하   뭐하는 짓이냐고. 기사를 왜 내는 거야?

제하, 언성 높이며 통화하고 있는데, 식당 안에 있는 다음과
눈이 마주치고.
걱정되는 얼굴인 다음을 보고서 돌아서서 통화를
이어나가는.

> 승원   아, 봤어? 좀 기다릴래? 만나서 얘기를…
> 제하   됐고, 지금 올라갈 테니까 만나서 얘기해.

전화를 끊어버리는 제하.
표정이 좋지 못하고.

CUT TO.
승원, 대뜸 끊긴 전화에 잠깐 표정이 구겨졌다가,
이어 별일 아닌 것처럼 표정을 숨기며 사무실로 나가는.   367

#15. 골프장. 낮.
골프 중인 고대표와 엔터 관계자들 셋.

Episode 6

좀 전에 뜬 다음의 기사가 뜨거운 화두인 듯, 다음과 〈하얀 사랑〉에 대한 얘기 중인.

> 정대표   (샷하고) 소스는 제작사에서 일부러 흘린 것 같던데? 연습치고는 너무 이쁘게 잘 나왔더라구.
>
> 관계자1   (티에 공 올리며) 영화감독들이 특히 좋아할 상 아니에요? 마스크가… 뭐랄까. 예쁜 게 다가 아니고 그래, 분위기가 있네. (공 조율하며)
>
> 관계자2   회사도 없대. 웬 매니저 하나만 찰싹 붙어 다니는데, 감독이 직접 붙였나봐. 그래서 접근하기가 여간 까다로운 게 아니래요.

관계자1 시원하게 샷을 날린다.

> 정대표   나이스샷! 아! 그 작품에 서영 씨도 들어가 있잖아? 고대표님은 본 적 있겠다. 어때요 그 신인?
>
> 고대표   (아무렇지 않게 티에 공 올리며) 뭐 나도 한두 번 인사만 하고 말아서, 제대로 못 봤어요.

고대표 스윙 하는데 해저드에 빠져버린다. 심기 불편한 표정의 고대표.

#16. 해변가 식당 안. 낮.

다음, 굳은 표정으로 들어오는 제하를 보고 덩달아 표정이

368

굳는다.

다른 테이블에서 스태프들과 제하가 일정에 대해 긴급하게
얘길 나누고…

다음, 떨어져서 그 모습을 심각하게 지켜본다.

유흥	다음 씨! 저희 이제 가야 하는데… (골치) 타고 갈 차가 없네…
다음	네? 저 매니저님이…
유흥	(한숨) 해독이 안 되시나 봐요.
제하	(잠시 고민하다) …내 차 타요. 이다음 씨는.
다음	(화들짝) 네??? (어쩌지, 어색한데) …그 방법밖에 없나요?
유흥	(작은 목소리로) 다음 씨 …화이팅.
제하	가요.

가는 제하 뒤를 마지못해 따라가는 다음.

#17. 한국대병원. 정효의 교수실 안. 낮.

컴퓨터로 다음과 관련된 기사를 읽고 있는 정효.
추측성 기사 내용들을 불편한 표정으로 훑다가도, 연습
중인 다음의 사진을 보고서
심정이 복잡한 듯 긴 한숨을 내쉬고 그때, 들리는 노크
소리에 정효가 대답하면,
미닫이문이 열리는데… 승희다.

승희	(털썩 앉아 입만 웃는 기묘한 얼굴로) 교수님, 일전엔 제대로 인사도 못 드렸네요.
정효	(알아보고, 놀라고, 굳고) …어떻게

Episode 6

지내셨어요?

승희   (웃던 입이 떨리고) 어떻게든 살아보려고…
        그러고 있죠.

정효   (죄책감이 드리우고) 얼굴이 안 좋으세요.

승희   (빤히 보고) 생전 교수님만 의지했던
        애잖아요… 교수님 뵈러 왔어요. 그리고
        이 얘기를 꼭 드리고 싶었거든요… 교수님.
        저는… 잘 지내질 못했어요. (다시 웃는다)

죄책감과 당혹스러움으로 가득 찬 정효의 얼굴…

#18. 달리는 제하의 차 안. 낮.
차 안엔 고속도로를 달리는 풍절음만이 무겁게 공기를
감싸고 있고,
제하는 앞만 보고 운전하고 있다. 다음이 가방에서 약을
꺼내 먹는다.
그걸 슥 보는 제하. 다음이 약을 삼키고 물병 뚜껑을 닫자
그때 입을 여는.

제하   이 차를 타야 약을 편하게 먹죠.

다음   아, 그러네. 감독님 좀 똑똑하시네요.

잠시 다시 침묵.

370   제하   당분간 좀 시끄러울 거예요.

        다음   …네?

        제하   기사요. 내 예상보단 훨씬 빨라서, 나도 가서
                어떻게 된 건지 좀 알아봐야 돼요. 최대한…

	미룰 수 있을 만큼 미루고 싶었는데,
	어렵네요. 나도 이런 적은 처음이라.
다음	그건 걱정하지 마세요. 저번처럼 제가 잘
	얘기할게요.
제하	무작정 거절하는 거. 신인이 그 많은 업계
	사람들 오는 족족 돌려보낸다고 소문이
	돌면, 더 안 좋은 잡음만 늘어나요.
다음	(잠시 생각) 첫 작품 흥행만 보고 있다가
	몸값 땡길 만큼 땡겨서 미팅할 거라고
	동네방네 소문낼게요. 아, 얘는 덜컥
	계약했다간 큰일 날 애구나… 싶게.
제하	(맞는 말인 것 같은데 틀린 것 같기도 하고)
다음	(괜히 오버하며) 어때요? 되게 파격적이죠?
제하	(웃고 싶은데 웃지는 못하겠고)
다음	아우. 왜 감독님이 더 어색해 해요. 숨고
	싶은 건 난데! 저 자요! 도착하면 깨워주세요!
	(눈을 감는다)

히터를 체크하는 제하. 어색한 공기만 가득한 차 안의 두
사람.

#19. 서영 집. 화장실 안. 낮.
화장실 바닥이 벗겨져라 청소하는 서영. 집중하다 문득.

INS. 5부 36씬.   371

제하가 자신에겐 눈길 한 번 안 준 채로,
옆에 서 있는 불안한 얼굴의 다음만 바라보던 모습이

Episode 6

머릿속에 맴도는.

들고 있던 청소 솔을 바닥에 내팽개치는 서영.

정말 제하가 다음을 좋아하는 걸까. 왜 이렇게 신경이
쓰일까. 머릿속이 복잡하다.

그때, 민희에게서 문자 몇 개가 연달아 오고.

#20. 서영의 소속사 고대표 사무실 안. 낮.

소파에 앉아 있는 재인과 고대표.

민희가 들어와 눈치를 살피며 차를 놓고 나가고.

재인	(긴장되고, 설레는 눈으로) 무슨 일로.
고대표	서영이가 아끼는 후배라고 얘기를 너무 많이 들었어요.
재인	아~ 네, 맞아요. 이번에 선배랑 같이 영화 하게 돼서 전 너무 좋죠. 저도 대표님 얘기 많이 들었어요.
고대표	(웃으며 차 마시고)
재인	(어색하고, 분위기 파악하려 쳐다보고)
고대표	〈하얀 사랑〉에 재인 씨 아는 사람이 한 명 더 있는 걸로 아는데.
재인	!? 아, 네. 있어요. 이다음.
고대표	친하진 않고?
재인	친하다⋯ 친하⋯다기 보다는 잘 아는 사이죠.
고대표	(눈 반짝이고) 내가 이다음 씨한테 관심이 많아서요. 정보 좀 얻으려고.
재인	(웃던 얼굴 일그러지고) 그러니까, 지금 이다음 얘기 물어보시려고 저 만나자고 하신 거예요?

372

고대표	네.
재인	(어이없고) 그걸 왜 저한테…
고대표	이다음 씨, 사람이 참 어렵더라구요. 뭐랄까. 방어적이랄까? 주변 정보를 좀 얻고 다시 얘기를 해보면 좋을 것 같아서요. 대학 동기라면서요?
재인	…그랬죠.

#21. 과거. 한국대학교 강의실.

강의 시작 전, 다음과 교영에게 다가오는 재인.
교영은 노트북으로 성적표를 보고 있고. 연기 워크숍 점수
B-.

교영	아씨… 망했네.
재인	(앉으며) 너도 망했어? 나돈데.
교영	학점 애매하네. 계절 학기를 들어야 되나…
재인	다음이 넌?
다음	(어색하게 웃기만)
재인	(다음이 노트북에 A+ 점수 확인하고 굳어지며) 에이쁠…이네.
교영	야야. 다음이가 하드 캐리 했잖아. 당연 에이쁠이지. 넌 촬영 있다고 연습도 안 나오고. 나야 뭐… 에휴. 내가 무슨 재능이 있다고 연영과를 들어왔을까아.
재인	(괜히 여유로운 척) 난 뭐 학점 필요해서 대학교 다니는 거 아닌데 교영이 넌 좀 억울하긴 하겠다.
다음	(교영보고 잔망 울상) 우리 교영이

373

| 교영 | 잘했는데… 타고난 건 어쩔 수 없나 봐~
(다음 헤드락 걸고) 재수 없어 이다음!
(재인에게) 밥 먹으러 가자. |

웃고 있는 다음과 교영을 보던 재인. 굳어있던 표정을 풀고
함께 웃는다.

#22. 서영의 소속사 고대표 사무실 안. 낮.

재인	그런데… 아무도 모르게 고작 한 학기 다녀놓고 사라졌어요. 그 한 학기가 임팩트가 꽤 컸지만. 연기 잘 한다고 소문났었거든요. 교수님도 예뻐하시고. 동기며 선배며 안 좋아하는 사람이 없는.
고대표	요즘 애들 말로 인싸… 뭐 그런 건가? 더 특이하네요. 그랬던 사람이 공백도 길고, 정보는 없고. 그래서요?
재인	근데… 저는 좀 다른 걸 봤어요. 그 애한테서 풍겨져 오는 따뜻함. 밝음. 맑음. 그렇게만 규정짓긴 찝찝한 부분들이 있었거든요.
고대표	그게 뭔지 궁금하네요?
재인	궁금하시죠? 그걸 알면 대표님이 이다음과 얘기가 잘 통할 수도 있겠다 싶네요.
고대표	계속 들어볼까요?
재인	(입을 다무는 모션) 오늘은 여기까지만 말씀 드리려구요.
고대표	!?
재인	저, 대표님 잘 알아요. 대표님은 저 잘 모르시죠? 오늘 보니까 저희 결이 좀 비슷한

374

것 같은데.

고대표   (가소롭다는 듯이) 결?

재인   네. 결이요. 저한테는 뭐 궁금한 거
         없으세요?

#23. 서영의 소속사 건물 엘리베이터. 낮.

엘리베이터가 열리자, 안에 타고 있던 민희가 재인을 향해
목례하는데.

재인, 화가 난 듯 빠른 걸음으로 그대로 지나쳐 닫힘 버튼을
누르고.

고대표(E) 글쎄요. 재인 씨는 한 번도 생각해 본 적 없는
          선택지라. 위약금까지 물어줘 가며 데려올
          생각은 못 해봤네? 난 주연급 배우를 찾고
          있어요. 이다음 씨 같은.

고대표의 말이 재인의 머리를 울린다. 자존심 상하고. 그리고
떠오르는 기억.

INS. 리딩 현장에서 주연 자리에 앉아 있던 다음의 모습. 웃는
      모습.

재인의 차가운 표정.

#24. 교영의 집 앞. 밖. 낮.   375

교영의 집 근처를 오르는 제하의 차.

제하   들어가요. 무슨 일 있으면,

Episode 6

다음	바로 전화할게요.
제하	(냉정하게) 아뇨. 앞으로 웬만한 일은 다 준병이 통해서 들을게요. 준병이한테 연락해요.

다음, 서운한 표정으로 차에서 내리고. 제하의 차. 곧장 떠난다. 그러자 바로 표정 우그러지는 다음. 들고 있던 짐가방 떨어뜨리고.

다음	(머리 부여잡고 탄식) 아. 이다음, 미쳤구나, 미쳤어. 미친 거야…

#25. 달리는 제하의 차. 낮.
제하, 룸미러로 멀어지는 다음을 보며,

제하	하아… 너무하네, 이제하.

괜히 속도를 낸다.

#26. 서영의 집. 낮.
민희와 통화 중인 서영.

민희(E)	스읍. 다음 씨 얘기로 시작한 건 분명한데, 그 뒤에 맥락은 감이 안 잡혀요. 갈 때 보니까 멘탈이 바사삭 돼서 나가던데.
서영	전해줘서 고마워 민희야. 너 근데.
민희(E)	(혹시 실수했나 싶어) …옙?
서영	일머리가 좀… 늘었다?

376

민희(E)　　　(서영의 칭찬에 감동 받고) 더 잘할게요…

통화를 끊으면, 민희와의 문자에 다음의 기사 관련 링크들이
남아있고…
제하와 다음의 투 샷이 담긴 사진에 눈이 꽂혀있는 서영.

#27. 교영의 집 부엌. 낮.
부엌에서 떡볶이를 끓이는 교영.
다음, 옆에 기대어 서서 얘기 듣고 있고.

교영　　　(시큰둥하게) 그럼 키스부터 짚어보자.
　　　　　고백이든 키스든 당한 사람의 이후 스탠스가
　　　　　중요해지는 건데,
다음　　　근데 막상 하는 말 들어보면 헷갈리는 거야.
　　　　　마냥 싫다는 건 아닌 것 같기도 하고. 그런데,
　　　　　고백은 정말 칼같이 선을 그었대.
교영　　　(칼질 멈추고) 그냥 시켜 먹을걸. 아우
　　　　　귀찮어. 근데 어떻게 아는 사람이야? 스태프?
다음　　　(당황) 어… 어어!!
교영　　　아니, 일하러 가서 뭐하는 짓들이야. 부럽게.
다음　　　아니이… 이거 진지한 얘기라니까? 집중해봐.
　　　　　키스도 하고 고백도 한 사람! 원래 그런
　　　　　사람이 아니래. 되게 이성적이고…
교영　　　누가 키스랑 고백을 이성적인 판단으로 하냐?
다음　　　그런가… 진짜 좋아하는 건가… 그래서　　　377
　　　　　서운한 건가…
교영　　　서운하대?
다음　　　응. 눈물 날 만큼.

Episode 6

교영	(꿰뚫어보듯) 너 설마… 거기에 누구 있냐?
다음	(당혹) 뭐… 누구… 누가 있어!
교영	거기에 좋아하는 사람이라도 있나 해서.
	거울 봐봐. 너 되게 서운해 보여 지금.
다음	야! 아니야… 그리고 내 주제에 좋아하긴 뭘.
교영	사람은 다 죽어. 죽기 전에 늙어. 늙기 전에
	젊고, 실수 많고. 사고치고. 아무한테나
	반해서 키스하고. 후회하고. 그런다고… 눈에
	뵈는 거 없이 막 나가는 이다음 어디 갔어!!!
다음	(픽 웃고) 나 아니라고!!

이때, 다음의 핸드폰이 울린다. [남재인]

#28. 제작사 승원의 사무실 안. 밤.
문을 벌컥 열고 거침없이 들어오는 제하.

승원	(통화 중이고 앉으라고 손짓) 이다음 씨는
	글쎄요. 내가 자리는 한 번 마련해 볼게요.
	너무 기대는 하지 말고. 그래요. 끊을게요~
제하	(앉고, 핸드폰으로 기사 띄워 테이블에
	올리고)
승원	물론 나도 네 얘기 믿고 기다리고 싶었지.
	근데 이거. 요즘 트렌드야. 신비주의 언제
	적이냐. 드러내야지. 우리 영화 주인공인데.
제하	잡음이 많아진다니까. 고대표 하나로 안
	끝나. 여기저기서 이다음 찾아낼 거고. 그거
	거절하면 뒤에서 흠집 내기 시작할 수도 있고.
승원	응. 그렇겠지. 너 저번부터 당연한 걸 가지고

378

	자꾸 큰 문제처럼 굴더라? 그리고 그건 네가 신경 쓸 바가 아니지. 감독이 뭐 그런 거까지 신경을 써.
제하	영화 끝날 때까지는 최대한 의도적인 노출, 홍보. 다 미루고 싶어. 저번에 얘기했던 화보도 취소해줘.
승원	야. 이제하. 너 자꾸 선을 아슬아슬하게 넘는다.
제하	…
승원	내가 뭐 광화문 한복판에 이다음 신상 걸어놨어? 겨우 연습하는 사진 하나 공개했다! (작은 목소리로) …니네 투 샷까지 두 개.
제하	…그런 홍보 안 해도 된다니까. 형이 원하는 건 나중에 충분히… (말하려다 말고)
승원	충분히 뭐가 있는데?
제하	좀 냅둬. 영화 좀 찍자. 나 준비 좀 하자.

나가려는 제하에게,

승원	나는 이 영화 때문에 망할 생각이 없어.
제하	나도 이 영화를 망칠 생각이 없어. 아마… 형보단 내가, 이 영화 성공이 더 간절할 거야.

돌아서는 제하의 표정 냉소적이다. 승원, 그런 제하 묘한
비웃음으로 본다.   379

#29. 공차 매장 안. 밤.
음료 두 잔을 두고서 마주 보고 있는 다음과 재인.

재인   난 둘이 봤으면 했는데.

이때, 화장실에서 나온 교영이 다음의 옆에 앉고.

다음   아, 미안해.
교영   미안할 것까지야. 갈 거야. 테이크아웃해서.
재인   니넨 여전히 붙어 다니네. 그럼, 교영이가
      거짓말한 건가?
교영   무슨 거짓말?
재인   이다음 사라졌을 때. 행방 모른다고
      그랬다며. 애들이 그러던데.
다음   그땐, 교영이도 몰랐어. 내가 아무한테도
      얘기 안 하고 휴학한 거라서.
교영   뭐가 그렇게 궁금하고 고까운데.
재인   너한테 궁금하고 고까운 거 아니니까 신경 꺼.
교영   와… 싸가지. 너… 더 중증이 된 것 같다 야.
재인   나 영화 얘기하러 온 건데, 너 언제까지 끼게.
      눈치는 밥 말아 먹었니?
교영   (일어서며) 나 이 앞에 산책하고 있을게.
      끝나면 전화해.

교영, 나온 음료 들고 재인 옆으로 가서 쏟는 시늉하며

교영   이걸 그냥 확.
380   재인   (놀라고) 야!!!
교영   안 쏟아. 아깝잖아.

교영, 나가고. 씩씩대는 재인.

다음	잘 지내고 있어?
재인	어. 너 있잖아. 어디서 무슨 공부하다 온 거야? 유학? 아님, 뭐 다른 대학?
다음	그건 왜?
재인	얘기 안 할 거지? 못하는 건가?
다음	너 지금 뭐가 맘에 안 드는구나? (음료 마시고)
재인	(여유로운 태도에 화나고) 나 리딩장에서 너 봤을 때 정말 놀라서 쓰러지는 줄 알았어. 너 단역 몇 번 해본 게 전부지 않니?
다음	응. 그런데?
재인	연기 잘하는 사람은 많아. 근데 왜 하필 너일까? 네가 배역을 딴 건지 누가 따다 준 건지. 오디션 말고도 다른 경로가 있나 해서.
다음	알려주면? 따라하게?
재인	!?
다음	음… 죽을 용기로 연기를 했지. 이 영화, 이 배역, 진짜처럼 할 사람은 나뿐이라고. 정말 죽을 용기로… 그게 전부야.
재인	죽을 용기로? 야… 넌 변한 게 없다. 너 어디 가서 이렇게 가식 떨면 큰일 나 얘.
다음	나 너 오랜만에 봐서 좋았는데, 나만 그랬나보다. 난 너한테 오해 살 만한 행동한 적도 없고, 잘못한 것도 없어. 그러니까 네가 이렇게 무례하게 구는 건 딱 오늘까지야. 다음부턴…
재인	(말 자르고) 그걸 왜 네가 정해. (일어서서 나가며) 참, 사진 잘 나왔더라.

381

Episode 6

재인, 쌩하고 나가면, 남겨진 다음. 마음이 쓰이고.

#30. 공차 매장 밖. 밤.

재인, 신경질적으로 매장을 나오는데 입구에서 쪼그리고
앉아있던 교영이 벌떡 일어난다.

재인	뭐야.
교영	할 말 있어서.
재인	너 아직도 쟤 시녀 짓하고 사니?
교영	아까는 내가 미안했어.
재인	(비웃고) 뭐?
교영	(화나지만 참고) 우리 다음이. 잘 부탁해.
재인	니가 뭔데 부탁을 해.
교영	친구.
재인	하!
교영	재인아. 넌 경험도 많고 아는 사람도 많을 테니까… 다음이 잘 적응할 수 있게 부탁할게. 아까 내가 너 신경 긁은 건… 정말 미안했다.
재인	너 뭐하고 사는진 모르겠지만… 너나 잘하고 살아… 별… 이다음은 주인공이고 나는 고작 주인공 친구 역인데 누가 누굴 챙겨.

쌩하고 가버리는 재인. 어두운 표정으로 보는 교영.

382

#31. 제하의 오피스텔 안. / 준병의 식당. 밤. (교차)

제하, 책상에 앉아 준병과 통화하고 있고.

준병	분장 테스트는 뭐야? 이땐 나 뭐 해야 해?
제하	말 그대로 분장 테스트지. 잘 데려다 주고 잘 데려와줘.
준병	아~ 오케오케.
제하	…이다음은, 뭐, 별말 없었어?
준병	별말? 딱히 뭐 없었는데. 궁금하면 형이 직접 전화하면 되잖아.
제하	아니, 그런 건 아니고. 기사 뜨고 나서 신경 쓰일까봐.
준병	그러니까 직접 전화하면 되잖아.
제하	아니, 그런 건 아니고.
준병(E)	그러니까 형이 직접…
제하	끊어.

반복되는 대화에 답답한 듯, 끊어버리는 제하. 다음의 생각으로 복잡하고…
책상 위에 놓인, 다음의 병을 살피며 찾아보았던 논문 자료가 눈에 들어오는.

INS. 정효   **내 딸의 생사가 달려있는데 고작 최선을 다하겠다는 말은 무책임한 말입니다.**

논문 저자 이름에 정효의 이름이 선명하게 쓰여 있다.

INS. 제하   **그 죽음이… 노이즈 마케팅이 될 수 있겠다는…**   383
영화의 성공으로 이어질 수 있겠다는 계산도
했어요. 그때 나타난 이다음 씨가, 내
조바심을 채워줄 영화의 마지막 조각이라고

Episode 6

생각했습니다.

INS. 다음   (필사적으로 눈물을 참으며)… 고맙습니다…
            솔직하게 말씀해 주셔서.

제하, 무언가 결심한 표정에서.

#32. 한국대병원. 복도. 아침.

오전 회진을 돌고 있는 정효와 민석 일행.
마지막 환자를 보고서 복도로 나오며 비어있는 병실을
발견하고 우뚝 멈춰 선다.
갑자기 멈춰선 정효를 의아하게 살피는 중인 민석.
승희가 찾아와 했던 말을 떠올리는 정효…

승희(E)   저는… 잘 지내질 못했어요.
정효   식사들 먼저 하세요. 나는 좀 피곤해서.

민석과 일행들을 두고서 발걸음을 옮기는 정효.

#33. 한국대병원. 정효의 교수실 앞 복도.

정효가 자신의 교수실에 다다르고, 그때.
문 옆에서 서성이던 제하가 다가오는 정효를 발견하고 뒤돌아
인사한다.
어색하게 마주 보고서 서있는 두 남자…

384   ## #34. 한국대병원. 옥상 정원. 낮.

마주 보고 있지만, 여전히 어색한 분위기가 감도는 제하와 정효.

제하   이제 촬영을 시작하려고 합니다.

정효	…기어코 촬영을 한단 말입니까. 말씀드렸죠. 다음이는 못할 겁니다.
제하	이다음 씨는 배우입니다. 아픈 배우죠. 알고 있습니다.
정효	그걸 알고 있는 분이 촬영을 포기 못합니까.
제하	이다음 씨 병에 관한 자료들을 찾다보니, 논문이건 기사건 어느 자료에서나 교수님의 이름이 보였습니다.
정효	…
제하	수없이 많은 교수님 이름을 마주하고 보니, 최선을 다하겠다는 제 말이 무책임하다고 말씀하신 거, 충분히 이해가 됐습니다. 그래서, 저는… 책임지기 위해 최선을 다해 볼 생각입니다.
정효	…어떻게요?
제하	남들보다 더 잦은 식사로 에너지 요구량을 채워야만 하는 다음 씨가 위험하지 않게 신경 쓰겠습니다. 촬영 일정뿐만 아니라 휴차 일정도, 이다음 씨의 통원 일정에 맞춰 짤 겁니다.
정효	이봐요… 이제하 씨.
제하	(단호한 말투로) 만일의 상황도 대비하겠습니다. 다음 씨가 촬영 도중 예기치 못한 발작을 할 수 있다는 것도 압니다. 다음 씨의 모든 촬영을 반경 10km 내에 대학병원이 있는 곳에서만 진행하겠습니다. 김민석 교수님과 논의한 결과, 최대한 예방할 수 있는 약 처방으로 버텨보겠지만 그럼에도,

385

Episode 6

	위험한 순간이 찾아온다면.
정효	찾아온다면?
제하	(심호흡) 책임지고 이다음 씨를, 영화에서 하차시키겠습니다.
정효	(무언가 가슴을 찌르는 듯) 정말 그럴 수 있습니까? 영화는요?
제하	(잠시 생각) ···영화를 포기해야 하더라도··· (단호하게) 다음 씨를, 병원으로 돌려보내겠습니다.

정효, 묵묵히 듣는다.

#35. 회상. 한국대병원 옥상 정원. 낮.

17씬 이어서.

승희	이 얘기를 꼭 드리고 싶었거든요··· 교수님. 저는··· 잘 지내질 못했어요. (다시 웃는다)
정효	(죄책감과 당혹스러움)
승희	민정이 그렇게 보내고··· 후회 많이 했어요.
정효	···
승희	임상 앞두고 저는 희망에 차서 신이 나는데, 민정이는 자꾸 창밖만 봤어요··· 툭하면 나가고 싶다고. 나가서 뭐하게? 물어보면··· 별것도 없었어요. 그냥 보통사람처럼 걷고 싶다고. 전 그거 귓등으로도 안 들었어요. 내 새끼 하루 더 사는 거··· 그것만 중요했어요. 이제 와 보니 후회돼요··· 다··· 제 욕심이었어요.

386

정효 민정 어머니…

승희 선생님. 다음이… 하고 싶은 거 하게
     해주세요. 교수님은 아직 기회가 있는
     거예요… 이 얘기를 꼭… 하고 싶었습니다.

정효 (생각이 많아진다)

#36. 다시 현재. 한국대병원. 옥상 정원. 낮.

34씬 이어서.

정효 여기 이 옥상은… 다음이 엄마가 병원에서
     유일하게 숨 쉬는 곳이었습니다. 아내는
     집에서 죽고 싶어 했어요. 하지만… 난 계속
     병원에 붙들어 뒀습니다. 하루, 아니 한
     시간이라도 더 붙잡고 싶어서…

제하 …

정효 나는 여전히 변하지 못하겠습니다. 단
     하루라도 다음이가 살아 있었으면…
     좋겠습니다. 압니다. 내 욕심인 거. 하지만…
     어떤 모습이어도 좋으니 살아만 준다면…
     좋겠습니다.

가만히 듣고 있던 제하, USB를 하나 꺼낸다.

제하 이다음 배우가 이 씬 하나로 이 영화의
     제작 결정을 따냈습니다. 전 이다음 씨가   387
     어떤 모습들이 있는지 다 알지 못합니다.
     저한테는 오직 배우입니다. 함께 영화를
     완성하고 싶은, 좋은 배우입니다.

Episode 6

정효	(보고만 있다)
제하	저와 이다음 배우의 최선은… 영화로 보여 드리겠습니다.

정효, 물끄러미 제하를 보다 USB를 받고 문 쪽으로
걸어가다,
잠시 멈춰 서서 이야기한다.

정효	(돌아보지 않고 하늘을 올려다보며) 죽을 날이 정해진 사람을 사랑하는 건… 견디기 힘든 일입니다. 남겨진 사람의 평생을 따라다닙니다.

그대로 나가는 정효.
제하, 정효가 나가는 걸 본 후 긴장이 풀린 듯 난간을
부여잡는다.
왜인지 모르겠지만 울컥, 눈물이 고인다.
옥상 바닥에 기대어 앉은 채 한참 하늘을 올려보는 제하의
모습에서.

#37. 정효의 교수실. 낮.

자리에 앉아 컴퓨터에 USB를 꽂고. 폴더를 열면,
편집된 다음과 서영의 테스트 촬영본이 있다.
눌러서 본다. 정효는 끝난 재생 바를 다시 처음으로
끌어온다.
다시 본다… 생각을 알 수 없는 정효의 표정.

388

#38. 제작사 회의실. 저녁.

다음 날. 촬영 전 프리프로덕션 최종 회의가 진행 중인.
회의실을 가득 메운 스태프들.
유홍이 로케이션 촬영지 관련 내용을 리드미컬하게 랩핑
같은 브리핑 하고 있고.
중요한 내용이라기보다… 다들 신기해서 듣는 듯한.

유홍   평일 오전에는 두 시간 반 정도 소요되구요,
         버스 외 자차 및 승합차로 운전해서 오시는
         분들은 안전운전 하시구요. 숙소는 리조트
         두 층을 저희가 통으로 쓰기로 했어요.
         8층과 9층요. 아 그리고 시에서 촬영 기간
         동안 허가 및 협조는 협의된 상태지만,
         동네가 관광지도 아니고 워낙에 유동 인구도
         많지 않은 조용한 동네라 다들 각별히
         유의하시길 바랄게요. 기본적인 매너는 꼭
         지켜주세요! 특히 흡연자분들 꽁초 제대로
         버릴 자신 없으면 전담 준비 꼭 해주시구요.

승원   묘하게 운율이 있네. 끝이지?

제하   일정이 많이 타이트했죠. 다음 주. 이제
         시작이네요.

승원   앞으로는 더 타이트할 예정이니까, 다들
         미리미리 챙깁시다.

이때, 승원이 쇼핑백 여러 개 들어 스태프들 나눠주며, 약통   389
하나 까는 승원.

승원   촬영하다 어디 부러지기라도 하면 안 되잖아?

Episode 6

다들~ 그런 의미에서 요거 하나씩들 하시고.

철민, 관심이 가는 듯 약통을 꺼내 살펴보고

제하	(관심 없고 서류만 보는)
승원	(약을 제하에게 건네고) 자. 우리 감독님도 아 해. 아~
제하	(손길 무시하고 약통 하나 스스로 꺼내 살펴보곤) 그래, 미리미리 챙기자는 거잖아. (통에서 알약 하나 꺼내 물이랑 먹는)
승원	(민망해서 들고 있던 거 자기가 먹고) 아, 조감독님! 그거.
유홍	아 맞다. 여러분, 전달 사항 또 있습니다.
제하	?
유홍	부대표님께서 오늘 회식까지 쏘신대요! 장소는 요 앞 삼거리 호프집에서 일곱 시로 예약했습니다.

환호하는 스태프들. 승원의 이름을 연호하고, 그런 반응을
으쓱대며 만끽하는 승원.

철민	아이구. 대표님 오늘 날 제대로 잡았네.
조명감독	뭐야, 감독님은 별로 안 반기는 눈친데?
제하	아, 저는 어차피 술을 안 해서. 회식은 홍이가 알아서 잘 진행해 주길 바라고, (다음이 생각나고) 그럼… 배우들은?
유홍	분장 테스트 끝나는 대로 넘어올 거예요! 분장 팀이랑 같이.

390

제하   어… 그래.

#39. 청담동 스튜디오. / 분장실 안. 저녁.

청담동의 한 스튜디오.
분장과 의상 피팅을 먼저 끝낸 서영과 정우가 분장 팀과 함께
전달용 사진을 찍고 있고.

CUT TO.
분장실 안. 거울 앞에 서서, 앉아있는 다음을 노려보는 건지
심각하게 뚫어져라 보는 분장실장 진미. 다음 옆에는 재인이
분장을 받고 있는.

다음	(어리둥절)
진미	이상하네.
다음	(얼굴 쓰다듬고) 왜…요?
진미	(무심하게 브러쉬 털며) 어디 아픈가?
다음	(화들짝) 아니요? 아프긴요! 절대요.
진미	(손 덥석 잡아 만져보고) 체한 건 아니네?
다음	네… 안 체했어요.
진미	흠… 내가 해외 일정 때문에 테스트 촬영에 참여를 못해서 그런데… 원래 얼굴이 이렇게 창백해?
다음	… (거울로 살피며) 제가요? 아닌데…
진미	(뚫어져라 보는) 심지어 뒤로 갈수록 더 창백해야 되는데, 걱정이네.
다음	(시선 피하고)
진미	안색이라는 게 정확하거든요? 난 사람 안색을 20년 보다 보니 어디가 아픈지도

391

이제 다 보여.

다음   (긴장되고)

진미   (안마해주며) 긴장했구나?

다음   (갑자기 핑… 몸이 안 좋고) 네… 그런 것
　　　　　같아요…

그때 알람이 울리고, 두 손으로 잽싸게 알람을 꺼버리는
다음.
잠시만요, 테이블 한편에 있는 음식들을 보고.

다음   저 잠깐만 이것 좀 먹고 화장실 좀 다녀와서
　　　　　받아도 될까요?

진미   어? 어어… 먹어먹어. 근데 기껏 허약하게
　　　　　메이크업했는데 먹어도 될라나… 하하…
　　　　　먹어요. 내가 좀 더 깎아줄게.

#40. 스튜디오 화장실. 저녁.

두리번거리며 화장실에 들어오는 다음. 물과 약통을 챙겨왔다.
누가 볼세라 약을 입에 털어 넣고 이어 물과 함께 들이켜는데,
문이 벌컥 열리며 재인이 들어온다. 다음, 태연한 척.

재인   무슨 약이야 이거? 다이어트 약인가?

순식간에 다음의 손에 들린 약통을 채가는 재인. 손에 쥔
약통을 확인하는데…
마약성 진통제라고 쓰여진 붉은 글씨를 보고. 놀라서 다음을
휙 쳐다보는데,

다음	그냥 영양제야. 식후에 복용하면 더 좋은.
재인	영양제를 뭐 이딴 통에 들고 다녀?!
다음	밑에 봐.
재인	뭐?
다음	밑에 보라고.

재인, 약통을 거꾸로 들어 밑 부분을 확인하면…
영화 촬영용 소품임을 알리는 [소품용] 스티커가 붙여져
있는 것을 확인하는데.

#41. 과거 회상. 교영의 집. 낮.
들고 나갈 가방에 챙겨갈 약통들을 늘어놓고,
[소품용] 스티커를 하나하나 붙이고 있는 다음…

#42. 다시 현재. 스튜디오 화장실. 저녁.
다음	규원이가 들고 다닐 법하잖아, 안 그래?
재인	(아무 말도 못하고)…

그때 진행하던 분장팀원이 다음과 재인을 찾고.

분장팀원	규원이 유나 준비 다 됐으면 촬영하러
	오실게요!
다음	뭐해, 안 갈 거야?

다음이 먼저 돌아서 나가고, 분한 표정의 재인. 천천히 따라   393
나가는.
그때, 뒤편에 있던 문이 열리고 덤덤히 손을 씻는 여자,
서영이다.

Episode 6

#43. 호프집 주변 일각. 저녁.

한 남자가 길을 걸으며 핸드폰으로 다음이 나온 보도기사를
보고 있다.

사진 두 손가락으로 확대하며 보고 있는데, 전화가 울리고…

[지철민 촬영감독님]

> 남자　　　네 감독님, 저 근처에 다 왔어요.

이제야 얼굴이 보이는 남자, 1씬의 은호다.

#44. 호프집 일각. 저녁.

호프집 앞 골목에서 담배를 태우고 있는 제하. 들어가려는데,
멀리서 분장 팀과 함께 다가오는 다음과 배우 일행을
발견하고.

다음 역시 서있는 제하를 발견한다.

강원도 이후 처음 보는 제하의 모습에 자신도 모르게
반가워서.

> 다음　　　감독! (급하게 줄이며) 님… 안녕하세요.
>
> 제하　　　어서 와요. 다들 고생하셨습니다.
>
> 진미　　　말씀하셨던 대로 여러 버전 테스트
> 　　　　　해봤는데, 자세한 건 회의 때 정리하면 될 것
> 　　　　　같아요. 다음 테스트 때 같이 보시죠.
>
> 제하　　　네. 알겠습니다.

394

재인, 제하에게 목례하고 다음이 불편해 먼저 식당 안으로
들어가 버리는.

정우	잠깐만.
서영	(멈춰서, 보는)
정우	(호프집 문 앞에 서있는 제하와 다음을 보고, 서영의 머리를 정돈해주는)
서영	됐어.
정우	다 했어. 들어가자.
서영	(제하 보고) 감독님. 안녕하세요.
정우	안녕하세요.
제하	네. 안녕하세요. 들어가세요. 부대표가 아까부터 되게 찾아요.
서영	감독님은 나 안 찾았어요?
제하	…
서영	먼저 들어갈게요. 다음 씨도 같이 들어가자.
다음	아, 네 저도 지금 들어가려고 했어요…

서영, 다음과 들어가고. 정우 따라 들어가려. 제하 보고
멈춰서.

정우	감독님.
제하	네.
정우	혹시 서영이한테 아직 감정 남아있는 거 아니죠?
제하	그런 거 없어요.
정우	감독님은 없는데 서영이가 있어도 감독님은 변함없으실 테고요?
제하	네.
정우	실례했다면 죄송합니다. 한 번은 짚고 넘어가고 싶었어요. 먼저 들어가겠습니다.

395

Episode 6

#45. 호프집 안. 밤.

가게를 꽉 채운 스태프들, 어지럽도록 바글바글한 분위기.

제하가 멀찍이 떨어진 다른 테이블에 앉은 다음을 보고,

다음도 시선이 느껴져 보다 눈이 마주치고. 어색해지고…

제하, 괜히 머쓱해 옆에 앉은 승원의 잔에 맥주를 콸콸

따라준다.

승원이 웬일이야? 싶은 표정으로 잔을 들어 테이블에 앉은

다른 인원들과 건배를 하며, 이를 단숨에 들이켜고, 시원한

듯 짧은 탄성을 내뱉는.

가게 안 곳곳에서 잔을 부딪치고, 저마다 즐거운 표정들로

흥겨운 분위기를 이어가는.

그때, 철민이 은호를 높은 목소리로 소개하는.

     철민   (조금 취기가 올라) 잠깐 소개 좀 드릴게요!
                  저희 팀에 발목 골절로 한 달 동안 휴가 보낸
                  퍼스트 호섭이 대신에, 외부에서 에이스를
                  모셔 왔습니다. 이름은 정은호고요! 어때요?
                  잘 생겼죠? 인사드려.
     은호   안녕하세요. 정은호라고 합니다. 짧게나마 잘
                  부탁드립니다.
   분장팀1,2   카메라 뒤에 있기에는 아까운 재능이다.
     진미   (경계하며) 니네. 조심해라 정말?

박수와 환호로 맞이하는 사람들.

다음, 따라서 박수치며 은호를 바라보는데… 순간, 눈이

동그랗게 커진다.

뚫어져라 처다보는 다음, 은호는 여기저기 웃으며 인사를

주고받느라 바쁘고,

다음을 알아보지 못하는 듯… 은호를 유심히 쳐다보는
다음을 보고,
이상한 낌새를 느끼는 제하.

#46. 호프집 안. 밤
제하 테이블에 서영 정우 승원 넷이 앉아있고, 그릇은
비워져있다. 연출부 막내가 선배들이 시키자 쭈뼛쭈뼛
다가와 제하에게 술 따라주려고 하면, 서영이 대신 받는다.
그걸 본 정우가 잔을 빼앗아 대신 마시고, 대신 따라주고.
연출부 막내 가고. 제하는 저쪽 테이블에서 유홍, 준병과
이야기 나누는 다음을 슬쩍 본다. 제하를 슬쩍 보던 다음,
제하와 눈이 마주치자 화들짝 다시 시선 돌린다. 서영, 그런
모습 곁눈질하고 있다.

정우	이제 정말 시작이네요. 감독님.
제하	(정우 보며) 네. 잘 부탁해요.
정우	감독님은 속을 잘 모르겠어요. 무슨 생각하시는지. 5년 만에 촬영하는 건데 전혀 긴장도 안 하시는 것 같고요.
서영	감독님 원래 포커페이스 잘 해.
승원	역시 서영 씨가 우리 이감독을 잘 알아.
제하	아뇨. 저도 긴장됩니다.
정우	(말없이 소주 따라 마시는) 몸에서 안 받는 거 아니면 오늘 같은 날은 같이 한 잔 할 수 있는 거 아닌가.

397

정우가 자신의 잔에 소주를 따라 제하 쪽으로 건네면 서영이
빼앗는데,

정우는 표정에서 올라오는 짜증을 감출 수 없고… 제하, 불편하다.

> 승원　(억지웃음) 하하, 나는 쩌어기 가서 음료수
> 좀 가져올게…

다음, 유홍, 준병 앉아있다. 다음, 제하를 슬쩍슬쩍 보다가, 준병에게 술을 따라 주려 하자, 단호한 손으로 탁 막는 준병.

> 다음　아, 저 이따 택시 불러 가면 돼요. 드세요
> 드세요. 괜찮아요.
>
> 준병　어떻게 배우님을 두고 매니저가 술을
> 마십니까.
>
> 유홍　그런 분이 삼척에서는…
>
> 준병　조감독님 먼저 한 잔 드세요. 쭈-욱.
>
> 유홍　(술잔 받으며) 매니저님은 감독님 지인인데
> 어떻게 다음 씨 매니저를 하세요?
>
> 준병　영화 현장에서 한 번쯤 일해보고 싶었거든요,
>
> 유홍　(건성으로 오징어 씹으며) 왜요?
>
> 준병　일종의 동경? 같은? 하하! 낭만적이잖아요.
> 배우와 매니저, 그리고 스탭들이… 한 작품을
> 위해서 다 같이 뭉치는 게…
>
> 다음　… (제하의 말을 떠올린다)

398　INS. 제하(E)　**우리는 같이 영화를 만드는 관계예요. 나는…**
그 감정 때문에 영화를 망치고 싶지 않습니다.

> 다음　(괜히 제하 본다)

유홍	우리 매니저님. 보기보다 낭만 같은 게 있으시네…
준병	(괜히 발그레) 우리… 매니저…? 무슨 의미…
유홍	네?
준병	(눈앞의 술 벌컥벌컥)
유홍	어 이 사람. 또 들이켜네. 이따 봐요.

유홍, 다른 테이블로 술잔 들고 이동하고,
다음, 제하에서 시선 돌리고 손 씻으러 화장실로 가고

다음	저, 화장실 좀…

홀로 남겨진 준병. 괜히 한잔 더 한다.

#47. 호프집 안 촬영감독 쪽 테이블. 밤.

스텝들 거나하게 취해있고.
잔을 들고 온 유홍이 진미 쪽으로 와서 안주 권유하는데
거부하고,

진미	유홍 오랜만. 나 식단 중이야.
유홍	(진미 앞에 놓인 소주병을 보며) 차라리 안주를 드시는 게 다이어트에는 훨씬 도움이 될 것 같은데…
진미	아니야 자기가 뭘 몰라서 그래 안주만 안 먹으면 짝으로 마셔도 살 안 찐다니까? 왜? 나 살쪘어? (휙 철민 보고) 나 살쪘어요?
철민	(유심히 보다 웃고)
진미	뭐야, 왜 웃어요.

399

Episode 6

진미 소맥 하나 더 말려고 하는데, 소주병 빼앗아 따라주는 철민.

> 승원　아무튼 난 우리 실장님 너무 매력 있다니까. 남자친구 있어요?
>
> 진미　그런 걸 굳이 왜 만들어요.
>
> 유홍　오~~ 멋있다~~ 그럼 여기 다~~ 솔로네요.

이어지는 슬프도록 민망한 정적.
진미가 헛기침하자 건너편에 앉은 철민이 자연스럽게 티슈를 앞에 놓아준다.
진미도 자연스럽게 고개 끄덕하고 티슈로 입술 고치는데, 매너에 약간 의식하게 되고.

> 진미　(얼큰하게 취기 오르고) 사랑하겠지. 그리고 여자는 죽겠지. 난 여기서부터가 재밌더라. 남자가. 쓰레기야. 계~~속 쓰레기야. 그래, 이게 현실이야. 이 영화 다큐야 거의. 내 현실에서도 그랬거든.
>
> 철민　그게 현실이고 보통의 사랑이라기엔 너무 공감이 안 되는데요. 난 안 그래요. 싸잡아 비난하지 마세요.
>
> 유홍　맞아. 철민 감독님 되게 로맨티스트야. 촬감님 명언 있잖아요. 하얀 사랑이 아니라 검은 사랑 같다구. 완전 빵 터짐…
>
> 준병　(갑자기 나타나) 검은 사랑… 딱이네요. 너무 시커메.
>
> 유홍　뭐야, 매니저님도 로맨티스트야?

400

화장실에서 손을 털며 나오던 다음, 결말에 관해 들려오는
얘기가 재밌는지, 칸막이 옆에 서서 계속해서 듣는다.
흥미로운 표정으로…

진미	(철민이 맘에 안 들고) 촬감님은 원작파야?
철민	그렇죠.
진미	그건 판타지잖아요. 교과서 같은 사랑. 내 주변에는 없는 사랑.
철민	실장님 주변에 없다고 세상에 없는 건 아닌데,
준병	(말 받아서) 되게 염세적이시다. 죽을 걸 알지만, 그 여자를 너무 사랑해서, 남자가 죽어가는 여자한테 돌아와야 의미가 있죠. 낭만적이잖아요.
철민	아, 자네 마음에 드네! (철민, 준병 짠하고)
진미	(비웃음) 여자를 이용한 남자가 끝내 돌아오지 않고 쓰레기처럼 살다 파멸하는 결말이 더 재밌는데.
승원	(끊으며) 이거 영화 대박 나겠다. 결말 가지고 벌써부터 의견이 분분한 거 보니, 씹고 뜯을 거리가 많다는 거잖아?
진미	근데 전에 보니까… 아니다.
유흥	말을 하다 말아요 왜.
진미	(작게) 감독님 혹시. 이다음이랑 뭐 있는 거 아니에요?

401

놀라는 다음. 스태프들은 여전히 다음이 서 있는지는 모르고.

Episode 6

승원	…뭐가 있어요?
진미	알아들었으면서 뭘 물어봐요. 내가 걱정이 돼서 그래요 걱정이. 감독님도 젊구. 다음 씨도 새파랗구. 서로 보는 눈빛이…
준병	(맥주 뿜고)
승원	(묘하게) 그래 보여요? 그럼 뭐 어때.
진미	(흥분해서) 뭐 어떻다뇨? 큰일 나요, 까딱하면…
준병	아하하하하. 이제하가 사랑이요? 아하하하하 그 형은 사랑 같은 거 안 해요.
유흥	(티슈 챙겨주고) 이 아저씨는 왜 이래?
진미	(철민에게) 라이터 있죠?

휘청거리며 나가는 진미, 따라나서는 철민, 라이터 받아 챙겨 나가며.
칸막이 옆에 인기척이 느껴져 잠깐 보면, 아무도 없다.

#48. 골목길. 밤.
늦은 밤, 호프집 인근 골목길을 정처 없이 걷고 있는 다음.

진미(E)	**감독님 혹시. 이다음이랑 뭐 있는 거 아니에요?** **걱정이 돼서 그래요 걱정이.**

걱정이 많은 표정으로 진미가 한 말을 곱씹어보는 다음.
402 그때, [아빠]에게서 전화가 온다. 받아보는.

다음	어… 아빠.
정효(E)	어디니.

다음	(씩씩하게) 오늘 분장 테스트했어. 끝나고 스탭들 배우들 다 모여서 회식 중이야.
정효(E)	그래.
다음	(!? 생각지 못한 반응이고) 응… 왜?
정효(E)	촬영 전에 병원으로 와. 잘 체크하고 보내야지.
다음	아빠…
정효(E)	끊는다.

다음, 끊긴 전화기를 만지작… 허락해준 것 같은데,
이상하게 마음이 무겁고. 한숨이 나오고.

은호	한숨에 땅이 다 꺼지겠어요, 배우님.
다음	?!
은호	오랜만이야. 이다음.

자신을 보는 은호를 보고서 놀라서 얼어붙는 다음.
그런 다음을 보고서 의미심장한 미소를 짓는 은호.

#49. 호프집 앞 흡연구역. 밖. 밤.
입구를 나오며 담배를 입에 물다 말고.

철민	많이 드신 것 같은데, 괜찮아요?
진미	감독님, 실은 내가 감독님한테 할 말이 있어서 나오라 그랬어요.
철민	?
진미	나 저번 영화 때 우리 애들한테 집적거리는 스탭들 때문에 내 밑에서 3년 일한 다솔이

403

현장에서 삼각관계에 휘말려서 도망가고 그 바람에 사람 못 구해서 찍네 마네 아유… 난리도 아니었거든요.

철민   …아

진미   한창 일할 나이에 그렇게 커리어가 박살이 나면 되겠어요?

철민   그걸 왜 굳이 저한테…

진미   촬영팀의 수장이시잖아요? 애들 관리 좀 해주십사 해서요. 서로서로 신경 쓰자는 말씀을 드리는 거예요.

철민 웃음 터지고,

진미   (빠직) 왜 웃지? 웃을 일이 아니거든요 감독님. 까딱하면 촬영 펑크 나요. 촬영 현장에 새빨간 젊은 피들이 수십 명 모여 몇 달을 지내는데 이거 되게 중요한 문젠데 막 웃네?

철민   (웃으며) 우리 애들은 안 그래요. 걱정 마세요.

진미   에에? 꼭 우리 애들은 안 그래요 하는 애들이 그러던데?

겉옷을 두고 나와서인지, 살짝 추위를 느끼는 진미.

404

철민   (겉옷 벗어주며) 그래요?

진미   (옷 건네주는 철민 손 빤히 보다) 이거 봐 이런 거 하지 말라고!!!

| 철민 | ?? |
| 진미 | 애들이 다 보고 배웠겠지. 이런 거 막 챙겨주고 은은하게 이런 거 이런 거! 두 발짝 들어가면 안인데 뭐 하러 굳이 벗어줘요. 여기서! 참내 정말. |

화난 건지 좋은 건지 얼굴이 빨개져 열변을 토하던 진미,
철민이 걸쳐준 옷을 돌려주다… 그만 촬영감독의 상징,
스톤아일랜드의 로고 패치에 담배빵이!
철민 너머로 당황스러워하는 진미의 모습…

#50. 호프집 안. 밤.

남은 인원들끼리 테이블을 합치며 가까이 모여 앉아 있는.
제하, 사람들의 이야기를 듣는 둥 마는 둥, 곁눈질로 다음을
찾는데, 다음이 없다. 주변을 둘러봐도 다음이 없는 걸
확인한 제하. 다음을 찾으러 나간다.
나가는 제하를 보는 서영. 그 시선을 좇는 정우. 일어나려고
하면, 정우가 붙잡고.

정우	(귓속말) 가지 마.
서영	?
정우	…가지 마.

서영, 잠시 정우를 빤히 보다. 붙잡은 손을 떼어내고 자리를
일어선다. 굳어지는 정우.

405

#51. 골목길. 밤

식당을 나와 골목길을 빠르게 훑어가며 다음을 찾는 제하.

Episode 6

멀리 있는 다음을 발견하고서 안도의 한숨. 다가가려는데,
옆에 철민이 소개한 촬영팀 은호와 같이 있는 걸 발견하고.
멈춰 선다.

은호	연기를 계속 하고 있었구나. 몰랐어. 이렇게 만나게 될 줄도.
다음	선배는… 의외다. 촬영을 해?
은호	카메라 앞보다는 뒤에 있는 게 좋더라고.
다음	(어색하게 끄덕끄덕)
은호	사실 기사 보고 많이 놀랐어. 너 그때, 완전히 사라졌었잖아.

이어지는 잠깐의 정적.

은호	내 고백 때문인가도 생각했어. 네가 세상에서 사라진 이유가.
다음	…
은호	(웃으며) 근데, 며칠 안 갔어 그 생각. 그렇다기엔 네가 날 너무 깔끔하게 밀어냈잖아.
다음	(옅게 웃고) 깔끔하게 밀어내진 않았는데. 기억이 미화된 거 아냐?
은호	말해줄 순 없을까? 그때 왜 꼭 그랬어야만 했는지…

406

당황하는 다음. 이때, 지켜보다 들어오는 제하.
그런 제하를 보고 놀라는 다음.

제하	여기 있었네요, 이다음 씨. (은호 보고) 아, 새로 오신 촬영팀…
은호	안녕하세요 감독님. 정은호라고 합니다.
제하	두 분은 아는 사이인가 봐요.
다음	학교 선배예요.
제하	아 선후배시구나. 다음 씨, 잠깐 얘기 좀 할까요?
다음	아, 지금요?
제하	네, 지금요.
다음	(은호 보고) 미안, 다음에… 좀 더 얘기하자 우리.
은호	(급한) 잠깐만. 너 번호 바꿨잖아. (핸드폰 주고) 번호 좀 알려줄래?
다음	(당황하다 이내 알려주고) 여기.
은호	(설렘이 느껴지고) 그래. 연락할게.

뻘쭘하게 보고 있는 제하. 묘하게 신경 쓰이고.

#52. 인근 골목길. 밤.

나란히 걷고 있는 제하와 다음.

다음	감독님 타이밍 좋았어요.
제하	꽤 각별했나 봐요. 막 웃기도 해서, 고민됐어요. 끼어들지, 말지.
다음	원래 첫사랑과는 각별하고 애절하고, 다 그렇지 않나요?
제하	…첫사랑?
다음	뭘 그렇게 놀라세요. 사람 무안하게. 저도

407

첫사랑 있을 수 있죠.

제하   (괜히 돌아보고) 아까 그 정은호 씨가
       첫사랑이라고?

다음   네. 안 만나기로 마음먹어서 못 만났던 뭐
       그런…

제하   (!)… 정은호 씨는 모르는 거죠? 지금 상황.

다음   (끄덕이고) 네. (서운하다) 그게 신경
       쓰이셨구나.

제하   현장에서 친하게 지내는 건 좋은데, 일정
       거리는 두는 게 좋을 거예요. 이다음 씨 상황
       들키지 않으려면.

다음   서영 선배랑도, 정우 선배랑도, 은호 선배
       그리고 감독님이랑도. 아, 재인이도 있구나.
       그렇게 따짐 아빠랑도 있네.

제하   무슨 말이에요?

다음   지켜야 될 선이요. (멈추고) 근데 좀…
       서럽네요.

제하   ?

다음   없던 일로는 못 하죠. 돌이킬 수 없어요. 난
       이미 말했고. 감독님은 이미 들었으니까.
       내가 마음이 복잡하고 힘든 만큼, 감독님도
       힘들었을 것 같아요. 지켜야 할 선이 있다는
       말도 이해해요.

제하   (가만 보고)

408 다음   그런데 그날 이후로 자꾸 바보 같은 가정만
       하게 돼요. 내가 아프지 않다면 어땠을까.
       말 안 듣는 철없는 딸, 친한 선후배이자
       살가운 언니 동생, 감독과 배우지만 설레고

신경 쓰이는 사이. 그런 거 다 자연스러운
일이었을 텐데. 그게 다 말이 안 되는
일은 아니었을 텐데. (울컥하고) 그어진 선
안으로는 들어갈 수가 없잖아요.

제하   (무슨 마음인지 알 것 같아, 아프고) 이다음
        씨. 괜찮아요?

다음   아니요. 안 괜찮아요. 이게 다… 내가 아파서.

이때, 전화 받으러 나온 승원이 걷다가 제하와 다음의
뒷모습을 보고, 몸을 숨긴 채 제하와 다음을 지켜본다.
몸짓을 돌리려는데 뒤에 서영이 있다.
서로 놀라고.

제하   설마 울리는 건 아니죠?

다음   (찌릿 장난스레 째려보고)

제하   내가 해 줄 수 있는 게 없어요. 이다음 씨가
        울면.

다음   안 울어요. 특히, 이.제.하.감.독.님. 앞에선
        절대! 나 지금 감독님이 춤추는 상상하고
        있거든요. 눈물이 쏙 들어가네.

제하   (왜인지 귀엽다. 미치겠네…)

다음   시원하긴 하네요. 이기적으로 하고 싶은 말
        다 하니까.

제하   (피식. 옆에 가만 있어주는)

409

#53. 인근 골목길 일각. 밤.
벽에 기대있는 서영을 흥미롭게 바라보는 승원.

Episode 6

승원	우리가 못 볼 걸 본 것 같네.
서영	그러게요. 봐버렸네.
승원	서영 씨는 저 둘 어때요?
서영	불편했으면 좋겠는데요. 딱 내가 그랬던 것만큼만.

#54. 호프집 안. 밤.

주당들만 남아 와자지껄한 테이블.
술에 취한 조명감독이 높은 텐션으로 이야기를 이어나가면,
사람들은 눈이 반짝반짝거리며 듣고 있다.
그때, 다음과 제하가 들어오고.
서영이 둘을 본다.

조명감독	이상 여기까지가 제 3번째 결혼에 관한 스토리였습니다.
철민	진정성은 나름 있었어요. 시작은 불순했던 것 같지만.
조명감독	(취한 채로 철민을 끌어안으며) 서운하게 말하기 없기!
승원	(앉으며) 사랑꾼이었네, 조명감독님.
진미	그냥 여성편력인데, 무슨 말이야. 대표님은.
유홍	(조명감독에게) 그럼 지금은 행복하세요?
조명감독	아, 다음 얘기가 네 번째 결혼에 관한 얘긴데…

410

숙연해지는 테이블. 다음이 제하를 따라 테이블 자리로
가는데, 먼저 들어와 있던 은호가 다음을 붙잡는다.
그 인기척에 돌아보는 제하.

신경 쓰지 않으려 혼자 들어가 앉는다. 은호, 다음에게
귓속말을 하고.
다음은 살짝 미소 짓고. 다시 자리로 돌아간다.

> 승원   자, 그럼! 다음 다음, 누구 또 재밌는
>   얘기 없어요? 재미없어도 돼, 어떻게든 이
>   분위기만 좀 넘겨보자.

서영, 맞은편에 제하와 다음을 보고.

> 서영   만약에. 죽을 사람인 걸 알고도 사랑할 수
>   있어요?
> 유홍   죽을 사람이요? 사랑하는 사람이 죽을병에
>   걸린 게 아니라?
> 진미   누구 얘기예요?
> 서영   (웃으며) 하얀 사랑 원작에서요. 현상이는
>   규원이가 시한부인 걸 알면서도 사랑하게
>   되잖아요? (제하를 보고) 그게 진짜
>   가능할까 싶어서요. 현실적으로.
> 진미   에이, 요즘은 뭐 결혼 전에 질병 기록부니
>   뭐니 다 떼서 주고받고 하는 마당에, 어렵죠.
> 철민   사랑하는 사이에 숨기는 건 문제가 되죠.
>   근데 그걸 알고도 사랑에 빠지는 건, 하…
>   어렵다. 어려운 얘기네요.
> 서영   그래요? 감독님은요? 그런 사랑은 없다고
>   생각해서 내용을 파멸로 바꿨나.

411

제하, 서영의 질문에 뭐라고 좀 받아칠 말이 없을까…

Episode 6

고민하고.

다음은 제하의 답을 들을 자신이 없어 일어선다. 승원은
흥미롭게 서영과 제하, 다음을 주목하고. 은호 역시 제하의
말을 기다린다. 다음이 화장실 쪽으로 사라진다.

> 서영   인간 이제하는 어때요? 끝을 알면서도
>   사랑할 수 있어요?
>
> 제하   (다음이 없는 걸 확인하고) 잘은 모르지만,
>   사랑한다는 게… 그 정도는 돼야 사랑이겠죠.

서영, 제하답지 않은 대답에 기분이 상한다. 승원도 놀라운
눈으로 제하를 보고.

#55. 호프집 화장실 안. 밤.

연거푸 세수를 하고, 거울에 비친 자신의 모습을 보고 있는
다음.

서영의 질문에 대해 제하가 무슨 말을 했을까 신경 쓰인다.

> 다음   이다음. 들을 자신이 없구나.

#56. 호프집 화장실 앞. 밤.

다음이 물기를 닦고서 나오는데, 좁은 통로에서 누군가가
길을 막고 서있다.

#57. 호프집 앞 흡연구역. 밖. 밤.

412

흡연구역에 제하와 승원, 둘만 나와 있고. 승원,

> 승원   멜로 감독다운 대답이야.

제하	(말없이 무시하고)
승원	아님 진짜 사랑에 빠져서 허우적거리는 와중에 튀어나왔거나.
제하	(불을 붙이려다 말고 의아하게 쳐다보는)
승원	네가 걜 좋아하는 거야 아님, 걔가 널 좋아하는 거야?
제하	낼 기사가 부족해서 이제는…
승원	(O.L) 그럼 이렇게 물어볼게. 둘이 좋아하는 거야? 아님, 안 그래도 진부한 영화에 진부한 스캔들까지 얹으려는 거냐?

제하, 승원의 물음에 바로 대답하지 못하고…!

#58. 호프집 화장실 앞. 밤.
고갤 들어 보면, 서영이 서있고. 순간, 서영 뒤로 화장실을 가려고 나오는 은호도 보인다.

| 서영 | (눈 바로 보고) 진짜야? 너 죽는다는 거. |

그 말에 눈동자가 흔들리는 다음의 놀란 얼굴.
뒤에서 그 말을 들은 은호, 눈이 커지고. 서영, 한 발짝 더 다가서며,

| 서영 | 진짜냐고 묻잖아, 너 정말 죽어? |

413

집요한 표정으로 되묻는 서영과,
아무런 대답을 못하는 놀란 표정의 다음… **엔딩.**

Episode 6

또 다른 전사

진여와 은애 이야기

김진여는 이두영에 의해 발탁되어 떠오르는 신예로
영화판에 발을 들였다. 이두영의 영화로 데뷔해
주연급 배우로 성장했다. 이두영의 집은 영화
제작사를 겸하여 신인 시절부터 자주 드나들었고
그곳에서 영화 제작사 소속 시나리오 각색 작가로
있던 은애와 자연스럽게 친구가 됐다. 각본가를
꿈꾸던 은애의 글을 가장 먼저 읽는 사람은
언제나 진여였다. 그렇게 알게 되었다. 이두영이
만드는 영화의 각본은 전부 은애의 글이라는 걸.
은애의 시나리오를 읽고 난 뒤 이두영은 자기가
쓴 시나리오라고 그 글을 다시 보여줬다. 진여는
은애에게 왜 너의 이름을 올리지 않느냐고 물어보고
싶은 마음은 있었지만 이 상황을 자연스럽게
생각하는 은애를 보면서 찜찜하지만 말을 삼켰다.
집에서 글만 쓰던 은애에게 세상 밖의 일들을
이야기해주던 진여. 언제나 은애의 영감은 진여가
되었다.

우스갯소리로 '나의 페르소나는 진여 너다'란
말을 입버릇처럼 했던 은애. 둘의 우정은 은애가
이두영과 결혼을 하고 더 이상 글을 쓰지 않고
전업주부로 돌아설 때도 계속되었다. 오랜 시간
이런 행태를 지켜만 보던 진여는 은애에게 말했다.

415

또 다른 전사

'아이를 키우는 것도 집안을 꾸리는 것도 좋지만
글을 써라. 남편인 이두영의 그늘 안에서 그가
원하는 각본을 쓸 게 아니라, 너만의 글을 써야 한다.'
당부했다. 사실 은애는 늘 그렇게 글을 써왔다.
다만 이름을 빼앗겼을 뿐. 진여는 그 점을 꼬집은
것이다. 진여에게 용기를 얻어 은애는 〈하얀 사랑〉의
시나리오를 이두영 몰래 완성한다. 〈하얀 사랑〉을
읽은 진여는 놀라웠다. 재능이 있는 줄을 알았지만
이토록 빛나는 각본을 쓸 거란 생각은 못 했다.
진여는 은애의 각본가 데뷔를 응원했지만…

은애가 이두영에게 용기를 내 〈하얀 사랑〉의
시나리오를 보여준다. 놀란 건 이두영도
마찬가지였다. 이두영은 스멀스멀 올라오는 욕심을
감추지 않았다. 은애 몰래 〈하얀 사랑〉 시나리오를
제작자에게 보여준 뒤 뜨거운 반응을 확인하자마자
은애를 설득시키려 들었다. 이 영화. 마지막으로
한 번만 더 나에게 달라고. 은애의 이름이 실리는
것보다 이두영의 이름이 들어가야 영화화가 될
가능성이 높다며. 제대로 한 번 만들어보겠다고.
그렇게 대놓고 은애의 이름을 또다시 숨기려
들었다. 은애는 이번만큼은 빼앗기지 않으려, 기회를
얻어보려 당당히 이두영에게 요구하고 싶었지만
지금껏 이름을 숨기고 고스트라이터로 살아왔기에
무명작가인 자신의 처지, 아직 어린 아들 제하,
이두영의 설득에 대한 흔들림. 여러 가지 이유로

416

또다시 시나리오를 이두영에게 건네주게 된다.
사실상 이름을 또다시 빼앗긴 셈.

영화 제작사에서 〈하얀 사랑〉을 제작한다며
진여에게 출연할 것을 제안했다. 진여가 받아든
시나리오에 적힌 각본가의 이름은 은애가 아닌
이두영이었다. 아내란 이유만으로 그녀의 재능을
가로채는 것은 분명한 도둑질이었다. 이름을
되찾아주고 싶었다. 진여는 이두영에게 더이상
은애를 고스트라이터로 이용하지 말라며 길길이
날뛰었다. 이두영은 예상대로 뻔뻔했다. 다음에,
기회가 생기면, 그럴 힘이 생긴다면 그때 데뷔를
시켜줄 것이라며 무마하려고 했다. 가만있을 진여가
아니었다. 이 작품마저 은애의 이름을 빼앗을
거라면 신문사에 고발하겠다 경고했다.

그렇게 돌아선 진여. 상황은 바뀌지 않았고 갑자기
은애가 진여의 연락을 피했다. 업계 찌라시뿐만
아니라 신문에까지 이두영과 진여의 스캔들 기사가
터졌던 것. 진여는 다시 한번 이두영에게 따졌지만
영화판에서 그의 힘은 막강했고, 스캔들을 이용해
진여와 은애의 사이를 이간질하여 갈라놓을
심산이었다. 진여는 은애를 찾아간다. 은애는 다
알고 있었다. 그저 무력감에 울음이 터진 진여를
안아줄 뿐이었다. 그리고 진여에게 부탁을 남긴다.
언제나 나의 주인공이었던 진여, 네가 이 영화를

417

또 다른 전사

완성해달라고. 그리고 나중에 때가 되면 엄마가
이 영화를 썼다는 걸 제하에게 알려달라고.

진여는 쉽게 결정하지 못했다. 그 사이 은애가
떠났다. 이두영이 진여를 찾아와 은애의 생전
마지막 부탁이라며 하얀 사랑의 주인공으로 출연할
것을 간곡히 부탁했다. 진여는 하얀 사랑을 끝으로
배우 생활을 접었다. 은애가 없이는 더이상 영화를,
연기를 하고 싶지 않았다. 그렇게 진여는 은애에
대한 죄의식과 죄책감을 안고 세상에서 사라진다.

418

은애와 제하 이야기

어린 제하의 기억 속 엄마 은애의 모습은 이랬다.
틈만 나면 항상 주방 식탁에 앉아 글을 쓰고 있다가
누군가 오면 숨긴다. 아버지 이두영은 한 달에 한두
번 들어올까 말까. 은애가 챙겨주는 짐가방을 들고
나가면 또 한 달간은 감감무소식. 이따금 늦은 밤
잔뜩 취한 동료 영화인들을 우르르 데리고 들어와서
날이 새도록 술판을 벌이던 것. 어느 날은 제하에게
심부름을 시켰는데 네다섯 걸음만에 다시 집으로
돌아왔던 제하가 마주한 건 은애가 고통스럽게
아픔을 참으며 눈물을 흘리던 모습.
또 어느 날은 신문으로 이두영과 김진여의 스캔들
기사를 보고는 조용히 쓰레기통에 버리던 모습.
아픈 몸으로 끝까지 무언가를 적어가던 모습…
제하는 은애가 죽고 장례식에서 친척들이 이모라
부르던 진여의 머리채를 잡고 흔들던 모습을 끝으로
엄마는 외로웠고, 미련했고, 이두영은 잔인하고
자격 없는, 진여는 뻔뻔하고 위선적이었던 인간들로
규정하며 자라왔다.

이두영이 세계적인 영화제에서 큰 상을 받고
거장이란 칭호를 듣고 있어도 제하는 아버지를 단
한 번도 자랑스럽게 생각하지 않았다. 엄마를
방치한, 버린, 그래놓고 사랑의 아름다움을 논하는

419

이중적인 인간이란 생각에 치를 떨었다. 엄마에 대한 죄의식도 죄책감도 없어보였다. 제하에게 이두영은 정말이지 자격 없는 아버지였다.

제하가 〈하얀 사랑〉을 리메이크 하게 되며 진실을 마주했을 때, 이두영을 겨우 '자격 없는 아버지'로만 생각했던 자신이 싫어질 정도로 진실은 처참했다. 아버지로서의 자격뿐만 아니라 인간으로서의 자격도 없는 자였다. 어머니의 재능을 욕심내고 기어코 이름을 도둑질해 자신의 명성을 쌓아가며 그 욕심을 끝내 부끄러워하지 않고 끝까지 누리다 죽어버린 사람.

사람들의 인식 속에 박혀있는 거장 이두영의 아들 이제하는 그 꼬리표를 잘라내지 않고, 되려 칭칭 감아 꼬리표를 이용해 아버지와는 다른 영화, 다른 사랑, 다른 선택을 하겠다 마음먹는다. 그리고 스스로에게 약속한다. 아버지가 빼앗아간 어머니의 이름을 자신이 되찾아 주겠다고.

진여와 제하 이야기

'너도 다 알고 있었으면서 이제 와 어쩌겠다는
거냐. 은애를 생각해서라도 은애가 남기고 간
유작을 완성해야 한다. 네가 계속 배우를 하고
싶다면…' 지겹도록 들은 이두영과 영화 업계의
압력. 진여는 진실을 알면서 성공을 위해 눈을
감았던 건 아니었을까 스스로를 의심하며 살았다.
사는 내내 부끄러웠다. 은애가 죽고, 한참이 지나
이두영도 죽었다. 진여는 외면했던 진실 속에 갇혀
늙어갔다. 놓쳐버린 기회와 묵인하고 도망쳤던
세월을 회피하며 살아가던 어느 날, 은애의 아들
이제하가 이두영의 〈하얀 사랑〉을 보고 있는 모습을
보게된다. 그간 숨죽여 살았던 진여는 용기를 내
제하에게 초고를 살펴보라 일렀다. 제하라면 꼬인
실타래를 풀고 은애를 이해하며 이름을 되찾아 줄
수 있지 않을까. 제하에게 은애가 얼마나 반짝이던
사람이었는지, 그녀가 말하고 싶었던 사랑은 얼마나
아름다운 것이었는지 알려줄 수만 있다면, 용서받지
못해도 괜찮다. 그렇게 조심스레 지난 세월에
숨겨왔던 진실을 제하에게 밝힌다. 그리고 진여는
무언가를 새롭게 깨닫는다. 기대했던 것들보다 더
중요한 것은 따로 있었음을. 진여의 눈에 제하의
옆을 지키는 다음이가 보인다.

421

또 다른 전사

422

우리영화: 한가은·강경민 대본집 1
Our movie Screenplay 1

초판 1쇄 발행일   2025년 12월 15일

제공   STUDIO S
펴낸곳   플레인아카이브

지은이   한가은 강경민

펴낸이   백준오
편집   장지선
교정   이보람 장지선
디자인   studio ALT
스틸   스튜디오 다운 – 이지윤
인쇄   세걸음
도움 주신 분   이정흠 박가람

출판등록   2017년 3월 30일 제406-2017-000039호
주소   경기도 파주시 회동길 337-16, 302호
메일   cs@plainarchive.com

22,000원
ISBN 979-11-90738-27-9(04680)
       979-11-90738-29-3(세트)